未读 ADR | 探索家 |

Science Pearls Youth Edition
国际科普大师丛书（青春版）● 数理篇

140亿年宇宙演化全史

Origins

Fourteen Billion Years of Cosmic Evolution

［美］ 尼尔·德格拉斯·泰森
(Neil deGrasse Tyson)
［美］ 唐纳德·戈德史密斯
(Donald Goldsmith) /著
阳曦/译

NPM 北方联合出版传媒（集团）股份有限公司
辽宁科学技术出版社

著作权合同登记号：图字 01-2019-3347 号

图书在版编目（CIP）数据

140亿年宇宙演化全史 / (美) 尼尔·德格拉斯·泰森，(美) 唐纳德·戈德史密斯著；阳曦译. -- 沈阳：辽宁科学技术出版社，2025. 1. -- (国际科普大师丛书：青春版). -- ISBN 978-7-5591-3888-0

Ⅰ. P159-49

中国国家版本馆CIP数据核字第2024XG3722号

出 版 者：辽宁科学技术出版社
（地址：沈阳市和平区十一纬路25号 邮编：110003）

印 刷 者：大厂回族自治县德诚印务有限公司

发 行 者：未读（天津）文化传媒有限公司

幅面尺寸：889mm × 1194mm，32开

印　　张：7.875+1（彩插）

字　　数：200千字

出版时间：2025年1月第1版

印刷时间：2025年1月第1次印刷

选题策划：联合天际

责任编辑：张歌燕　于天文　王丽颖　马　航

特约编辑：兔形目　王羽翯

美术编辑：王晓园

封面设计：typo_d

责任校对：王玉宝

关注未读好书

客服咨询

书　　号：ISBN 978-7-5591-3888-0

定　　价：38.00元

本书若有质量问题，请与本公司图书销售中心联系调换
电话：(010) 52435752

给所有仰望星空的人，

以及那些还不知道为何要仰望星空的人

目录

前言　思考科学的起源和起源的科学

科学知识的一些新综合学科正在不断发展壮大。近年来，天体物理学已经不再是宇宙起源相关问题唯一的答案来源。随着天体化学、天体生物学、天体粒子物理学等新兴学科的涌现，天体物理学家发现，学科的交叉与融合能为他们带来莫大的益处。我们到底从哪里来？要回答这一问题，我们需要调用多门学科的知识，研究者审视宇宙运作机制的视角也会因此达到前所未有的广度和深度。

在本书中，我们向读者介绍了这些新的综合学科；由此，我们不仅讨论了宇宙的起源，还谈到了最大的物质结构的起源、点亮宇宙的恒星的起源、生命摇篮行星的起源，以及生命在某颗或多颗行星上的起源。

人类对起源问题特别感兴趣，这背后既有理性方面的原因，也有情感方面的原因。若是不知道某样东西的来源，我们很难理解它的本质，而在我们听说过的所有故事中，那些讲述“我们从哪里来”的故事总能引起我们最深的共鸣。

演化将自我中心的思考方式刻进了我们的骨头里，再加上百万年来在地球上的生活经验，在重述大多数起源故事的时候，我们自然会特别注意与自己息息相关的事件和现象。但是，对宇宙的认识越深入，我们就越清楚地发现：我们生活的星球不过是宇宙中的一粒尘埃。整个宇宙有数百亿个星系，银河系只是其中之一，我们的地球所围绕运行的太阳，也只是银河系边缘一颗再普通不过的恒星。我们在宇宙中的卑微地位激发了人类天性中强烈的防御机制。很多人不知不觉变成了动画片里的那种角色。他们仰望灿烂的星空，然后告诉同伴："当我看着这些星星的时候，它们的微不足道令我感慨。"

纵观历史，不同的文化各有自己的创世神话。这些故事解释了宇宙的力量如何塑造我们的命运，这有助于我们对抗自感卑微的痛苦心理。虽然这些起源故事通常有一个宏大的开篇，但故事的情节很快就会转移到地面上；宇宙和宇宙中所有物质的诞生、地球生命的起源等常被一笔带过，接下来的长篇大论只讲述人类历史的种种细节和社会冲突，仿佛整个世界是以我们为中心创造出来的。

几乎所有的创世神话都有一个默认的前提：宇宙的运行有其基本规则。而这些规则，至少从理论上说，会在我们对周围世界的审慎观察中显露。古希腊哲学家甚至将这样的前提升华到了崇高的地步，他们坚称，我们人类有能力感知自然运作的机制，透过现象看到事物的本质，并从中提炼出主宰万事万物的基本真理。他们还坚称，揭开这样的真理非常困难——这倒是可以理解的。早在2300年前，希腊哲学家柏拉图就将求知者比作洞穴里的囚徒，他们看不到背后的东西，只能靠洞壁上的投影来推测真理的面貌。这个著名的比喻深刻地反映了人类的无知。

柏拉图的比喻不仅精妙地总结了人类为理解宇宙付出的努力，还强调了这一点：我们天生容易相信某些能被我们模糊感觉到的神秘实体在主宰着宇宙，我们最多只能学到一部分属于它们的知识。从柏拉图到释迦牟尼，从假想的宇宙创造者到电影《黑客帝国》里的"矩阵"，人们总是深深相信，宇宙由某种更高级的力量主宰着，真正的主宰者可以一眼看穿表象，看透万物的本质。

从500年前开始，一种理解自然的新方法渐渐成形。新技术和新技术带来的发现孕育了新的态度，今天的我们称之为"科学"。纸质书在欧洲的流通，加上水路和陆路交通的改善，让人与人的交流和沟通变得更加快捷高效，所以人们才能以远超往昔的速度学习别人的理论，彼此砥砺切磋。从16世纪到17世纪，高效的讨论催生了一种获取知识的新方法，它的核心原则在于，要想最有效地理解宇宙，首先人们必须仔细观测，然后尝试提出一些基本的通用理论，试着解释这一系列的观测结果。

另一个概念也促成了科学的诞生。科学依赖于有理有据的怀疑精神，也就是说，科学总是需要人们有条理地提出质疑。很少有人愿意质疑自己的结论，所以要鼓励科学的怀疑精神，我们必须奖励那些敢于质疑他人的人。这种做法或许有悖人性——不是因为它号召大家质疑别人的想法，而是因为，只要你能证明另一位科学家的结论错了，你就能得到鼓励和奖赏。对其他科学家来说，这位纠正了同行错误的人，或者以严密的理由对同行的结论提出质疑的人，他做的事情十分高尚，就像禅宗大师用一记耳光唤醒了在冥想中走火入魔的新手，只不过这些互相纠正的科学家通常是平等的，这里没有师徒。通过奖赏发现他人错误的科学家——人类天性如此，挑别人的错比挑自己的错简单得多——科学家群体建立了一套能够自我纠正的强大系统。科学家不会放过证伪同行理论的机会，却也支持彼此为拓展人类知识所做出的尝试，他们由此创造出了用于理解自然最有效、最高效的工具。科学因此成为一种共同追求，然而科学家绝不是一个惺惺相惜、互吹互擂的团体，他们也不应该是。

和人类发展过程中的所有尝试一样，科学方法在实际运作中也没有理论上那么顺畅。并不是所有科学家都会充分地怀疑同行。总有人希望在位高权重的科学家面前多露露脸，有时候也有人会被知识以外的因素左右，这都会影响科学的自我纠正能力。不过从长期来看，错误早晚会得到纠正，因为总有别的科学家会发现它，为了自己的职业前途着想，他们肯定会对此大肆宣扬。只有那些经受了其他科学家的质疑和攻击仍屹立不倒的结论才有资格成为科学“定律”，人们会将它们纳入对现实的有效描述。不过科学家深知，也许未来某天我们又会发现，这些定律其实是某个更宏大、更深刻的真理的一部分。

不过，证明彼此的谬误并不是科学家的主要工作。用略微不同的观测结果来验证种种不完善的假设，这才是他们花费大部分精力去做的正经事。然而每隔一段时间，某个重要理论就会出现一个意义重大的新观点，或者突然冒出来一整套新的观测结果，科学家又会提出一系列新假设来解释这些结果（这种情况在技术进步的年代更常见）。在某个伟大的时刻，某个新解释（或许还有新的观测结果）彻底改变了我们对自然的看法，这样的事情不绝于史，未来也必将再次发生。科学的进步由两类人推动：那些设法获取更好的数据，并根据数据小心推理的人，还有那些冒着极高的风险挑战已被广泛接受的结论的人——当然，一旦成功，他们也将得到极高的收益。

怀疑主义是科学精神的核心，但人类的心智天生倾向于逃避冲突，蜷缩在看似永恒的真理带来的安全幻境中。如果科学的方法不过是对宇宙的另一种诠释，那它永远不会激起太大的波澜，但科学之所以能够大获成功，是因为它真的管用。如果你乘坐一架根据科学规则（这些规则经受了数不清的试图证明其谬误的考验）制造的飞机，那么你安全到达目的地的概率远大于乘坐基于吠陀占星术规则制造的飞机。

纵观近代史，看到科学成功地解释了自然现象，人们的反应不外乎四种。首先，一小部分人真心实意地认为科学是我们理解自然的最好办法，他们不打算寻求其他诠释宇宙的方式。第二种人比第一种人多得多，他们对待科学的策略是无视，这些人觉得科学无趣、晦涩或者不符合人类天性［这些人看起电视来如饥似渴，他们从不会停下来思考，电视的图像和声音来自何方，更不会想到“魔法”（magic）和“机器”（machine）这两个词系出同源］。第三种人也是少数派，他们意识到了科学与自己珍视的信念之间的冲突，所以他们积极地想要证伪那些冒犯或触怒自己的科学结论。不过这样的人对科学基本一窍不通，不信的话，你可以问他们："你觉得什么样的证据才能让你相信自己是错的？"1611 年，面对现代科学结出的第一批硕果，诗人约翰·多恩（John Donne）写下了一首《世界的剖析：第一周年》（*The Anatomy of the World: The First Anniversary*）来表达自己的震撼。直到 21 世纪的今天，这些反科学分子还能体会到多恩当时的感受：

> 而新的哲学令人生疑，
> 火元素已被扑灭，
> 太阳迷失了，大地也不见踪影，谁的智慧
> 也无法带领他去找到它们。
> 有人直率地承认，这个世界完蛋了，
> 在行星中，在苍穹中，
> 他们正在探寻那么多新的东西；他们看到，这个（世界）
> 再次崩塌成原子。
> 万物粉碎，所有连贯性消失……

第四种人倒是为数不少，他们一方面接受科学对自然的解释，但从另一方面来说，他们依然相信，宇宙的主宰是一种我们无法完全理解的超自然的存在。哲学家巴鲁赫·斯宾诺莎（Baruch Spinoza）搭建了自然与超自然之间最强有力的桥梁，他拒绝承认自然和神有界限，并坚持认为宇宙既是自然的，也是神性的。其他传统宗教的徒子徒孙倒是常常强调二者之间的分野，他们更愿意从心理上划分自然和超自然掌管的领域，通过这种方法来调和二者。

无论属于哪个阵营，至少谁也不会怀疑，现在是我们学习宇宙新知识的大好时机。那么我们不妨踏上探索宇宙起源的冒险征途，像侦探一样根据现场留下的证据来推测犯罪事实。我们邀请你一起寻找宇宙的线索——探索这些线索隐藏的意义——或许我们终将发现，宇宙的一部分如何演化成了我们自己。

序曲　有史以来最伟大的故事

这个世界业已运转多年，所有动作
早已设定妥当。
从那以后，一切如常运转。

——卢克莱修（Lucretius）

大约 140 亿年前，在那时间的开端，已知宇宙中所有的空间、物质和能量都挤在针尖大的一个小点里。然后宇宙突然变得灼热滚烫，描述宇宙的基本力开始浮现，那是一种单一的力。宇宙温度高达 10^{30} 摄氏度，这时候它刚刚诞生了 10^{-43} 秒。在这样的时刻，我们所有关于物质和空间的理论都失去了意义。在这个统一的力场里，能量激荡，黑洞诞生然后消失，随后再次成形。在这样极端的条件下，根据公认的物理学推论，时间和空间的结构发生了严重的弯曲，时空咕噜噜地形成了多孔的海绵状结构。在这个阶段，谁也分不清哪些现象遵循阿尔伯特·爱因斯坦（Albert Einstein）的广义相对论（现代引力理论），哪些又符合量子理论（对微观物质的描述）。

随着宇宙继续膨胀冷却，引力开始和其他力分离。又过了没多久，强核力和电弱力分道扬镳，与此同时，海量的能量向外释放，宇宙的体积也因此在极短的时间内膨胀了 10^{50} 倍。这个被称为“暴胀时期”（epoch of inflation）的阶段抹平了宇宙中的物质和能量，从此以后，宇宙相邻部分的密度差降低到了十万分之一以下。

接下来，宇宙的膨胀进入了经过实验室验证的物理学范畴。宇宙的温度依然很高，足以让光子自发地将能量转化为物质－反物质粒子对，紧接着这样的粒子对又会彼此湮灭，将能量返还给光子。出于某些未知的原因，之前基本力分离的时候，物质和反物质的对称性被“打破”了，结果宇宙中的物质比反物质多出来了一点。这样轻微的不平衡对宇宙未来的演化至关重要：每诞生10亿个反物质粒子，相应地就会出现10亿零1个物质粒子。

随着宇宙进一步冷却，电弱力又分裂成了电磁力和弱核力，我们熟悉的四种基本力就此成形。这一大锅“光子汤”的能量继续降低，现在，光子不能继续自发生成物质-反物质粒子对了，残存的粒子对迅速湮灭，最后留下一个这样的宇宙：每10亿个光子产生1个普通的物质粒子——没有反物质。如果没有这种不平衡的情况，那么持续膨胀的宇宙里除了光以外不会有其他任何东西，更别提什么天体物理学家了。在大约3分钟的时间里，物质粒子变成了质子和中子，大量质子和中子又进一步结合成最简单的原子核。与此同时，自由运动的电子让光子不停地来回散射，创造出一大锅不透明的物质和能量汤。

等到宇宙的温度降低到几千K（开氏度）以下（这还是比鼓风炉热得多），某些运动速度太慢的自由电子开始被流动的原子核捕获，形成氢、氦、锂的完整原子，这是三种最轻的元素。现在宇宙（第一次）变成了透明的，可见光和我们今天观察到的宇宙微波背景辐射（它们也是自由飞翔的光子）开始展露身形。创世之初的10亿年里，宇宙继续膨胀冷却，物质在引力作用下聚集形成星系。仅仅在我们可见的宇宙范围内，就有1000亿个星系聚集成形，每个星系都包含着几千亿颗恒星，热核反应就发生在恒星核内部。如果一颗恒星的质量能达到太阳的10倍左右，那么它的压力和温度就足以达到临界值，恒星核内就会开始生成数十种比氢更重的元素，其中包括组成行星和生命的关键元素。很长一段时间里，这些元素都会被困在恒星内部，无法发挥作用。不过，等到大质量恒星死亡以后，富含各种化学元素的恒星核物质就会通过爆炸散落到整个星系中。

经历了七八十亿年的富集以后，在宇宙某个普通角落（室女座超星系团边缘）的普通星系（银河系）的普通区域（猎户座旋臂）里，一颗普通的恒星（太阳）诞生了。孕育太阳的气团中含有丰富的重元素，足以形成几颗行星、几千颗小行星和几十亿颗彗星。在这个行星系形成的过程中，围绕太阳旋转的“母亲气团”开始分离出一团团密集的物质。几亿年的时光里，彗星和其他碎片常常高速撞击这些岩石行星崎岖的表面，留下沸腾的岩坑。随着太阳系中的自由物质不断减少，行星表面开始冷却，被我们称为地球的行星就这样诞生了，它所在的轨道正好可以允许大气层内存在液态的海洋。如果地球轨道离太阳更近一些，海洋就会被蒸发，而要是地球轨道离太阳再远一些，海洋就会结冰。无论是哪种情况，地球上都不可能演化出我们今天所知的生命。

在化学元素丰富的海洋里，出于某种我们尚不清楚的机制，刚刚出现的简单厌氧菌不知不觉地将地球上富含二氧化碳的大气转化成了氧气含量充足的空气，需氧生物开始形成、演化，最终统治了海洋和陆地。氧原子通常成对组成分子（氧气，O_2），不过在上层大气中，它们也会形成包含 3 个原子的分子（臭氧，O_3）；臭氧能保护地球表面免遭紫外线光子的侵扰，这种微粒可能造成分子级的破坏。

生命之所以如此丰富多彩，是因为宇宙中富含碳元素，碳元素能组成的分子多不胜数，其中有简单的也有复杂的；碳基分子的种类比其他所有分子加起来还多。但生命又是脆弱的。地球经常遭到太阳系成形时期残余下来的大块天体的撞击，这本是司空见惯的事情，不过在生命诞生以后，地球上的生态系统却会因为这样的撞击而迎来浩劫。远的不说，就在 6500 万年前（如果地球是一位百岁老人，那么这件事距离现在还不足两年），一颗 10 万亿吨重的小行星击中了如今的尤卡坦半岛，地球上超过 70% 的陆生动植物群落就此灭绝，其中包括那个年代的陆地霸主——恐龙。这场生态灾难也带来了一个契机，体形更小、生存能力更强的哺乳动物很快填补了生态链的新空白。而在这些哺乳动物中，脑袋特别大的灵长目最终演化出了一个特殊的物种——智人（*Homo sapiens*）——极高的智力水平让他们得以发明科学的方法和工具，进而发展出天体物理学，最终开始探索宇宙的起源和演化。

是的，这个宇宙的确有一个起点。是的，这个宇宙还在不断演化。是的，我们体内的每一个原子都可以追溯到大爆炸的那一刻，它们在大质量恒星的热核熔炉之中诞生。我们不光生活在这个宇宙中，我们还是这个宇宙的一部分，是它孕育了我们。你甚至可以说，虽然我们的地球不过是宇宙中一个小小的角落，但就是在这里，宇宙赋予了我们力量，让我们去探索它的起源和奥秘。现在，我们才刚刚开始。

卷一

宇宙的起源

第一章　开始的开始

开始的开始，就有物理。“物理”描述的是物质、能量、空间和时间的行为。在那恢宏的宇宙舞台上，这些角色的互动创造了所有的生物学和化学现象。物理定律也因此成了我们这些凡人所熟悉的一切基本事物的源泉和根基。科学家在解释天文现象时用到的物理定律来自物理学中尺度较大的那个部分，我们称之为“天体物理学”。

无论在哪个科研领域，最前沿的发现都需要我们在极端环境中观测现象及其条件，物理学尤其如此。某些环境的极端性体现在物质方面，比如说在黑洞附近，引力会严重扭曲周围的时空连续性；另一些环境的极端性则体现在能量方面，例如，恒星核心1500万摄氏度的高温环境中会产生自发的热核聚变反应。宇宙诞生之初那几个短暂的瞬间凝聚了我们能想象到的所有高温、高密度的极端条件。要理解这几个瞬间分别发生了什么事情，我们需要借助人类进入20世纪以后发现的一些物理定律。物理学的这部分内容被学界定义为“现代物理学”，以区别于此前的“经典物理学”。

经典物理的一大特征在于，如果你停下来仔细思考，你会发现它阐述的事件、定律和预测都很有道理。物理学家在普通的建筑物里利用普通的实验室设备发现并验证了这些经典的规则。直到今天，我们还在高中物理课堂上学习经典物理学描述下的引力、运动、电磁，以及热能。经典物理学定律揭示了自然世界背后的规律，并由此推动了工业革命。这门学科以前几代人根本无法想象的方式彻底改变了我们的社会和文化，直到现在，经典物理学仍是我们理解日常经验世界的核心工具。

与此相对，现代物理学看起来就显得很不合理，因为它描述的现象都发生在人类感官无法触及的遥远领域里。这其实是件好事。正因如此，我们才能高高兴兴地生活在熟悉的日常世界里，完全不受极端条件下的“怪异物理”影响。一个普通的早晨，你起床，在屋子里转两圈，吃点东西，然后走出家门；到了黄昏时分，你挚爱的人肯定希望回到家里的你和早上出门时一模一样，全须全尾。我们不妨想象一下，如果你来到办公室，走进一间温度极高的会议室，准备参加上午 10 点的一场重要会议，就在这时候，你突然失去了所有电子，甚至更严重，组成你身体的原子突然纷飞四散，这可就糟了。或者，你坐在办公室里，借着头顶那盏 75 瓦台灯的光线打算干点活，突然有人打开了一盏 500 瓦的灯，于是你的身体开始在几堵墙壁之间弹来弹去，最后像恶作剧玩偶盒里的玩偶一样从窗户飞了出去。又或者，你下班后去看相扑比赛，结果只看到两位体形近乎圆球的选手相互碰撞并消失，他们自然而然地变成了两束光，从相反方向离开房间——看到这一幕，你感觉如何？又或者，你在回家的路上挑了一条不太挤的路，结果一幢黑漆漆的大楼先是把你的脚吸了进去，然后又把你的身体拉伸成了一根“面条”；你艰难地穿过一个洞口，身体被压成一张薄片，从此以后，再也没有人见过你或者听到你的消息。

如果这些场景真的出现在我们的日常生活中，我们或许会觉得现代物理其实没有那么奇怪；有了日常的生活经验打底，我们就能顺理成章地理解相对论和量子力学的基础知识，而我们的爱人恐怕永远不会放我们出门去上班了。但在宇宙诞生之初的那几分钟里，这样的事情随时随地都在发生。要尽可能地猜想并真正理解当时发生的事情，我们别无选择，只能建立一套全新的反直觉的“常识”体系，来解释极端温度、密度和压力环境下物质的行为，以及这些行为背后的物理规则。

我们必须进入 $E=mc^2$ 的世界。

1905 年，爱因斯坦首次发表了这个著名公式的一个版本。正是在这一年，他那篇影响深远的论文《论动体的电动力学》(*Zur Elektrodynamik bewegter Körper*）发表在杰出的德国物理杂志《物理年鉴》(*Annalen der Physik*）上。虽然这篇论文以“电动力学”为题，但它最出名的内容却是爱因斯坦的狭义相对论，这套理论引入的概念永远地改变了时间和空间的概念。同一年晚些时候，年仅 26 岁的瑞士伯尔尼专利审查员爱因斯坦在同一家杂志上发表了另一篇简短（只有两页半）的论文《物体的惯性依赖于它的运动成分吗？》(*Ist die Trägheit eines Körpers von seinem Energieinhalt abhängig*?)。正是在这篇文章中，爱因斯坦提出了那个著名的公式。你不必花费时间去查找这篇文章，或是设计实验来验证爱因斯坦的理论，我们可以直接告诉你，这个问题的答案是肯定的。正如爱因斯坦在论文中所说：

> 如果某个物体以辐射的形式释放能量 E，那么它的质量将减少 E/c^2……质量衡量的是物体包含的能量；如果能量发生了变化（E），那么质量也会发生相应的变化。

爱因斯坦不太确定自己的理论一定就是对的，所以他也提出了建议：

> 利用某些所含能量高度可变的物体（例如，镭盐），我们或许可以通过试验来验证这套理论，这并不是不可能的事情。

于是你得到了这个方程。这是任何条件下物质与能量相互转化的代数秘诀，$E = mc^2$——能量等于质量乘以光速的平方。质能方程是一件超级强大的计算工具，它极大地拓展了我们对宇宙的认知和理解，无论是对眼前这个世界，还是对可以追溯到宇宙诞生之初那亿万分之一秒的碎片时间。有了这个等式，你就能算出一颗恒星能产生多少辐射能，或者你兜里的硬币能转化成多少有用的能量。

光子是我们最熟悉的能量形式。光无所不在，只是我们常常意识不到它的存在。光子没有大小，不可分割，它可能是可见光的一部分，也可能来自其他形式的电磁辐射。我们每个人时时刻刻都沐浴在光子的海洋中。从太阳、月亮到满天的星辰，从你家的炉子、枝形吊灯再到夜灯，从遍布全球的数以百计的广播电视站点到数不清的手机和雷达发射塔，光子的来源丰富多彩。那么，我们在日常生活中为什么看不到物质和能量相互转化呢？如果以公式 $E = mc^2$ 来衡量，普通光子的能量根本不足以形成质量最小的亚原子粒子。这些光子蕴含的能量太少了，所以它们不可能转化成别的东西，只能继续过现在这样相对平静的简单生活。

你想看看 $E = mc^2$ 真正发挥威力吗？那不妨从高能 γ（伽马）射线光子开始——它蕴含的能量至少是可见光光子的 20 万倍。在这种射线的照射下，你很快就会死于癌症。不过在此之前，你会看到 γ 射线光子所到之处，一对对电子凭空出现，其中一个由物质构成，另一个由反物质构成（这只是宇宙中无数动态粒子－反粒子对中的一组而已）。你还会看到，物质－反物质组成的电子对彼此碰撞、湮灭，再次产生 γ 射线光子。要是将这些光子的能量再提高 2000 倍，这么强大的 γ 射线说不定能把某位对辐射特别敏感的人变成绿巨人。根据公式 $E = mc^2$，拥有这么多能量的光子对可以创造出中子、质子和它们的反物质伙伴，这些粒子的质量差不多是电子的 2000 倍。高能光子不算常见，不过在宇宙中的某些“熔炉”里，你的确能看到它们的身影。以 γ 射线为例，几十亿摄氏度的环境基本都能产生这种射线。

从宇宙学的层面上说，粒子和能量包之间的相互转换至关重要。目前，在我们这个不断膨胀的宇宙中，科学家测量无处不在的微波光子，得到的温度只有微不足道的 2.73K（开氏温标下的温度没有负数，粒子在 0K 时能量最低，室温大约是 295K，水的沸点是 373K）。和可见光的光子一样，微波光子温度太低，所以它根本不可能通过 $E = mc^2$ 转化为其他粒子。换句话说，任何已知粒子都没有这么小的质量，所以能量极低的微波光子没有出路，只能维持现状。无线电波、红外线、可见光、紫外线和 X 射线光子的处境也相差无几。简单地说，光子的能量强度至少要超过 γ 射线才有可能转化为物质。不过，昨天的宇宙比今天的更小一点，也更热一点；前天的宇宙又更小、更热。如果我们把时钟往回多拨一些，比如拨到 137 亿年前——在大爆炸之后那锅原始汤里，整个宇宙的温度还很高，从天体物理学意义上说，每个角落都充满了 γ 射线。

理解从大爆炸到今天这段漫长的历史中空间、时间、物质和能量的运动，是人类的终极科学追求之一。要为那最初的时刻（那时候的宇宙比之后的任何时刻都更小、更热）发生的所有事件建立一套完整的解释，你必须找到一种方法来让四种已知的基本力（引力、电磁力、强核力和弱核力）进行互动，将它们统一。除此以外，你还得设法调和目前互不相容的两个物理学分支：量子力学和广义相对论。

20 世纪中叶，量子力学和电磁学成功联姻，得到鼓励的物理学家很快开始尝试将量子力学和广义相对论撮合成统一的量子引力论。到目前为止，他们所有的尝试都以失败告终，不过我们已经找到了难点所在，那就是所谓的“普朗克时期”（Planck era）。这个时期指的是从宇宙诞生到 10^{-43} 秒的阶段。信息传播的速度永远不可能超过光速，即 299 792 千米 / 秒，所以在普朗克时期，假设有一位观察者位于宇宙中的任意一点，那么他最多只能看到周围约 3×10^{-35} 米范围内发生的事情。这个短得不可思议的时间和距离得名于德国物理学家马克斯·普朗克（Max Planck）。1900 年，普朗克首次提出了“量子化能量”的概念，他也因此成了公认的量子力学之父。

不过我们也不用担心，虽然量子力学和相对论无法统一，但我们的生活一如往常。量子力学和引力的分歧不会对我们现在的宇宙产生任何实质性的影响。现在的天体物理学家分别采用广义相对论和量子力学的原理和工具来处理两类完全不同的问题。不过在最初的普朗克时期，大就是小，所以我们必须想个法子强行把这两套理论糅合到一起。令人悲伤的是，我们一直找不到缔结这段婚姻所需的誓言，目前任何（已知）物理定律都无法准确描述最初那短暂的蜜月期内，膨胀的宇宙迫使极大和极小分道扬镳之前发生的事情。

普朗克时期快要结束的时候，引力从其他基本力中分离出来，拥有了能被现有理论很好地描述的全新独立身份。随着宇宙的年龄跨过 10^{-35} 秒，它继续膨胀冷却，曾经统一的基本力也进一步拆分成了电弱力和强核力。又过了一段时间，电弱力又拆分成电磁力和弱核力，我们熟悉的四种基本力就此成形——弱核力控制辐射衰变，强核力将每个原子核内部的粒子结合在一起，电磁力让原子凝聚成分子，引力又将大量物质凝聚在一起。等到宇宙迈过第一个 10^{-12} 秒，分化后的力和其他关键因素已经赋予了宇宙一些基本的性质，每种性质都值得专门用一本书来介绍。

宇宙迈过第一个 10^{-12} 秒的时候，物质和能量的相互作用仍在进行。在强核力和电弱力分离前后的短暂时间里，宇宙是夸克、轻子、它们的反物质兄弟，以及玻色子（正是由于玻色子的存在，以上所有粒子才会产生互动）组成的沸腾之海。据我们目前所知，这些粒子都不可能再切割成更小、更基本的东西。它们都是基本粒子，每个基本粒子家族有好几位成员。比如说，包括可见光粒子在内的光子就属于玻色子家族。普通人最熟悉的轻子大概是电子，可能还有中微子，而我们最熟悉的夸克……呃，没有我们熟悉的夸克，因为日常生活中的夸克通常紧紧地结合在一起，形成质子和中子之类的粒子。每种夸克都有一个抽象的名字，从修辞、哲学或教育角度来说，这些名字没有任何实际意义，它们唯一的作用就是区分不同的夸克。六种夸克分别被命名为：上、下、奇、粲、顶和底。

顺便说一下，玻色子得名于印度物理学家萨特延德拉·玻色（Satyendranath Bose）。“轻子”（lepton）这个词来自希腊词语“leptos”，意思是“轻”或者“小”。而“夸克”（quark）这个名字的历史渊源更为久远，也更富想象力。1964 年，美国物理学家默里·盖尔曼（Murray Gell-Mann）首次提出了夸克的存在，当时他认为，夸克家族只有三位成员；这种粒子的名字来自詹姆斯·乔伊斯（James Joyce）的作品《芬尼根的守灵夜》（*Finnegans Wake*）中一句晦涩的台词：“向麦克老大三呼夸克！”夸克至少有一个优势：所有夸克的名字都很简单——对化学家、生物学家和地质学家来说，这简直是个无法实现的成就。

夸克十分古怪。不同于拥有一个正电荷的质子或者拥有一个负电荷的电子，夸克拥有的电荷数以 1/3 为基本单位。你永远不会找到单独出现的夸克，极端情况除外。夸克总是和一个或者两个同伴紧紧地结合在一起。事实上，如果你试图分开结合在一起的两个（或者更多）夸克，那么它们之间的结合力反而会变强——就好像某种亚原子核橡皮筋把它们绑到了一起。不过，如果你把这几个夸克分得足够远，橡皮筋就会断裂。根据公式 $E = mc^2$，橡皮筋储存的能量会在两头分别创造一个新的夸克，于是你又回到了故事的起点。

宇宙诞生的第一个 10^{-12} 秒被称为“夸克 - 轻子时期”，这个时期的宇宙非常稠密，独立夸克之间的平均间隙很小，和结合在一起的夸克几乎没有区别。在这种情况下，相邻的夸克根本不可能建立一对一的清白关系，所以实际上，它们完全是自由的。2002 年，长岛布鲁克海文国家实验室（Brookhaven National Laboratories）的一个物理学家团队首次通过实验探究了物质的这种状态，它被形象地命名为“夸克汤”。

无论是基于理论还是基于观测结果，我们都会发现，在宇宙极早期的某个时间段里（可能就是某种基本力和其他力分离的时候），宇宙出现了明显的不对称，物质粒子的数量比反物质粒子多了十亿分之一。这个微妙的变化为今天的我们提供了存在的基础。在宇宙早期那锅翻滚的粒子汤里，夸克和反夸克、电子和反电子（它更广为人知的名字是“正电子”）、中微子和反中微子不断地诞生、湮灭，然后再次诞生，你很难注意到物质和反物质数量的细微差别。在这个时期，多余的家伙——多出来的那一点点物质——有足够的机会找到携手共赴湮灭的伙伴，其他粒子也一样。

但好景不长。随着宇宙继续膨胀冷却，它的温度很快降低到 1 万亿 K 以下。现在，大爆炸刚刚过去了 10^{-6} 秒，但这个温吞吞的宇宙已经失去了烹饪夸克汤所需的温度和密度环境。所有夸克迅速抓住身边的舞伴，建立矢志不渝的重粒子（强子，hadron，来自希腊语“hadros”，意思是“厚重”）的家庭。夸克转化成强子，这一过程在极短的时间内制造出了质子、中子和其他一些我们不那么熟悉的重粒子，每种强子都代表着夸克的不同组合。现在，强子也继承了夸克 - 轻子汤中物质与反物质的不对称性，这个现象带来了惊人的结果。

随着宇宙不断冷却，可用于自发创造粒子的能量稳步下降。到了强子时期，光子已经无法继续激发质能转换反应，制造出夸克 -

反夸克对，因为它们的能量不能满足粒子对的质量需求。此外，在这个不断膨胀的宇宙里，残存的湮灭反应释放的光子还在继续损失能量，最终它们的能量降到了创造强子－反强子对所需的阈值以下。每 10 亿次湮灭会产生 10 亿个光子，只有 1 个强子会幸存下来，成为早期宇宙物质－反物质不对称性留下的哑巴证人。这些孤独的强子最终将享受到身为物质的最大乐趣：它们将创造出星系、恒星、行星和人类。

如果没有物质和反物质粒子这十亿分之一的细微不对称，宇宙中的所有物质（除了我们目前尚不清楚其具体成分的暗物质以外）都将在大爆炸之后的一秒内彻底湮灭，我们（如果我们还有机会存在的话）只能看到光子，除此以外别无他物——简直就是终极版的“要有光”。

这时，宇宙的时钟刚刚走过第 1 秒。

10 亿 K 的宇宙依然滚烫，足以继续维持电子和正电子（反电子）诞生－湮灭的无限循环。但这个宇宙还在继续膨胀、冷却，它们的好日子没几天了，或者更确切地说，没几秒了。现在，电子和正电子也遭遇了和强子一样的命运：它们彼此湮灭，每 10 亿对电子－正电子中只有 1 个电子幸存下来，在物质与反物质的自杀盛宴中，这个孤独的电子是唯一的幸存者。其他电子和正电子通过湮灭融入宇宙，形成了更广阔的光子之海。

随着电子－正电子的湮灭时期逐渐落幕，宇宙“凝结”成了实体，每个电子都有单个对应的质子。宇宙还在继续冷却，它的温度降到了 100 万 K 以下，质子开始和其他质子或中子聚合形成原子核；在这个时期，宇宙中 90% 的原子核都是氢，剩下的 10% 是氦，还有极少量的氘、氚和锂原子核。

此时，大爆炸已经过去了 2 分钟。

从这时候开始，直到 38 万年以后，氢原子核、氦原子核、电子和光子组成的粒子汤才会再次发生巨变。在这几十万年里，宇宙的温度依然很高，足以允许电子在光子之间自由运动，互相碰撞。

很快我们就将在第三章中看到，随着宇宙的温度降到 3000K（相当于太阳表面温度的一半）以下，这样的自由戛然而止。大约在这个时期，所有电子都被纳入原子核周围的轨道，原子就此成形。电子和原子核结合生成的原子沐浴在无处不在的可见光粒子中，粒子和原子就这样形成了原始的宇宙。

随着宇宙继续膨胀，宇宙中的光子也在继续损失能量。无论今天的天体物理学家望向哪里，他们都会发现微波光子在宇宙中留下的 2.73K 的温度指纹，这意味着自宇宙诞生以来，光子的能量衰减至 0.1%。光子在天空中的分布——来自不同方向能量的确切数量——仍遵循原子形成之前宇宙中物质分布的规律。通过研究这些分布模式，天体物理学家知道了很多事情，包括宇宙的年龄和形状。虽然事到如今，原子已经成了宇宙日常生活的一部分，但爱因斯坦的质能方程还有许多用处，比如说，它可以应用于粒子加速器，这种设备内部的能量场会定期创造出物质 - 反物质粒子对；质能方程还适用于太阳核心，那里每秒都有 440 万吨物质被转化为能量，其他所有恒星的核心也会发生类似的事情。

$E=mc^2$ 还适用于黑洞附近，也就是事件视界边缘。黑洞有可能消耗自身大得惊人的引力能，创造出粒子 - 反粒子对。1975 年，英国宇宙学家史蒂芬·霍金（Stephen Hawking）首次描述了这样的盛宴，根据这一机制，黑洞的质量可能会慢慢蒸发殆尽。换句话说，黑洞并不是真的漆黑一片。这一现象名叫“霍金辐射”（Hawking radiation），它提醒我们，爱因斯坦的著名方程仍拥有惊人的生命力。

但在这场宇宙盛宴开场之前，又发生过什么？大爆炸之前的世界是什么样子？

天体物理学家回答不了这个问题。或者应该说，虽然提出了许多创意十足的想法，但我们几乎找不到任何实际的证据。不过各种宗教信仰倒是喜欢扬扬得意地宣称，开始的开始，肯定有什么事情触动了大爆炸的开关，某种至高无上的强大力量是世间一切的源泉，这就是所谓的第一推动力。当然，在笃信宗教的人眼里，这样的存在非上帝莫属。每位笃信者心目中的上帝各不相同，但他们无一例外地担起了“发球”的重任。

不过，如果宇宙一直存在，无所谓开始，只是现在的我们还无法描述它当时的状态或条件（举个例子，如果多重宇宙是真的，我们如今称之为宇宙的所有东西其实不过是泡沫之海中微不足道的一个泡泡），那又怎样？或者，如果宇宙和粒子一样，就是从无到有地突然冒了出来呢？

这样的反驳满足不了任何人，但它却能提醒我们，正是因为深知人类的无知，从事研究的科学家才能心平气和地面对不断拓展的知识疆界。那些坚信自己无所不知的人不会刻意去寻找，更不会在无意中发现宇宙中已知和未知的边界。这里隐藏着一个十分有趣的分野。如果有人问你：“大爆炸之前的宇宙是什么样子？”那么“宇宙始终都在”绝不是个值得称赞的答案。但是对很多宗教人士来说，如果有人问：“上帝诞生之前的世界是什么样子？”“上帝始终都在”却是一个令人愉悦的自然而然的回答。

无论你拥有何种身份，探查事物的源头和机制总会触发你的热情，仿佛弄清原因就能让你对后来发生的事情产生某种亲近感，甚至掌控感。所以，生活中的道理也同样适用于宇宙：明白我们从哪里来，这件事情的重要性绝不亚于知道我们要往哪里去。

第二章　反物质的重要性

粒子物理学家是物理学界“最古怪但也最有趣术语大赛”的常胜将军。除了这个领域以外，你还能上哪儿去找“一个带负电的 μ 子和一个 μ 中微子交换了一个中性向量玻色子”或者“一个奇夸克和一个粲夸克交换了结合的胶子”这种描述？除了数不清的名字特别奇怪的粒子以外，粒子物理学家还得对付反粒子构成的平行宇宙，我们把这些粒子统称为“反物质”。作为科幻故事里的常客，反物质真实地存在于我们的宇宙中。和你想的一样，反物质的确会尽可能地寻找机会接触正常物质，然后一起湮灭。

反粒子和粒子之间的关系有一种别样的浪漫。它们共同诞生于纯能量中，最后又通过湮灭将彼此的质量重新化作能量。1932 年，美国物理学家卡尔·戴维·安德森（Carl David Anderson）发现了反电子，这种带正电的反物质粒子对应的是带负电的电子。从那以后，粒子物理学家在世界各地的粒子加速器里制造出了各种各样的反粒子，但是直到最近，他们才利用反粒子获得了完整的反原子。从 1996 年开始，在瓦尔特·厄莱尔特（Walter Oelert）的领导下，德国于利希核物理研究所的一个国际团队经过多年努力终于创造出了反氢原子，在这个反原子内部，一个反电子愉快地绕着一个反质子旋转。为了制造出这些反原子，物理学家使用了位于瑞士日内瓦的欧洲粒子物理研究所（European Organization for Nuclear Research，这个机构更广为人知的称号是它的法语名称缩写，CERN）的巨型粒子加速器，这台设备为粒子物理学的发展做出了诸多重要贡献。

这些物理学家用一种简单的方式创造原子：他们制造出了一大堆反电子和一大堆反质子，然后将这些反粒子放到合适的温度和密度环境下，等待它们自行组成原子。厄莱尔特的团队在第一轮实验中就制造出了 9 个反氢原子。不过在这个正常物质占据绝对统治地位的世界里，反物质原子的生命十分短暂。这批反原子甚至没有活过 40 纳秒（1 纳秒 = 10^{-9} 秒）就和正常原子一起湮灭了。

反电子的发现是理论物理最伟大的成就之一，因为就在几年前，生于英国的物理学家保罗·A. M. 狄拉克（Paul A. M. Dirac）刚刚预测了它的存在。

为了描述最小尺度的物质（原子和亚原子粒子），20 世纪 20 年代，物理学家发展出了一门新的分支来解释这些粒子的实验结果。利用新建立的理论（现在我们称之为“量子力学”），狄拉克根据他的方程的第二个解提出了一个假设：来自“另一边”的幽灵电子可能会以普通电子的面目突然出现在我们的世界里，从而在负能量的海洋中留下一个缺口，或者说一个洞。虽然狄拉克试图通过这种方式来解释质子，但其他物理学家却提出，这个洞可能会表现为一个带正电的反电子，由于它携带正电荷，现在我们更喜欢叫它“正电子”。正电子的发现证实了狄拉克的基本观点，也为反物质奠定了和物质一样值得尊重的地位。

拥有两个解的方程并不罕见。举个最简单的例子：哪个数的平方等于 9？是 3 还是 –3？当然，这两个答案都对，因为 3 乘以 3 等于 9，–3 乘以 –3 也等于 9。物理学家无法保证某个方程的所有解都能与现实世界中的事件对应起来，但如果某个物理现象的数学模型正确无误，那么琢磨方程总比琢磨整个宇宙简单，而且同样有用。就像狄拉克和反物质的故事一样，方程的多个解常常带来各种各样的预测。如果这些预测被证明是错误的，那么人们就会抛弃相应的理论。但无论最后得到什么样的结果，数学模型总能确保你得出的结论既拥有逻辑上的合理性又具备内在的一致性。

亚原子粒子拥有多种可测量的特性，其中最重要的是它的质量和电荷数。某种粒子和它的反粒子通常拥有相同的质量，除此以外，它们的所有特性总是截然相反。比如说，正电子的质量和电子一样，但正电子携带一个单位的正电荷，而电子携带一个单位的负电荷。与此类似，反质子携带的电荷也正好和质子相反。

不管你信不信，不带电的中子也有对应的反粒子。它名叫——你猜猜看？——反中子。反中子和中子携带的电荷正好相反，我们可以称它携带“-0”电荷。这不是抬杠，我们之所以这么说，根本原因在于中子是由 3 个携带不完整电荷的粒子（夸克）组成的。构成中子的 3 个夸克携带的电荷数分别是 -1/3、-1/3 和 2/3，而反中子内部的 3 个夸克携带的电荷数则是 1/3、1/3 和 -2/3。每组夸克的总电荷数都是零，但它们各自携带的电荷却是相反的。

反物质可能突然凭空出现。如果 γ 射线光子拥有足够的能量，它们就能自行转化成电子 - 正电子对，通过这种方式，γ 射线拥有的海量能量变成了微不足道的一点点物质，这个过程满足爱因斯坦的著名方程 $E=mc^2$。

根据狄拉克最初的解释，γ 射线光子会将电子从负能量的领域中激发出来，由此创造出一个普通的电子和一个电子洞。这个过程反过来也成立。如果一个粒子和一个反粒子发生碰撞，它们会互相湮灭，填满这个洞，同时释放出 γ 射线。你千万记得小心避开 γ 射线。

如果你在家里不小心捣鼓出了一团反粒子，那可真是骑虎难下了。很快你就将面临仓储的难题，也许你准备了保鲜盒或者购物袋之类的容器，但不管它是纸质的还是塑料的，反粒子都会和它发生湮灭。更聪明的做法是利用强磁场来束缚带电反粒子，强大的磁场“墙壁”虽然看不见也摸不着，却能牢牢地将反粒子锁起来。将反粒子存放在这样的真空磁场里，你就不用担心它会和普通物质一起湮灭了。这样的“磁瓶”也适合存放其他可能损伤容器的材料，譬如（受控）核聚变实验中的灼热气体。要是你创造出了完整的反原子，那么仓储问题的难度还会再上一个台阶，因为和原子一样，反原子通常无法被磁壁束缚。最明智的做法或许是将你的正电子和反质子分别存放在单独的磁瓶里，等到有需要的时候再把它们混合起来。

要创造出反物质，你需要的能量至少应该相当于它与物质湮灭时释放出来的能量。如果没有在发射前准备好一整箱反物质燃料，反物质引擎就一定会在运转中缓慢地从你的飞船中汲取能量。原版的《星际迷航》剧集和电影也许体现了这个事实，不过要是我记得没错的话，柯克船长总是要求反物质引擎“加大点马力”，而斯科提永远操着一口苏格兰腔回答：“引擎无法承受。”

虽然物理学家认为氢原子和反氢原子的运动规律应该完全一致，但他们尚未通过实验证明这一预测，主要是因为保存反氢原子实在太难。这些反原子几乎一诞生就会立刻与质子和电子发生湮灭。科学家非常希望证实，反氢原子内部正电子和反质子的运动完全遵循量子力学定律，反原子的引力也和普通原子一模一样。不过，我们也许应该思考一个更深的问题：既然普通原子产生的是引力，那么反原子会不会产生反引力（斥力）？现有理论推出的结论倾向于后者，但如果最终事实证明前者才是正确的，那么我们又将得到许多关于自然的新洞见。从原子层面上说，任何两个粒子之间的引力都非常非常小。决定这些微小粒子如何运动的主要因素不是引力，而是电磁力与核力，因为这两者都比引力强得多。要验证反引力的性质，你需要足够多的反原子来组成宏观的反物体，这样你才能测量它们的集合特性，然后与普通物质进行比较。如果我们能用反物质制造一套台球（当然，还有台球桌和台球杆），那么这场“反台球”

游戏和普通的台球游戏有何区别？反 8 号球坠入角落球袋的方式是否和普通的 8 号球完全相同？反行星围绕反恒星公转的方式是否和普通行星围绕普通恒星的公转方式完全一致？

根据朴素的哲学和现代物理学的种种预测，最合理的假设或许应该是，反物质在宏观层面上的性质和普通物质完全一致——引力相同、碰撞相同、光相同，以此类推。糟糕的是，这意味着如果一个反星系正在冲向我们的银河系，那么我们不会发现它和其他正常星系有任何不同之处，等到我们终于反应过来，那就干什么都来不及了。但如此可怕的命运在今天的宇宙中应该非常罕见，因为某颗反恒星与正常恒星碰撞湮灭必然会爆发出海量的 γ 射线，物质与反物质掀起的能量巨浪将迅速传遍整个宇宙。如果两颗质量和太阳相仿的恒星（每颗恒星分别拥有 10^{57} 个粒子）在我们的星系中发生碰撞，那么在它们湮灭的那一刻，那颗璀璨天体爆发的能量将超过 1 亿个星系中所有恒星释放的能量总和，我们的世界也将在这个瞬间彻底蒸发。我们还没有找到任何可以证明宇宙中的确发生过此类事件的有力证据。我们只能推测，大爆炸之初的那几分钟结束之后，普通物质就成了宇宙主要的组成部分。所以，踏上星际旅途的时候，物质与反物质的碰撞大概不是你最需要担心的安全问题。

不过，现在的宇宙不平衡得令人担忧。我们原本以为粒子和反粒子是成对地被创造出来的，结果现在，我们却看到了一个以普通粒子为主的宇宙，反粒子的缺失仿佛根本无关紧要。这会不会是因为，宇宙中有一部分反物质被装在小袋子里藏了起来？这会不会是因为宇宙诞生之初，某个物理定律遭到了破坏（或者出于某种未知的物理机制），永远地打破了物质和反物质之间的平衡？我们或许永远都找不到这些问题的答案，不过至少在今天，如果你家院子里突然冒出来一个外星人，如果他友好地向你伸出了附肢，那你千万不要表现得过于热情，最好先朝他扔一个 8 号球。如果附肢碰到球就发生了爆炸，那么这位外星人没准是反物质组成的（我们暂且不必考虑这位不速之客和他的伙伴会对你的“欢迎仪式”作何反应，也不要琢磨爆炸对你有何影响）。如果什么都没有发生，那你就能放心大胆地带着这位新朋友去见领导了。

第三章　要有光

大爆炸之后的 0.01 秒内，宇宙的温度之高，超乎我们的想象，这个璀璨至极的世界最重要的任务是不断膨胀。每时每刻，宇宙都在不停地变大，越来越多的空间从虚无变为真实的存在（这或许很难想象，不过在这个问题上，事实胜于常识）。在膨胀的过程中，宇宙也在不断冷却、变暗。几十万年里，物质和能量彼此交缠，搅成了一锅浓汤，飞速运动的电子与光子不断发生碰撞，使光子向着四面八方散射。

在这个阶段，看遍整个宇宙恐怕是个不可能完成的任务。光子在进入你眼睛之前的几纳秒内，就会被你面前的电子弹开。无论望向哪里，你只能看到一片模糊的光雾，半透明的红白色强光弥漫在你周围，亮度堪比太阳表面。

光子携带的能量随着宇宙的膨胀不断下降。直到年轻的宇宙迈过 38 万岁的门槛，它的温度降到了 3000K 以下，质子和氦原子核终于能够永久性地捕获电子，原子就此诞生。在此之前，每个光子携带的能量都足以击碎新形成的原子，但是此时，得益于宇宙的膨胀，光子失去了这样的能力。捣乱的自由电子变少了，光子才能在空间中飞驰，不必担心撞上什么东西。在这个阶段，宇宙变得透明起来，浓雾散去，遍布宇宙的背景可见光获得了自由。

这些残余的背景光一直存留到了今天，它们来自炽热混沌的早期宇宙。无处不在的光子拥有波和粒子的双重性质。光子的波长等于两个相邻波峰之间的距离——你可以用尺子来测量这段距离，如果你能抓到光子的话。真空中的所有光子以相同的速度运动，即

299 792 千米 / 秒，我们顺理成章地称之为光速。光子的波长越短，每秒经过特定点的波峰数量就越多。正是出于这个原因，光子的波长越短，单位时间传播的波的数量就越多，光的频率也越高，每秒经过特定点的波的数量也越多。光子的频率直接影响它的能量：频率越高的光子携带的能量越多。

在宇宙冷却的过程中，光子因为宇宙膨胀而损失了能量。从 γ 射线和 X 射线中诞生的光子一步步变成了紫外线光子、可见光光子，乃至红外线光子。随着波长的增长，光子的温度变得越来越低，携带的能量也越来越少，但它的基本性质始终不曾改变。在大爆炸 137 亿年后的今天，宇宙背景光子的频率已经降低到了微波的范围内，所以天体物理学家才叫它“宇宙微波背景辐射”，不过更具前瞻性的名字应该是“宇宙背景辐射”（Cosmic Background Radiation，CBR）。从现在开始，再过 1000 亿年，等到宇宙进一步膨胀冷却，未来的天体物理学家或许会认为 CBR 应该叫作“宇宙无线电波背景辐射”。

随着宇宙不断膨胀变大，它的温度也直线下降。这是由物理定律决定的。宇宙中不同区域之间的距离变得越来越远，CBR 光子的波长必然随之变大。时间和空间的构造像弹性纤维一样拉长了宇宙中的光波。由于光子的能量和它的波长成反比，自由光子的波长每增加一倍，它的能量就会降低一半。

任何高于绝对零度的物体都会向外辐射全波长谱系的各种光子，但这样的辐射存在峰值。家用普通电灯泡输出的光子能量峰值落在红外线范围内，所以你才会觉得灯光照得你的皮肤暖烘烘的。当然，灯泡也会释放出足量的可见光，不然我们就不会买它了。因此，你的眼睛和皮肤都能感受到台灯的辐射。

宇宙背景辐射的输出峰值波长大约是 1 毫米，正好落在微波范围内。步话机里嗞嗞的静电音就来自无所不在的微波，CBR 贡献了其中的一部分，其余的“噪声”则来自太阳、手机、警用测速雷达等干扰源。除了峰值的微波辐射以外，CBR 还包含了少量的无线电波（所以它会干扰地球上的无线电信号）和极微量的频率高于微波的光子。

20 世纪 40 年代，生于乌克兰的美国物理学家乔治·伽莫夫（George Gamow）和他的同事预测了 CBR 的存在。1948 年，他们在一篇论文中运用当时已知的物理定律分析了早期宇宙的古怪状况。他们的基础观点来自比利时天文学家兼耶稣会牧师乔治·爱德华·勒梅特（Georges Edouard Lemaître）于 1927 年发表的一篇论文，现在勒梅特已经成了举世公认的“大爆炸理论之父”。不过，首次预测宇宙背景温度的科学家不是伽莫夫，而是两位曾经跟他合作过的美国物理学家：拉尔文·阿尔菲（Ralph Alpher）和罗伯特·赫尔曼（Robert Herman）。

阿尔菲、伽莫夫和赫尔曼提出了一个假说（今天的我们可能觉得这个想法相当简单，因为学界已经得出了定论）：昨天的时空构造比今天的更小。根据物理学的基本规律，更小就意味着更热，所以物理学家回望宇宙的开端，推演出了我们刚才描述的那个时期。当时的宇宙过于炽热，以至于所有原子核都孤零零地暴露在外，因为光子的碰撞解放了所有电子，让它们在空间中自由游荡。阿尔菲和赫尔曼提出，在这种情况下，光子不可能像今天一样在宇宙中自由穿行。如今的光子之所以能够畅行无阻，是因为宇宙的温度降低到了一定程度，电子能够在原子核周围的轨道上安定下来。完整的原子诞生以后，光才能在宇宙中自由穿行。

早期宇宙的温度一定比现在高得多。虽然这个决定性的观点是伽莫夫提出的，但阿尔菲和赫尔曼却首次算出了早期宇宙温度残留至今的余韵：5K。其实他们算错了，现在 CBR 的确切温度是 2.73K。但无论如何，这三位科学家成功推演出了早期的宇宙面貌，虽然那段历史早已湮没在时空的长河中，但这仍是科学史上最伟大的成就之一。根据在实验室里总结出的最基本的原子物理法则，他们推演出了人类有史以来研究过的尺度最大的对象（我们这个宇宙的温度史），这绝对是个颠覆性的成果。普林斯顿大学的天体物理学家J. 理查德·戈特三世（J. Richard Gott III）在《爱因斯坦宇宙中的时间旅行》（*Time Travel in Einstein's Universe*）一文中盛赞了这一发现："预测宇宙背景辐射的存在并准确计算出它的温度，误差在两倍以内，这是个了不起的成就。这相当于预测一艘直径15米的飞碟将降落在白宫的草坪上，结果我们看到了一艘直径8米的飞碟缓缓落地。"

伽莫夫、阿尔菲和赫尔曼做出这些预测的时候，物理学家还没确定宇宙是怎么诞生的。1948年，也就是阿尔菲和赫尔曼的论文问世的同一年，在英国发表的两篇论文提出了一套恒稳态理论，其中一篇论文由数学家赫尔曼·邦迪（Hermann Bondi）和天体物理学家托马斯·戈尔德（Thomas Gold）共同撰写，另一篇论文的作者则是宇宙学家弗雷德·霍伊尔（Fred Hoyle）。根据恒稳态理论，宇宙在膨胀过程中将始终保持不变——简洁是这套假说最诱人的特质。但是，既然宇宙不断膨胀，稳定态宇宙的温度和密度又始终保持一致，那么按照邦迪、戈尔德和霍伊尔的设想，物质必须以恰到好处的频率持续地凭空出现在这个宇宙中，这样宇宙才能在膨胀的同时维持它的密度不变。与此相对，大爆炸理论（弗雷德·霍伊尔轻蔑地给它起了这个名字）则要求所有物质瞬间同时出现，某些人认为这套假说更对胃口。请注意，恒稳态理论将宇宙起源的时间推向了无限远处——对那些不愿意应对这个棘手问题的人来说，这真是方便极了。

宇宙背景辐射的预测就像一支拉满弦的利箭，它的箭头对准了恒稳态理论的要害。CBR的存在将清晰地证明，昔日的宇宙和我们今天看到的很不一样——它比现在小得多，也热得多。因此，关于 CBR 的第一批直接观测结果给恒稳态理论的棺材钉下了第一颗钉子（但弗雷德·霍伊尔从不曾完全接受这样的现实：CBR 推翻了他优雅的理论。终其一生，他一直试图为这种辐射寻找其他解释）。1964 年，阿诺·彭齐亚斯（Arno Penzias）和罗伯特·威尔逊（Robert Wilson）在新泽西州美利山（Murray Hill）的贝尔电话实验室（简称“贝尔实验室”）偶然发现了 CBR 的存在。1978 年，他们的勤奋和幸运得到了奖励，彭齐亚斯和威尔逊荣获诺贝尔物理学奖。

彭齐亚斯和威尔逊是怎么拿到诺贝尔奖的呢？20 世纪 60 年代初，物理学家已经知道了微波的存在，但谁也无法准确探测微波波段的微弱信号。那时候的无线通信设备（例如，接收器、探测器和发送器）主要针对波长更长的无线电波。要捕捉微波，科学家需要能对波长更短的波进行探测的探测器和灵敏的天线。贝尔实验室就有一套这样的设备，这台巨大的喇叭状天线能专门捕捉微波，而且性能和普通设备一样好。

发送或接收信号的时候，你肯定不希望受到其他信号的干扰。彭齐亚斯和威尔逊试图为贝尔实验室开辟一个新的通信频道，他们希望确定这些信号会遭受多少“背景”干扰，无论这些干扰是来自地面、太阳、银河系中心，还是其他地方。为了确定探测微波信号的难度，他们开始进行一些标准测量。当时他们完全不知道，这些看似普通的测量将产生多么重大的影响。虽然彭齐亚斯和威尔逊都有天文学的背景，但他们不是宇宙学家，而是研究微波的技术派物理学家。对于伽莫夫、阿尔菲和赫尔曼做出的预测，他们根本一无所知。寻找宇宙微波背景辐射绝对不是他们的目标。

就这样，他们开始了实验。校正数据的时候，两位科学家排除了一切已知的干扰源，但最后他们发现，信号中的背景噪声还是没有消失，他们完全想不出摆脱它的办法。地平线上的每个方向似乎都有噪声，而且不随时间变化。最后，他们决定检查一下大喇叭内部，结果发现鸽子在天线里面筑了巢，鸽巢附近沾满了白色的绝缘物质（鸽粪）。当时的彭齐亚斯和威尔逊肯定陷入了绝望——难道信号里的背景噪声来自鸽粪？他们清理了天线，噪声的确减弱了一点，但还是没有消失。1965 年，他们在《天文物理期刊》（*The Astrophysical Journal*）上发表了一篇论文，提到了这种无法解释的“多余的天线温度”；这两位物理学家全然不知，世纪性的天文发现就悬在他们的指尖。

彭齐亚斯和威尔逊在清理鸟粪的时候，普林斯顿大学的一群物理学家正在罗伯特·H. 迪克（Robert H. Dicke）的带领下修建一台探测器，这台探测器将专门用来寻找伽莫夫、阿尔菲和赫尔曼预测的 CBR。这些教授没有贝尔实验室充足的资源，所以他们的工作进展得很慢。彭齐亚斯和威尔逊的观测结果传到迪克团队耳朵里的那一刻，这群物理学家立即明白，他们晚了一步。他们当然知道所谓的“多余的天线温度”到底是什么。观测结果完全符合理论假说：温度符合预测，来自任何方向的信号强度完全相同，而且它不受时间影响，这意味着地球自转或者地球在绕日公转轨道上的位置都与它无关。

但我们为什么会接受这套解释呢？理由非常充分。光子从遥远的宇宙深处传到我们这里需要时间，所以当我们将目光投向深邃的宇宙，看到的景象必然来自过去。这意味着如果有另一群智慧生物定居在某个遥远的星系里，他们测量宇宙背景辐射的时间比我们早得多，那么他们测出的温度必然高于 2.73K，因为在那个时候，宇宙比现在更年轻、更小也更热。

这个大胆的猜想能被证实吗？当然。我们发现，一种名叫“氰”

的碳氮化合物——它最广为人知的用途是给杀人犯执行死刑——一旦暴露在微波中就会被激发。如果某种微波的温度高于现在的CBR，那么氰分子被激发的程度也会略高于CBR。因此，氰可以充当宇宙的温度计。当我们观测那些更遥远也更年轻的星系时，我们应该发现，那里的氰沐浴在比银河系CBR温度更高的宇宙背景辐射中。换句话说，那些星系应该比我们的银河系更有活力。事实也的确如此。来自远方星系的氰的光谱表明，那里的微波温度的确符合我们对更早期宇宙的推想。

这些事可做不了假。

对天体物理学家来说，CBR的意义绝不仅仅是为宇宙的灼热过往和大爆炸理论提供了最直接的证据，他们还发现，组成CBR的光子承载着宇宙变得透明之前和之后的大量细节信息。我们注意到，直到大爆炸大约38万年之后，宇宙仍是不透明的，所以就算你坐在第一排正中间，你也不可能亲眼见证物质的形成。你根本不可能看到星系团聚集成形的过程。在任何地方的任何人能看到任何值得一看的东西之前，光子就获得了在宇宙中畅通无阻的能力。每个光子都会在某个合适的时机遭遇与电子的最后一次碰撞，从此踏上跨越宇宙的漫长旅途。随着越来越多的光子摆脱电子的干扰（这得多谢电子和原子核一起形成了原子），它们形成了一层不断膨胀的光子壳，天体物理学家称之为“最后的散射面”（the surface of last scatter）。这层光子壳大约花费了10万年时间才逐渐成形，与宇宙中所有原子的诞生完全同步。

这个时候，宇宙中很多地方的物质已经开始聚集。物质聚集得越多，产生的引力就越强，这又进一步吸引了更多物质。这些物质富集的区域为超星系团的形成播下了种子，与此同时，其他区域相对比较空旷。物质聚集区的引力场越来越强，一些光子正好在这样的区域内经历了与电子的最后一次碰撞，那么这些光子离开这片区域的时候，引力场会剥夺它们的一小部分能量，从而使它们跌落到略微冷一点的谱系中。

宇宙中的确有某些地方的 CBR 比平均温度高一点点或者低一点点，但波动极小。这些热点和冷点标出了宇宙中最古老的结构，也就是物质最初聚集的地方。我们之所以知道物质今天的模样，是因为我们能看到星系、星系团和超星系团。为了弄清这些系统是如何形成的，我们开始深入研究宇宙背景辐射，这些来自遥远过去的不可思议的遗迹迄今仍充斥着整个宇宙。对 CBR“图案”的研究构成了“宇宙颅相学”：我们摸索青年宇宙“颅骨”上的凹凸，反推它在婴儿期的行为，预测它在成年后的未来。

结合对地球和深空的其他观测结果，天文学家可以根据 CBR 确定宇宙的各种基本特性。比如说，我们可以比较热区和冷区的尺寸及温度分布，由此推测早期宇宙的引力强度，进而判断物质聚集的速度。接下来，我们还能推测宇宙中普通物质、暗物质和暗能量的比例（分别是 4%、23% 和 73%）。知道了这些基本信息，“宇宙是否会永远膨胀下去”“宇宙的膨胀是否会随时间流逝而变慢或者变快”这些问题就简单多了。

我们每个人都是由普通物质组成的，普通物质既能产生引力，又能吸收、释放光，还能和光发生其他形式的互动。正如我们在第四章中即将看到的，暗物质是一种性质未知的存在，它能产生引力，却不会以任何已知的方式与光互动。我们会在第五章中介绍暗能量，它加快了宇宙膨胀的速度，如果没有暗能量，宇宙就不会膨胀得这么快。现在，借助宇宙颅相学，宇宙学家对早期宇宙已经有所了解，但对于现在的宇宙和过去的宇宙，我们一直不清楚其中的主要成分到底是什么。

尽管有那么多未知的谜团，但今天的宇宙学家已经得到了一件前所未有的强大工具。CBR 承载着我们都曾经通过的那扇大门留下的印记。

100多亿年来，宇宙一直在不断地膨胀，最初我们通过对遥远星系的观测得出了这个结论，宇宙微波背景辐射的发现验证了这一点，由此提升了宇宙学的准确性。CBR的精准确保了宇宙学在实验科学领域的地位。起初，科学家利用气球搭载的设备和南极的一台望远镜探测天空中的小块区域，由此绘制了这张地图的初稿；后来他们又通过一颗名为“威尔金森微波各向异性探测器”（Wilkinson Microwave Anisotropy Probe，WMAP）的卫星扫描整个天空，补完了整张地图。2003年，WMAP输出了第一批观测结果；在我们的宇宙学故事讲完之前，这颗卫星还将为我们提供更多信息。

宇宙学家总是那么自负，不然他们又怎么能大胆推测宇宙是如何诞生的呢？但宇宙学已经走入了基于观测的新纪元，现在他们或许需要改改脾气，变得谦逊一点。每一个新的观测结果，每一组新的数据都可能对你的理论产生影响。一方面，观测为宇宙学奠定了坚实的基础，在其他很多科学领域里，这样的基础完全是默认的，因为它们早就形成了成熟的实验室观测体系；另一方面，理论家曾在缺乏观测手段的年代凭空提出了大量不着边际的假说，新的数据必然会肯定其中的一部分，打破另外一部分。

科学的硕果离不开准确数据的浇灌。现在，宇宙学正在成为一门准确的科学。

第四章　要有暗

引力是自然界里我们最熟悉的力，它同时造就了自然界里最容易理解和最让人费解的现象。千年来最睿智、最具影响力的科学家艾萨克·牛顿（Isaac Newton）认识到，引力神秘的“远距离作用”来自每一点物质的天然效应，任意两个物体之间的引力都能用一个简单的代数方程来描述。20 世纪最睿智、最具影响力的科学家爱因斯坦又进一步发现，我们可以将引力的远距离作用更准确地描述为物质和能量的任意组合造成的时空构造弯曲。爱因斯坦证明，牛顿理论需要做出一定的修正才能准确描述引力，在这个过程中，他预测了光线行经大质量物体时弯曲的程度。虽然爱因斯坦的方程看起来比牛顿的花哨，但它们完全符合我们所认知并热爱的物质的实际行为，包括我们能够看到、触碰、感觉、偶尔还会品尝的所有物质。

我们不知道下一个天才会是谁，但半个多世纪以来，我们一直在等待某个人来告诉我们，为什么我们在宇宙中测量到的引力大部分来自那些看不见、摸不着、无法触碰，更无从品尝的存在。也许这些多余引力的来源根本不是物质，而是另一些抽象的东西。无论如何，现在我们还全无头绪。星系的引力会影响它们的近邻，1933 年，天文学家在测量某些星系的速度时首次发现了“消失的质量”。1937 年，曾先后在保加利亚、瑞士和美国居住的天体物理学家弗里茨·兹威基（Fritz Zwicky）全面分析了这个谜团，但直到今天，我们在这个问题上仍然没有任何进展。兹威基在加州理工学院（California Institute of Technology）工作了 40 多年，这位科学家提出的宇宙学理论五花八门、丰富多彩，同样令人印象深刻的还有他挑衅同事的非凡能力。

兹威基研究的是一个巨型星系团内的星系运动，这些天体来自后发座（Coma Berenices，这个名字的意思是“贝蕾妮丝的头发”，贝蕾妮丝是埃及古代的一位王后），远离银河系的本地恒星。后发座星系团地处偏远，星系众多，它与地球的距离大约是 3 亿光年。数千个星系就像围绕蜂巢打转的蜂群一样绕着星系团中心旋转，运动方向各不相同。兹威基从中挑出了几十个星系，通过它们的运动来研究凝聚整个星系团的引力，结果发现，这些星系的平均速度大得惊人。引力越大，受其作用的天体运动速度也越快，因此兹威基推测，后发座星系团的质量一定非常非常大。如果把这些星系的估计质量全都加起来，后发座就会成为宇宙中最大、最重的星系团。即便如此，这个星系团中可见物质的质量也无法支撑这么快的星系运动速度。似乎有一部分物质凭空消失了。

如果你假设这个星系团并未处于某种奇怪的膨胀或坍缩状态，那么你可以用牛顿引力定律算出这些星系理应拥有的典型平均速度。你需要的数据只有两组：星系团的尺寸，以及你估计的星系团总质量。星系与星系团中心之间的距离各不相同，星系团的总质量产生的影响也不一样，由此我们可以算出各星系的运动速度：如果星系的运动速度太慢，它就会坠入星系团中心，要是速度太快，它就会彻底脱离这个星系团。

牛顿曾用同样的方法根据各个行星与太阳之间的距离计算太阳系里每颗行星在绕日轨道上的公转速度。这些速度完全符合各个行星所在的引力环境。如果太阳突然变得更重，地球和太阳系里的所有天体都必须加快速度才能停留在目前的轨道上。但是，如果天体的公转速度太快，太阳的引力就不足以维持它们目前的轨道。要是地球的轨道速度增加到目前的两倍，我们这颗行星就将达到“逃逸速度”，然后（正如你猜到的那样）它会逃离太阳系。同样的道理也适用于比地球大得多的天体，例如，我们的银河系。银河系内某颗恒星运行的轨道由本星系其他所有恒星的引力共同决定，以此类推，星系团中的每个星系也会受到其他所有星系引力的影响。正如爱因斯坦在纪念牛顿的诗句（它的德语原文比译文更有震撼力）中写到的：

天上的星星告诉我们
大师的思想何等触手可及
每颗星星都遵循牛顿的数学
在轨道上默然运行

如果我们像 20 世纪 30 年代的兹威基一样仔细审视后发座星系团，我们会发现，它内部的所有星系运行的速度都超过了这个星系团的逃逸速度。但我们在计算逃逸速度时依据的星系团总质量，是将它拥有的所有星系质量一个个加起来得出的结果，而每个星系的质量又是根据它的亮度估计出来的。如果我们没算错的话，这个星系团应该迅速分崩离析，只余下些许痕迹供人缅怀它蜂巢般拥挤的过往，这个过程只需要几亿年到 10 亿年。但后发座星系团的寿命已经超过了 100 亿年，几乎和宇宙本身一样古老。这就是天文学上存在时间最长的谜团。

兹威基发现这个谜团之后的几十年里，天文学家又在其他星系团中观察到了同样的现象。所以，我们不能怪后发座太奇怪。那么我们该责怪谁呢？牛顿吗？那可不行，250 年来，牛顿的理论经受了无数考验仍屹立不倒。那怪爱因斯坦？也不行。星系团的引力并没有强到必须全面动用爱因斯坦相对论的程度，兹威基开展研究的时候，这套理论才诞生了 20 多年。将后发座星系团凝聚在一起的力量也许真的来自“消失的质量”，只不过我们看不到它们，也不知道它们的性质。有一段时间，天文学家将“消失的质量”重新命名为“消失的光”，因为这些质量是从多余的引力反推出来的。现在，天文学家更准确地估计了星系团的质量，于是他们提出了“暗物质”这个新词儿，不过更准确的描述或许应该是“暗引力”。

暗物质问题看不见的头颅再次浮出水面。1976 年，华盛顿卡内基研究所（Carnegie Institution of Washington）的天体物理学家薇拉·鲁宾（Vera Rubin）在旋涡星系中也发现了“消失的质量”引发的异常。鲁宾研究的是恒星围绕自己所在的星系中心旋转的速度，刚开始她观察到的现象完全符合预想：在每个星系可见的星系盘内，远离星系中心的恒星运动速度大于更内侧的恒星。外侧恒星与星系中心之间的物质（恒星和气体）更多，所以它们需要转得更快才能留在轨道上。但是，在明亮的星系盘之外，我们仍能找到一些孤立的气体云和少量亮星，鲁宾利用这些天体来跟踪星系“外部”的引力场。虽然这些区域内没有能够增加星系总质量的可见物质，但她发现，“虚无村”里的这些天体运动速度还是很快——它们的速度本应随着距离的增加而下降。

这些广袤的真空区域是每个星系里都会有的荒野，其中包含的可见物质太少，根本无法支撑零星天体的飞速运动。鲁宾提出了一个合理的假设：旋涡星系边缘黑暗的偏远区域里一定存在某种形式的暗物质。事实上，这些暗物质形成的暗晕包围着整个星系。

暗晕问题就在我们的鼻子底下，我们的银河系里就有暗晕。可见天体质量与系统总质量之间总是存在偏差，几乎每一个星系和星系团都逃不掉这个问题，只是两个质量之间的比例系数差别巨大，有的只有 2 或 3，有的可以达到几百。整个宇宙的平均系数大约是 6。也就是说，宇宙中暗物质的质量是可见物质的 6 倍左右。

近 25 年来，进一步的研究告诉我们，这些暗物质的成分不可能是不发光的普通物质。科学家之所以得出这个结论，是因为他们几乎可以排除已知的任何候选者，这就像警察筛查嫌犯。这些不发光的物质会不会藏在黑洞里？不可能，要是真有这么多黑洞，它们的引力必然影响周围的恒星，那我们早就发现不对劲了。它们会不会是看不见的云？也不可能，云团会吸收后面的恒星发出的光，或者以其他方式与这些光互动，但真正的暗物质却不会。它们会不会是恒星之间（或者星系之间）的行星、小行星、彗星或者其他不发光的天体？我们很难相信宇宙中行星的质量能达到恒星的 6 倍，这意味着每颗恒星将对应 6000 颗木星，甚至 200 万颗地球。在我们的太阳系里，太阳以外的其他所有东西的质量加起来也只有太阳的 0.2%。

因此，我们只能推测，暗物质不可能简单地由某些正好不发光的物质组成。恰恰相反，它完全是另一种存在。暗物质产生的引力和普通物质完全相同，但除此以外，我们几乎意识不到它的存在。当然，这个问题陷入死胡同的深层原因在于，我们根本不知道暗物质到底是什么。探测暗物质之所以这么难，很大程度上是因为我们完全不了解它的性质，那么问题来了：既然所有物质都有质量，所有质量都会产生引力，那么反过来说，引力就一定来自物质吗？我们并不知道。暗物质指的是某种拥有引力但性质不明的物质，但也许这里根本就不存在什么物质，它就是一种我们完全不了解的引力。

要研究暗物质，我们不能光是假设它存在，然后就把它丢到一边。现在，天体物理学家正在试图弄明白，这些东西聚集在宇宙中的哪些地方。如果暗物质只存在于星系团边缘，那么星系的运动速度应该完全不受它的影响，因为星系运动的速度和轨道完全取决于其轨道内侧的引力源。如果暗物质只存在于星系团中心，那么（距离中心由近到远的）星系的运动速度应该只受分布于它们的轨道之间的普通物质的影响。但实际的观测结果却告诉我们，星系团内绕轨运行的星系所占据的空间里到处都有暗物质。事实上，普通物质和暗物质的位置有松散的重叠。几年前，美国天体物理学家 J. 安东尼·泰森（J. Anthony Tyson，他是本书一位作者的“托尼堂哥”，但两人实际上并不是亲戚）带领的团队（当时他们在贝尔实验室工作，现在转移到了加州大学戴维斯分校）首次描绘了巨型星系团内部及周围的暗物质引力分布详图。大星系所在的区域暗物质密集度很高，反之，没有可见星系的区域暗物质很稀少。

暗物质和普通物质的矛盾在某些环境里并不突出，但在某些环境里却特别扎眼，总的来说，这样的矛盾在大型天文系统中表现得最为明显，譬如星系和星系团。对于那些最小的天体（例如，卫星和行星）来说，暗物质和普通物质的矛盾根本就不存在。举个例子：我们脚下踩着的这颗星球足以解释地球表面的引力，所以要是你体重超标，千万别怪到暗物质头上。暗物质也不会影响月球绕地球运行的轨道，或者行星绕太阳的运动。但要解释恒星围绕星系中心的运动，我们就得祭出暗物质这面大旗了。

星系尺度的引力会不会遵循另一套物理规则？很可能不是这样。可能性更大的是，暗物质由一些我们尚不清楚其性质的东西组成，它们的分布比普通物质更加分散，否则我们会发现，每六片暗物质里就有一片上面粘着一团普通物质。据我们目前所知，事实并非如此。

有时候，天体物理学家会甘冒天下之大不韪，提出一些耸人听闻的观点，比如：我们知道和热爱的所有物质，包括恒星、行星和生命其实只是宇宙汪洋中漂浮的片片浮标，真正组成这片海洋的是一些虚无缥缈的东西。

但是，万一这个结论完全错了呢？在无路可走的情况下，一些科学家开始质疑其他试图理解宇宙的同行提出的假说所依据的基本物理定律，这是可以理解的。他们这么做也不算错。

20世纪80年代初，以色列雷霍沃特魏茨曼科学研究所（Weizmann Institute of Science）的以色列物理学家莫德采·米尔格若姆（Mordehai Milgrom）提出，我们应该对牛顿引力定律做出修改，现在这套理论被称为MOND（MOdified Newtonian Dynamics，修正版牛顿力学）。标准牛顿力学完全适用于星系以下的尺度。米尔格若姆提出，描述引力在星系和星系团尺度上的影响时，牛顿需要一些帮助，因为单个的恒星和星系团相距遥远，它们作用于彼此的引力相对较小。米尔格若姆为牛顿方程添加了一个条件，专门用于修正天文尺度下的引力效应。虽然米尔格若姆提出的MOND只是一个计算工具，但他也没有排除这样的可能性：说不定他的理论真的可以解释新的自然现象。

MOND的成功相当有限。这套理论的确可以解释很多旋涡星系外围孤立天体的运动，但它带来的问题比答案还多。MOND无法可靠预测更复杂系统的动力学特性，例如，它无法解释双星系或多系统的运动。此外，WMAP卫星于2003年绘制的宇宙背景辐射详图带来了新的契机，现在宇宙学家可以单独测量暗物质对早期宇宙的影响。他们得出的结果完全符合基于传统引力理论的连续宇宙模型，MOND因此失去了很多支持者。

宇宙的历史长达140亿年，在最初50万年的短暂时光里，宇宙中的物质已经开始聚集成团，其中一些后来发展成了星系团和超星系团。但宇宙一直都在膨胀，接下来的50万年里，它的尺寸将增加一倍。所以宇宙中的两种效应互相竞争：引力努力将物质聚集成团，但膨胀却总是试图撕碎这些团块。算一算你就会发现，普通物质的引力根本不可能打赢这场战争。它需要暗物质的帮助，如果没有暗物质，我们（确切地说，我们根本不会存在）将生活在一个极度松散的宇宙中：没有星系团、没有星系、没有恒星、没有行星，更没有人类。我们需要多少来自暗物质的引力？答案是：普通物质提供的引力的 6 倍。这样的分析彻底堵死了 MOND 对牛顿定律的小小修正。分析结果没有告诉我们暗物质到底是什么，只是证明了暗物质的影响真实存在——无论你怎么生拉硬拽，这份功劳也没法归到普通物质头上。

暗物质在宇宙中还扮演着另一个关键的角色。为了致敬暗物质为我们做的一切，我们不妨沿着时间的河流上溯到大爆炸之后的那几分钟，那时候的宇宙依然灼热致密，足以将氢原子核（质子）聚合在一起。早期宇宙的坩埚将氢锻造成了氦，以及极少量的锂和更少量的氘（一种比较重的氢原子核，由一个质子和一个中子构成）。这些原子核混合在一起，形成了大爆炸在宇宙中留下的另一枚指纹，凭借这些遗迹，我们得以重构宇宙诞生之初那几分钟的情景。创造这枚指纹的第一推动力是强核力——这种力将原子核中的质子和中子结合在一起——而不是引力，引力过于微弱，只有等万亿数量级的粒子聚集在一起之后，我们才能真正看到引力的效果。

等温度降到某个阈值以下，遍及宇宙的聚变已经将氦原子核和氢原子核的比例提高到了 1∶10。这个大坩埚还将大约千分之一的普通物质锻造成了锂原子核，另有十万分之二的物质变成了氘。如果暗物质的成分不是某种无法产生任何互动的存在，而是不发光的普通物质，并且可以享受到聚变带来的好处，那么考虑到这些不发光的物质包含的粒子数量是普通物质的 6 倍，在那个局促狭小的早期宇宙中，大量不发光物质一定会大幅提高氢原子核的聚变率，最后生成的氦必然远远超过我们如今观测到的结果，宇宙诞生的过程也将发生巨变。

氦是一种顽强的原子核，它相对容易生成，但要让它聚合形成其他原子核却非常困难。恒星核内的聚变反应会不断地将氢制造成氦，与此同时，进一步的核聚变破坏的氦原子核数量相对少得多，所以我们或许可以认为，哪怕是在宇宙中那些氦原子核最稀少的地方，这种元素的数量也不会少于宇宙诞生之初的那几分钟。当然，就算恒星在消耗原料时极度克制，在它所属的星系内，氦元素在所有原子中的占比也有 10%，我们从大爆炸献给宇宙的生日套餐中恰好可以推算出这个数字——只要当时那些暗物质不参与创造原子核的聚变反应。

所以，暗物质是我们的朋友。但天体物理学家在计算的时候必须以自己完全不理解的概念为基础，他们对此感觉不适也是可以理解的，虽然他们并不是第一次陷入这样的境地。早在 19 世纪，天体物理学家就测量了太阳的能量输出，那时候他们并不知道这些能量来自热核聚变，当时量子力学还没出现，关于微观物质的各种深刻洞见更是连影子都还没有，“聚变”这个概念根本就不存在。

不屈不挠的怀疑主义者或许会将今天的暗物质比作早已被证伪的“以太”。很长一段时间里，人们普遍认为，光在没有重量的透明以太中传播。物理学家觉得以太必然存在，虽然没有任何证据能证明这套假说，但它依然流行了几个世纪，直到 1887 年，阿尔伯特·迈克尔逊（Albert Michelson）和爱德华·莫雷（Edward Morley）在克利夫兰做了那个著名的实验。既然光是一种波，那它就应该需要某种传播媒介，就像声音需要空气作为传播媒介。不过后来我们发现，光在宇宙的真空中也可以高高兴兴地奔跑，不需要任何媒介的支持。声波实际上来自空气的振动，光波却和它不一样，光单靠自己就能传播。

但我们对暗物质的无知和对以太的无知有着本质的区别。以太不过是一个占位符，我们用它来填充尚不完善的理论，但暗物质不是虚无缥缈的假说，我们实实在在地观测到了它的引力对可见物质的影响。暗物质不是凭空创造的概念，而是我们基于观测结果做出的推测。暗物质和我们已经发现的 100 多颗系外行星一样真实——这些太阳系外行星发现的关键就是它们的引力对其宿主恒星造成的影响。最坏的结果无非就是物理学家（或者其他智者）最终发现，暗物质的成分根本就不是物质，而是别的东西，实际上他们也没有排除这样的可能性。暗物质会不会是另一个维度的力在宇宙中的投影？会不会是某个平行宇宙和我们的宇宙发生了交叉？然而，这些可能性不会改变暗物质引力在理论方程中的地位，我们正在利用这些方程理解宇宙的形成和演化。

一些顽固不化的怀疑主义者可能会宣称“眼见为实”。眼见为实的生活哲学的确适用于很多地方，机械工程学领域用得上，钓鱼和约会的时候也用得上。显然，密苏里州的居民也深信这套哲学，但它真的不够科学。“眼见”绝不是科学的全部，科学的核心是测量——最好的测量工具不是你的眼睛，因为眼睛必然受到脑子的影响：你会先入为主，会做事后诸葛亮，会有未经其他数据验证的猜想，还有林林总总的偏见。

75 年来，地球上的我们一直试图直接探测暗物质，对研究者来说，这就像某种形式的墨迹测验。有的粒子物理学家认为，暗物质的基本成分肯定是某些我们尚未发现的幽灵粒子，它通过引力和物质互动，除此以外它和物质或者光不会有任何相互作用，就算有也非常微弱。这个说法听起来有点疯狂，但类似的事情早有先例。比如说，我们早就知道中微子的存在，但它和普通物质以及光的相互作用都极其微弱。日核制造的每一个氦原子核都伴随着两个中微子，来自太阳的中微子以接近光速的速度在宇宙的真空中飞驰，然后畅通无阻地穿过地球，就像幽灵一样。想一想吧：无论是白天还是晚上，每一秒都有 1000 亿个来自太阳的中微子悄无声息地穿过你身上的每一平方厘米。

但捕捉中微子并非完全不可能。在极为罕见的情况下，中微子会通过天然的弱核力与物质互动。能捕捉到一个粒子，你自然就能探测它。我们不妨将行踪飘忽的中微子比作隐身人——同样的比喻也适合暗物质。“他”能穿过墙壁和门，就像“他”根本不存在一样。不过，既然隐身人拥有这样的能力，那“他”为什么没有穿过地板掉进地下室呢？

如果我们能制造出足够灵敏的探测器，粒子物理学家猜想的暗物质粒子或许就会通过类似的互动显露真容。它们也可能通过强核力、弱核力、电磁力以外的某种未知的力展示自己的存在。这三种已知的力（再加上引力）主宰着已知的所有粒子之间的互动。所以，我们的选择十分清晰。暗物质粒子一定在等待我们去发现，具体的方法无非两种：（1）发现并掌握一种或者一系列全新的力，它能和暗物质粒子产生互动；（2）继续提高测量的灵敏度，因为暗物质粒子青睐的可能还是我们熟知的这几种力，只是它们之间的作用非常非常微弱。

MOND 理论的支持者在墨迹测试中没有看到全新的粒子。他们认为需要修正的是引力，而不是粒子，所以他们决定修正牛顿力学——虽然这个大胆的尝试似乎已经失败了，但毫无疑问，支持这条道路的先驱试图改变的是我们对引力的看法，而不是亚原子的人口普查数据。

还有一些物理学家追求的是万有理论（Theories Of Everything，TOE）。根据这套理论的一个衍生版本，我们的宇宙附近存在一个平行宇宙，我们只能通过引力与它互动。你永远不会接触到平行宇宙里的物质，但你可能会感受到它的拉力，这些力能够渗入我们这个宇宙的空间维度。想象一下，我们的宇宙有一个幽灵般的同伴，它只能通过引力彰显自己的存在。这听起来相当新奇，简直不可思议，但想一想人类第一次听说地球绕太阳旋转时的情况，还有人类第一次听说太阳系在宇宙中并不孤独时的情况，你或许就不会这么大惊小怪了。

暗物质的影响真实存在。我们只是不知道暗物质到底是什么。它似乎不受强核力的影响，因此它无法形成原子核。我们也没有发现它受弱核力影响，所以它的行踪比中微子更难捉摸。它看起来也不会受电磁力影响，所以它不能制造分子，也不能吸收、释放、反射或者散射光。然而它却能产生引力，由此影响普通物质。事情就是这样。经过了这么多年的摸索，天体物理学家还是不知道，暗物质除了产生引力以外还能干什么。

宇宙背景辐射详图告诉我们，在宇宙诞生之初的那 38 万年里，暗物质必然已经存在。时至今日，我们依然需要银河系和星系团里的暗物质，否则我们就无法解释这些系统内部天体的运动。不过，从目前的情况来看，我们对暗物质的无知并未影响天体物理学前进的脚步。在探索宇宙的道路上，暗物质就像一位古怪的朋友，我们带着它一路前行，在需要它的时候恳求它为我们扶危解困。

我们希望，在不久的将来，我们可以逐渐学会利用暗物质——只要我们能搞清楚它的成分到底是什么。想象一下，暗物质可以帮助我们造出看不见的玩具、能够彼此穿透的车辆，或者超级隐形飞机。科学史上从来不乏起初看似莫名的发现，到头来总有聪明人会想出办法来利用这些知识，造福自己或者地球上的其他生灵。

第五章　要有更多暗

现在我们知道，宇宙中光与暗并存。所有我们熟悉的天体都沐浴在光中，无论是组成星系的数以十亿计的恒星，还是行星和更小的宇宙碎片。恒星以外的天体或许不会产生可见光，但它们的确会释放出其他形式的电磁辐射，例如红外线或无线电波。

目前我们发现，神秘的暗物质隐藏在宇宙的未知世界中，我们只能通过其引力对可见物质的影响感受到它的存在，对它的组成和性质一无所知。暗物质中有一小部分可能只是看不见的普通物质，但它们不会产生任何可探测的辐射。不过，正如我们在第四章中介绍的，绝大部分暗物质的成分必然不是普通物质，目前我们对其性质几乎一无所知，我们只知道暗物质有作用于可见物质的引力。

除了暗物质以外，宇宙中还隐藏着截然不同的另一种存在。它不存在于任何形式的物质内部，只存在于空间之中。我们将这个概念以及它蕴含的惊人结果归功于当之无愧的现代宇宙学之父——爱因斯坦。

第一次世界大战期间，改进款的新型机枪在柏林以西几百千米外的战场上对数万士兵大开杀戒，与此同时，爱因斯坦坐在德国首都的办公室里思考宇宙。战争伊始，爱因斯坦和一位同行一起发起了反战请愿，除了他们自己以外，他们还说服了另外两个人在请愿书上签名。这一举动破坏了爱因斯坦和其他科学家的关系，也彻底摧毁了这位同行的职业前途，因为当时大多数德国科学家都签了支持开战的请愿书。但爱因斯坦的人格魅力和科学声望让他能够继续在同侪面前保持尊严。他仍在努力寻找能够准确描述宇宙的方程。

战争还没结束，爱因斯坦就获得了成功——这可能是他职业生涯中最辉煌的一页。1915 年 11 月，爱因斯坦提出了广义相对论，这套理论描述了空间和物质如何互动：物质告诉空间如何弯曲，空间告诉物质如何移动。牛顿认为引力是一种神秘的“远距离作用”，但爱因斯坦认为，引力来自空间构造的扭曲，它就发生在我们的眼皮子底下。举个例子：太阳会在空间中造出某种扭曲的“酒窝”，离太阳越近的地方，这种扭曲效应就表现得越明显。行星会不由自主地滚向酒窝深处，但在惯性的作用下，它们并未一路下坠，而是绕着公转轨道运动，在空间中与这个酒窝保持大体恒定的距离。爱因斯坦的理论公开发表后几周，物理学家卡尔·史瓦西（Karl Schwarzschild）从可怕的德国军旅生活中暂时抽身出来（在军中染上的恶疾没过多久就夺去了他的生命），利用爱因斯坦的理论推出了一个奇妙的现象：强引力物体会在空间中创造一个“奇点”。奇点周围的空间会将这个物体完全包裹起来，包括光在内的任何东西都无法穿透这层铁幕。这样的物体就是我们今天所说的黑洞。

在广义相对论的引导下，爱因斯坦找到了他苦苦寻觅的关键方程，这个方程将宇宙中的物体及其整体行为联系到了一起。爱因斯坦独坐在办公室里研究这个方程，在脑子里构建各种各样的宇宙模型，当时他几乎发现了宇宙正在膨胀，但直到十几年后，埃德温·哈勃（Edwin Hubble）的观测结果才真正揭开了宇宙的这个秘密。

根据爱因斯坦的基本方程，在一个物质大致均匀分布的宇宙中，空间不可能是“静态”的。宇宙不可能“静静待在原地”，虽然我们的直觉和一个时期内的天文观测结果都指向这个结论。作为一个整体，空间必然有所动作，要么一直膨胀，要么一直坍缩。空间类似吹胀或者泄气的气球，它绝不是一个大小恒定的气球。

这让爱因斯坦深感忧虑。有一段时间，就连这位藐视权威、从不惮于质疑传统物理理论的勇士也觉得自己可能走得太远了。没有任何天文观测结果能证明宇宙正在膨胀，因为当时天文学家只记录近处的恒星运动，从未测量过如今我们称之为星系的那些遥远天体和地球之间的距离。爱因斯坦并没有对外公布宇宙膨胀或坍缩的计算结果，他回过头审视自己的方程，试图另辟蹊径，将宇宙“固定”下来。

很快他就找到了一条路。爱因斯坦的基本方程里有一个具体数值未知的常数，它代表真空中每立方厘米空间包含的能量。当时谁也无法确定这个常数的值，所以最开始，爱因斯坦将它设定为 0。他在另一篇科学论文中提出，如果这个常数（后来的宇宙学家将它命名为“宇宙常数”，cosmological constant）有一个特定的值，那么空间也可能是静态的。这样一来，他的理论和观测结果之间的冲突消弭于无形，爱因斯坦也能安心相信自己的方程了。

但麻烦接踵而至。1922 年，一位名叫亚历山大·弗里德曼（Alexander Friedmann）的俄国数学家证明了爱因斯坦的静态宇宙必然是不稳定的，就像架在支点上的铅笔，最轻微的涟漪或扰动都会导致空间膨胀或坍缩。刚开始，爱因斯坦宣称弗里德曼肯定弄错了，不过后来，他发表文章收回了这一指控，并肯定了弗里德曼的计算结果。对这位伟大的科学家来说，如此大方的举动绝不鲜见。20 世纪 20 年代末，哈勃发现宇宙的确在膨胀，爱因斯坦愉快地接受了他的结论。根据伽莫夫的回忆，爱因斯坦毫不讳言宇宙常数是他犯下的“最大的错误”。虽然少数几位宇宙学家还在顽固地试图利用非零（但不是爱因斯坦使用过的 1）的宇宙常数来解释某些令人困惑的观测结果，但他们的理论后来都被证伪了：宇宙其实根本不需要这个常数，对于这样的结果，全世界科学家不无解脱地叹了口气。

当时他们的确这样以为。不过到了 20 世纪末，宇宙论的故事再起波澜，1998 年，人们惊讶地发现，宇宙常数的值真的不是 0。看似空旷的空间中包含着能量，我们称之为“暗能量”，这种能量非同寻常的特质决定了整个宇宙的未来。

要理解（甚至相信）这套匪夷所思的理论，我们必须回顾哈勃发现宇宙膨胀之后宇宙学家思考的关键问题。爱因斯坦的基本方程允许空间曲率存在，用数学语言来描述，就是空间曲率可能是正值，也可能是 0 或者负值。零曲率对应的是“平坦空间”，也就是我们凭直觉认定的宇宙面貌：绝对的平面朝所有方向无限延展，就像一块无限大的黑板。与此相对，曲率为正的空间像个球面，我们可以通过第三个维度看到二维空间的弯曲。请务必注意球体的中心，无论二维空间是膨胀还是收缩，球心始终保持静止，它存在于第三个维度中，不会出现在代表所有空间的二维面上。

任何曲率为正的表面所包含的区域都是有限的，与之类似，正曲率空间包含的体积同样有限。在一个曲率为正的宇宙里，从地球出发，只要走得够远，你总能回到起点，就像麦哲伦的环球航行一样。但负曲率空间却能无限延展，虽然它并不平坦。负曲率二维空间就像一个无限大的马鞍表面：它在一个方向（从前到后）“向上”弯曲，而在另一个方向（从左到右）“向下”弯曲。

如果宇宙常数等于 0，那么我们只需要两个参数就能描述宇宙的所有特性。其中一个参数名叫“哈勃常数”（Hubble constant），它描述的是目前宇宙膨胀的速度；另一个参数描述的则是空间的曲率。20 世纪下半叶，几乎所有宇宙学家都相信宇宙常数的值为 0，那么他们的第一要务自然是测量宇宙膨胀的速度和空间的曲率。

只要能准确测量遥远天体远离我们的速度，我们就能算出这两个常数。哈勃常数等于天体远离地球的速度除以它和我们之间的距离（离我们越远的星系“后退”的速度越快），这个常数的值非常非常小，所以只有在观测那些非常遥远的天体时，我们才能发现空间的弯曲。天文学家在观测那些距离银河系数十亿光年的天体时，他们实际上也在回望宇宙的往昔。他们看到的不是宇宙的现在，而是那个离大爆炸更近的年代。通过观测距离银河系 50 亿光年甚至更远的星系，宇宙学家重新构建了这个膨胀的宇宙的历史。重要的是，他们能够看到宇宙膨胀的速度如何随时间而变化——这是确定空间曲率的关键。至少从理论上说，这是一种有效的办法，因为空间弯曲的程度会让过去几十亿年宇宙膨胀的速度发生微妙的变化。

然而在实践层面上，天体物理学家还是解决不了这个问题，因为他们无法准确估计那些几十亿光年外的星系与地球之间的距离。不过他们的箭囊里还有另一支利箭。如果能够测量宇宙中所有物质的平均密度（平均每立方厘米的空间中有多少克物质），他们就能把这个数拿来与"临界密度"（critical density，出自爱因斯坦的宇宙方程）进行比较。临界密度描述的是维持零曲率空间所需的确切宇宙密度值。如果宇宙的实际密度高于这个值，那么空间曲率为正。在这种情况下，假设宇宙常数为 0，那么我们的宇宙最终会停止膨胀，转而开始坍缩。但是，如果宇宙的实际密度等于或低于临界密度，那么宇宙就将永远膨胀下去。要是实际密度正好等于临界密度，那么空间曲率为 0；要是实际密度小于临界密度，空间曲率就成了负数。

到 20 世纪 90 年代中期，宇宙学家发现，就算把目前（通过对可见物质产生的引力）探测到的所有暗物质都算进来，宇宙中的物质密度也只有临界值的四分之一左右。这个结果不算出乎意料，它意味着宇宙永远不可能停止膨胀，而且我们生活其中的空间必然拥有一个负的曲率。但理论派宇宙学家却深受伤害，因为他们一直坚信，空间曲率一定是 0。

他们的信念来自宇宙的“暴胀模型”（inflationary model），它（毫不令人意外地）诞生于一个消费者价格指数急剧上涨的年代。1979 年，加州斯坦福直线加速器中心的物理学家阿兰·古斯（Alan Guth）提出，在宇宙诞生的极早期，它经历过一个急速膨胀的阶段——物质远离彼此的速度越来越快，甚至远超光速。然而根据爱因斯坦的狭义相对论，光速不是宇宙中所有物体运动速度的上限吗？其实这个说法不完全准确。爱因斯坦理论中的光速上限只适用于物体在空间中的运动，但无法限制空间本身的膨胀。在大爆炸之后 10^{-37} 秒到 10^{-34} 秒的“暴胀时期”，整个宇宙的膨胀系数大约是 10^{50}。

是什么造成了这样的暴胀？古斯提出，所有空间一定经历了某种“相变”，这一过程类似液态水在短时间内冻结成冰。苏联、英国和美国的同行对古斯的假说做出了一些关键的修正，从此以后，这套假说大行其道，在之后的 20 年里，它一直是主流的极早期宇宙理论模型。

暴胀理论为何如此诱人？因为暴胀时期的存在很好地解释了宇宙为什么是各向同性的：我们能看到的所有东西（以及其他很多东西）都由一小块空间膨胀生成，这块原生空间的固有特性也因此变成了全宇宙共同的特征。暴胀理论还有其他一些深受宇宙学家青睐的优点，我们现在暂不赘述；最重要的是，暴胀模型提出了一个直接的、可验证的预测：宇宙中的空间应该是平坦的，它的曲率既不是正数也不是负数，恰恰就是零，这完全符合我们的直觉。

根据这一理论，宇宙的平坦性源自暴胀时期的急速膨胀。我们不妨想象一下，你站在一个气球表面，让这个气球膨胀很多很多倍——1 后面的 0 多得数不清。经历了这样的膨胀，气球表面你能看到的部分肯定会平得像煎饼一样。宇宙中的空间也遵循同样的原理——如果暴胀模型真的能描述现实中的宇宙的话。

刚才我们说过，要获得平坦的空间，宇宙中的物质必须达到临界密度，但现在我们计算的物质密度加起来也只能达到这个值的四分之一左右。20 世纪 80 年代到 90 年代，很多理论派宇宙学家坚信，暴胀模型不可能出错，因此他们需要新的数据来弥合宇宙“质量差”，填平我们实际计算的物质总密度（它意味着空间曲率为负）和临界密度（平坦宇宙所需的必要条件）之间的鸿沟。这样的信念推动他们坚定地继续前行，尽管观测派宇宙学家总是嘲笑他们对理论分析的盲从。然后，嘲笑声突然消失了。

1998 年，两个相互竞争的天文学家团队宣布了一些新的观测结果，这些数据意味着宇宙常数的值不是 0——当然，也不是爱因斯坦为了获得静态宇宙而采用的那个值，而是完全不同的另一个数，这意味着宇宙将以越来越快的速度永远膨胀下去。

如果这些数据仅仅是理论家构建另一套宇宙模型的工具，那它恐怕不会引发太多关注。但事实上，新数据来自声誉卓著的专家对真实宇宙的观测，这就完全是另一回事了。尽管如此，这些惊世骇俗的数据仍引发了诸多质疑，这两组天文学家狐疑地审视竞争对手的一切可疑举动，结果却发现，他们完全认同这些数据及其解释。新的观测结果不仅暗示宇宙常数的值绝不是 0，还赋予了它一个能让空间变得平坦的值。

宇宙常数让空间变平是什么意思？那岂不是像《爱丽丝漫游奇境》里的红桃皇后说的那样，我们每个人在早餐前都要相信六件不可能的事情？不过，要是再想深一层，你或许会认同这个结果。如果看似空无一物的空间中蕴藏着能量，那么根据爱因斯坦那个著名的方程 $E = mc^2$，这些能量必然对宇宙的总质量做出贡献。一定值的能量等同于一定值的质量，只是需要根据质能方程除以一个光速的平方。这样一来，宇宙的平均密度就应该等于物质贡献的密度加上能量贡献的密度。

与临界密度对比的时候，我们必须采用这个新的总密度。如果二者相等，空间就必然是平的。暴胀模型对平坦宇宙的预测由此得到了满足，它可不在乎空间的总密度到底是来自物质、能量，还是二者之和。

证明宇宙常数非零进而引出暗能量的关键证据来自天文学家对一种特定类型的爆炸恒星（或者说超新星）的观测，这些恒星在惊天动地的爆炸中完成了死亡的华丽谢幕。这种类型的超新星被命名为“Ia 型超新星”，或者“SN Ia”，以区别于其他类型的超新星。一般来说，巨型恒星燃烧殆尽，无法通过任何形式的核聚变继续产生能量的时候，恒星核就会坍缩，制造出超新星。但 Ia 型超新星的原型却是双星系统中的白矮星。如果两颗恒星诞生的位置靠得太近，那么它们一生都会在同一条公转轨道上绕着这个系统共同的质心旋转。如果其中一颗恒星的质量比另一颗大，它在壮年期的运行速度就会比另一颗恒星快，接下来，它通常会失去外面的数层气体，暴露出来的恒星核就是萎缩简并的“白矮星”。白矮星的尺寸不会超过地球，但它包含的质量却和太阳相当。物理学家之所以会说白矮星内部的物质处于“简并态”，是因为它的密度极高（相当于铁或者金的数十万倍），量子力学效应作用于宏观物质，白矮星不会被自身的巨大引力压垮。

共同轨道上的伴星日渐衰老，白矮星会不断吸收它的逃逸气体。这些材料的氢含量相对较高，日积月累，白矮星的密度和温度也会稳定增长。最后，等温度升高到 1000 万摄氏度，整颗白矮星就会再次被核聚变点燃，这样的爆炸——原理类似氢弹，但爆炸强度是氢弹的几万亿倍——会将白矮星彻底撕碎，形成 Ia 型超新星。

Ia 型超新星是天文学家的好帮手，因为它拥有两种不同的特质。

首先，它会制造出宇宙中最璀璨的超新星爆炸，这样的光芒跨越数十亿光年的距离仍清晰可见。其次，白矮星的质量有天然的上限，大约是太阳质量的 1.4 倍。只要堆积在白矮星表面的物质使得整个天体的总质量达到了这个上限，猛烈的核聚变就会撕裂白矮星——这样的爆炸在宇宙中遍地开花，爆炸的天体其质量和成分都一模一样。因此，这种类型的所有超新星对外输出的峰值能量几乎完全相同，亮度达到峰值以后，它们消失的速度也相差无几。

Ia 型超新星的这些特性为天文学家提供了亮度极高、易于辨认的“标准烛光”，即无论出现在哪里能量输出峰值都保持不变的天体。当然，这些超新星与地球的距离会影响我们观测到的亮度。如果两个相距遥远的星系里各有一颗 Ia 型超新星，那么它们到地球的距离完全相同，我们才能观测到同样的最大亮度。如果其中一颗超新星与地球的距离是另一颗的两倍，那么在我们眼中，它的最大亮度只有另一颗的四分之一，因为我们观测到的天体亮度与距离的平方成反比。

基于天文学家对每颗 Ia 型超新星光谱的深入研究，一旦他们学会了如何识别这种超新星，那无异于握住了一把准确测量距离的金钥匙。只要能（通过其他方式）确定最近的那些 Ia 型超新星与地球之间的距离，他们就能估算这种类型的其他超新星离我们到底有多远，只需要简单地比较远近超新星的亮度。

整个 20 世纪 90 年代，哈佛大学和加州大学伯克利分校的两组超新星专家都在优化这种测量技术。根据超新星的光谱暴露的细节，他们想出了一些办法来补偿不同的 Ia 型超新星之间细微但确实存在的差异。要利用这把新铸的钥匙来测量遥远的超新星离我们有多远，研究者需要一台能以极高的精确度观测远方星系的望远镜，于是他们的目光落到了哈勃太空望远镜（Hubble Space Telescope）上，1993 年，这台望远镜通过翻修校正了形状错误引起的主镜片误差。超新星专家利用地面望远镜找到了数十亿光年外的几十颗超新星，然后再通过哈勃望远镜深入研究这些新发现的超新星。遗憾的是，他们只能争取到哈勃望远镜的一小部分观测时间。

20世纪90年代末，两个超新星观测团队的竞争进入了白热化阶段，双方都想抢在对方前面绘制出扩充版的新“哈勃图”（Hubble diagram），在宇宙学研究领域，这张图是确定星系距离及其后退速度的关键所在。天体物理学家利用多普勒效应（详见第十三章）来计算星系的后退速度，我们观测到的星系颜色取决于它的后退速度。

每个星系与地球之间的距离和它的后退速度最终会化作哈勃图上的一个点。对于相对较近的星系来说，这些点迈着整齐划一的步伐稳定上扬，如果某个星系和地球的距离是另一个星系的两倍，那么它后退的速度也是后者的两倍。星系距离与后退速度之间直接的比例关系体现在哈勃定律（Hubble's law）的代数表达式中，这个简单的方程描述了宇宙的基本行为：$v = H_0 \times d$。其中v代表星系的后退速度，d代表星系与我们之间的距离，H_0则是一个通用常数，我们称之为“哈勃常数”。在任意给定的时间点，整个宇宙的哈勃常数都恒定一致。无论外星观测者出现在宇宙中的什么地方，只要他们研究的是大爆炸140亿年后的这个宇宙，那么他们观测到的星系后退速度必然符合哈勃定律，他们算出的哈勃常数的值也必然和我们的一样，只不过他们大概会给这个常数起个别的名字。这样的“宇宙民主主义”是整个现代宇宙学暗含的假设，但我们无法证明宇宙真的这么民主。也许在我们看不见的星空深处，宇宙的行为和我们现在观测到的完全不同。不过宇宙学家断然否认了这样的可能性，他们认为，至少我们能观测到的宇宙都遵循同样的规则。在这种情况下，$v = H_0 \times d$ 就是全宇宙通用的定律。

但是，随着时间的流逝，哈勃常数的值可能发生变化，事实也的确如此。纳入了数十亿光年外遥远星系的改进版新哈勃图不仅能告诉我们哈勃常数 H_0（代表星系距离与后退速度的点在哈勃图上连成一条直线，哈勃常数的值就是这条直线的斜率）现在的值，还能揭示宇宙目前的膨胀速度与数十亿年前有何区别。后面这个值来自哈勃图最上方的那些点，它们代表着我们能观测到的最遥远的星系。因此，包含了数十亿光年外那些星系的新版哈勃图将揭示宇宙膨胀的历史，告诉我们宇宙膨胀的速度发生了怎样的改变。

为了达成这个目标，天体物理学界为这两支相互竞争的超新星观测团队投入了海量资源。1998 年 2 月，他们首次发布的观测结果彻底推翻了学界广泛接受的宇宙模型，由此激起了任何一个团队都无法承受的怀疑浪潮。由于两个团队主要的怀疑目标都是对方，所以双方都在殚精竭虑地给对方的数据和解释挑错。等到这两组科学家终于放下偏见承认对手的确无懈可击时，宇宙学界也别无选择，只能不太情愿地接受来自太空边疆的最新消息。

这些新消息到底是什么？其实很简单：那些最遥远的 Ia 型超新星比我们预想的更暗一点。这意味着那些超新星与地球的距离比我们预想的更远，也就是说，某种力量让宇宙膨胀的速度变快了一点。这样超出常规的膨胀来自何方？唯一的嫌犯就是潜伏在真空中的“暗能量”——这些能量的存在赋予了宇宙常数一个非零的值。通过测量那些遥远超新星的亮度与理论值之间的偏差，两组天文学家看到了宇宙的形状和命运。

两组超新星专家达成了共识：宇宙的确是平的。要理解这个问题，我们就得讲点儿高深的东西了。如果宇宙常数非零，那么要描述这个宇宙，我们需要第三个数。现在我们需要给哈勃常数（它的现值记作 H_0）和物质平均密度（如果宇宙常数为 0，那么单凭这一个参数就能决定空间曲率）都加上暗能量提供的等效质量——

根据爱因斯坦方程 $E = mc^2$，我们必须考虑暗能量的等效质量（m），因为它拥有能量（E）。宇宙学家将物质密度记为 Ω_M，暗能量密度记为 Ω_{Λ}，Ω 则是宇宙密度与临界密度的比值。Ω_M 代表宇宙中所有物质的平均密度与临界密度之比，而 Ω_{Λ} 代表暗能量提供的等效密度与临界密度之比。Λ 在这里代表宇宙常数。平坦宇宙的空间曲率为零，Ω_M 与 Ω_{Λ} 之和恒定为 1，因为宇宙的总密度（真正的物质密度与暗能量提供的等效物质密度之和）正好等于临界密度。

对遥远 Ia 型超新星的观测结果衡量的是 Ω_M 与 Ω_{Λ} 之间的差值。物质会拖慢宇宙的膨胀，因为引力总是倾向于将所有东西拉到一块儿。物质的密度越大，这种“拖后腿”的效应就越明显。但暗能量的表现却完全不同。普通物质互相拉扯，拖慢了宇宙膨胀的步伐，但暗能量却拥有一种古怪的特性：它会促使空间扩张，从而加快宇宙的膨胀速度。随着空间的膨胀，更多暗能量凭空出现，这个膨胀的宇宙就像终极版的免费午餐。新的暗能量又会进一步加速宇宙的膨胀，所以随着时间的流逝，免费的午餐变得越来越大。Ω_{Λ} 的值衡量的是宇宙常数的大小，它也代表着暗能量促使宇宙膨胀的力量量级。天文学家测量了星系距离与后退速度之间的关系，由此确定了聚拢一切的引力与推开一切的暗能量之间这场“拔河比赛”的结果。他们的测量结果表明，$\Omega_{\Lambda} - \Omega_M = 0.46$，误差正负 0.03。由于天文学家早已算出，$\Omega_M$ 的值大约是 0.25，那么 Ω_M 的值大约就是 0.71。这样一来，Ω_{Λ} 与 Ω_M 之和达到了 0.96，差不多正好符合暴胀模型的预测。近年来的新成果又进一步提高了这两个值的精确度，现在它们的和更接近 1 了。

虽然两组相互竞争的超新星专家达成了共识，但一部分宇宙学家仍有疑虑。科学家抛弃终身信念这种事儿肯定不是天天都有，他们曾经坚信宇宙常数应该是零，可现在的观测结果却强塞给了他们另一个截然不同的结论：暗能量充斥着每立方厘米的真空。不过，在消化了一颗卫星提供的新的观测数据以后，所有的怀疑者几乎都打消了疑虑。这颗重要的卫星就是我们在第三章中介绍过的WMAP，它的设计运转目标是以前所未有的精确度观测宇宙背景辐射。2002年，WMAP开始输出有用的观测结果，到2003年年初，宇宙学家已经利用它积累的有效数据绘制出了整个天空的地图，根据这张图，我们确定了宇宙背景辐射主要处于微波频段。虽然以前的观测结果得出的基本论断和这幅新图差别不大，但当时他们观测的要么只是一小片天空，要么没有这么详细精准。WMAP的全天地图是天文学家测量宇宙的最高成就，它确定了宇宙背景辐射那些最重要的性质。

这幅地图最令人震惊也最重要的特性在于，它几乎完全是平滑的，天文学家之前的局部观测也得出了同样的结论，包括利用气球搭载的仪器测得的数据和WMAP的前身COBE（COsmic Background Explorer，宇宙背景探测者）卫星的观测结果。来自所有方向的宇宙背景辐射不存在可测量的强度差异，我们将测量精确度提高到千分之一，才会发现以某个特定方向为中心的辐射强度比其他地方略高。与此同时，来自相反方向的辐射强度略低于平均水平。这样的差异源于我们的银河系相对于周围星系的运动。在多普勒效应的作用下，我们测得的“迎面而来”的辐射会比其他方向的略强一点，但这并不是因为这个方向的辐射真的更强，而是因为我们和这个方向的宇宙背景辐射（CBR）相向而行，这样的运动导致我们探测到的光子能量增强了一点。

一旦修正了多普勒效应的影响，我们就会发现，宇宙背景辐射非常平滑，除非我们再将测量精确度提高到十万分之一。在这样的精确度下，平滑的宇宙背景辐射地图终于出现了一点起伏。我们发现，来自某些位置的CBR比其他地方偏强或者偏弱了一点点。

如前所述，这样细微的辐射强度差异意味着，在大爆炸38万年后的那个时刻，与整个宇宙的平均值相比，某些位置的物质更热、更密集一点，或者更冷、更稀疏一点。COBE卫星首先发现了这样的差异；气球搭载的仪器和南极观测站又进一步提高了观测数据的精确度；直到最后，WMAP卫星提供了更精确的全天观测数据，宇宙学家借此绘出了宇宙背景辐射强度的详细地图，它的角分辨率达到了前所未有的1度左右。

COBE和WMAP在平滑的宇宙背景辐射中发现的轻微起伏激起了宇宙学家的兴趣，但它的意义绝不仅限于此。首先，它让我们得以一窥宇宙背景辐射停止与物质互动那一刻的宇宙结构。当时物质密度略高于平均水平的区域赢得了进一步收缩的先机，它的引力成功吸引了更多物质。因此，这幅描绘各个方向CBR强度的新地图最重要的意义在于，它验证了宇宙学家提出的理论：我们如今看到的宇宙疏密不一，不同的区域聚集的物质数量差别巨大，这样的差异在大爆炸后的几十万年里就埋下了种子。

除此以外，宇宙学家还能利用宇宙背景辐射观测的新结果来研究另一个更基本的宇宙特性：透过CBR强度地图，我们甚至能看到空间本身的曲率，因为弯曲的空间会影响从中经过的辐射。举个例子，如果空间曲率为正，那么在观测宇宙背景辐射的时候，我们就像是站在北极的观测者，沿着地球表面向南眺望，试图研究来自赤道附近的辐射。由于所有经线都向着北极点汇集，我们观测到的辐射源会比平面上的略宽一点。

要理解空间曲率如何影响宇宙背景辐射的特征角度尺寸，我们不妨想象一下，这些辐射终于停止与物质互动那一刻的情景。宇宙学家可以算出当时宇宙中可能存在的不平滑区域的最大尺寸：它的跨度应该等于当时的宇宙年龄乘以光速，也就是38万光年左右。这个值代表着粒子有能力影响彼此、制造起伏的最大距离。如果超出这个距离，粒子的“消息”根本来不及传过去，所以远方的起伏自然和它无关。

那么时至今日，这些最大的不平滑区域在天空中占据的角度到底有多大呢？这取决于空间的曲率，我们可以通过 Ω_M 与 Ω_Λ 之和来确定这个值。二者之和越接近 1，空间曲率就越接近 0，我们在 CBR 中看到的不平滑区域占据的角度也就越大。两个 Ω 值之和是决定空间曲率的唯一参数，因为这两种类型的密度影响空间曲率的方式完全相同。超新星观测测量的是 Ω_M 与 Ω_Λ 之差，而宇宙背景辐射观测直接测量了 Ω_M 与 Ω_Λ 之和。

WMAP 提供的数据表明，CBR 中最大的不平滑区域占据的角度大约是 1 度，这意味着 Ω_M 与 Ω_Λ 之和大约等于 1.02，误差正负 0.02。因此，考虑到实验精确度误差，我们或许可以认为 $\Omega_M + \Omega_\Lambda = 1$，这意味着空间是平坦的。通过对遥远的 Ia 型超新星的观测，我们知道了 $\Omega_\Lambda - \Omega_M = 0.46$。两个方程联立，最终我们发现 $\Omega_M = 0.27$，$\Omega_\Lambda = 0.73$，当然，这两个值都有微小的误差。如前所述，这就是目前天体物理学家为这两个宇宙参数估测的最精确的值，这两个数告诉我们，物质包括普通物质和暗物质，两者对宇宙整体能量密度的贡献占 27%，暗能量贡献了剩下的 73%（如果你更喜欢用能量的等价物——物质——来表达的话，根据质能方程，我们也可以说，暗能量提供了 73% 的宇宙质量）。

很久以前，宇宙学家就知道，如果宇宙常数不是 0，那么随着时间的流逝，物质和暗能量的力量对比必然发生巨大的变化。从另一方面来说，平坦的宇宙将永远保持平坦，从大爆炸开始直到无限远的未来。在一个平坦的宇宙中，Ω_M 与 Ω_Λ 之和永远等于 1，如果其中一个数发生变化，另一个数必然随之改变。

在大爆炸之后短暂的时期内，暗能量几乎不会对宇宙产生任何影响。和后面的年代相比，当时存在的空间过于狭窄，Ω_Λ 的值只比 0 高一点点，Ω_M 的值也只比 1 小一点点。在那个遥远的年代，宇宙的行为和宇宙常数为 0 时的情况几乎没有区别。但是，随着时间的流逝，Ω_M 的值稳步下降，Ω_Λ 的值也随之增长，二者之和始终为 1。直到千亿年后的某一天，Ω_M 的值最终将无限趋近于 0，Ω_Λ 的值也无限趋近于 1。因此，在这个宇宙常数非零的平坦宇宙中，物质和暗能量将经历此消彼长的变化：最开始暗能量几乎不起作用；然后是"现在"这个阶段，Ω_M 与 Ω_Λ 的值大体相当；直到遥远的未来，宇宙空间中的物质越来越稀薄，Ω_M 无限趋近于 0，但两个 Ω 值之和永远等于 1。

现在，根据我们对星系团的观测，Ω_M 的值大约是 0.25。与此同时，CBR 和远方的超新星也告诉我们，这个值大约是 0.27。考虑到实验精确度误差，这两个值基本是一回事。如果我们生活的宇宙真的拥有一个非零的宇宙常数，如果这个宇宙常数真的（和物质一起）创造出了暴胀模型所预测的平坦宇宙，那么这个宇宙常数的值必然导致 Ω_Λ 的值超过 0.7、达到 Ω_M 的 2.5 倍左右。换句话说，要让 Ω_M 与 Ω_Λ 之和等于 1，现在一大半的担子必然落到 Ω_Λ 头上。这意味着我们早已度过了物质和暗能量势均力敌（二者各占 50%），共同维持宇宙平坦的年代。

在不到 10 年的时间里，Ia 型超新星观测和宇宙背景辐射观测双管齐下，暗能量也从爱因斯坦的狂想变成了客观存在的物理现实。除非能证明这些观测结果不准确、解读有误或者干脆就是错的，否则我们必须接受这个结果：我们的宇宙永远不会坍缩，也不会循环。摆在我们面前的未来冷酷而荒芜：千亿年后，等到大多数恒星燃烧殆尽，除了最近的那些星系以外，所有事物都会消失在我们的视野尽头。

等到那时候，银河系将与邻近的星系合为一体，产生一个巨型星系。我们的夜空中只剩下绕轨运行的恒星（包括死去的和活着的），除此以外别无他物，未来的天体物理学家只能看到一个蛮荒的宇宙。没有星系可供他们追踪宇宙膨胀，最终他们将和爱因斯坦一样得出错误的结论：我们生活在一个静态的宇宙中。在宇宙常数和暗能量的推动下，宇宙的演化最终会导致我们再也无法测量这两个参数，甚至无法想象它们的存在。

所以，尽情享受宇宙学吧，趁我们还有机会。

第六章　宇宙的紧张局势！

在发现暗能量之后的几年里，你可以原谅宇宙学家们把暗能量列为他们最头疼的问题。这一时期给天体物理学家提供了他们一直乐意接受的东西：对描述宇宙的参数越来越精确的测量——从最小到最大的尺度，从宇宙起源后不久到现在的情况。宇宙学家一直在努力寻求一个更精确的基本宇宙参数，即宇宙膨胀率。他们开发了两种精确度几乎相同的不同方法来测量这一速率。然而，他们的努力显然产生了另一个麻烦而具有启发性的，又富于潜在成果的问题，因为这两种方法产生了不同的结果。

这样存在矛盾的结果通常会引起两种相互矛盾的反应，有时是在同一个人身上。一方面，这种分歧很可能不是宇宙造成的，而是由于误读、误差，或由于高估了通过富有想象力的辛勤研究所获得数据的精确性。另一方面，如果这种分歧确实存在，那么它也为我们带来对宇宙产生新认识的可能性。这种认识可能是通过对宇宙历史的进一步了解得到的，也可能是通过改变我们对基础物理学的认识得到的（这种情况甚至更令人感到兴奋），而基础物理学正是天体物理学家对观测数据进行宇宙逻辑分析的基础。

这个分歧涉及现代宇宙学最基本的参数值：哈勃常数 H_0，它表示宇宙现在的膨胀速度。冒着过度散发书呆子气质的风险，我们可以注意到天体物理学家在描述哈勃常数时使用的单位是“千米 /（秒 · 百万秒差距）”。这些单位列举了星系的退行速度（以千米每秒为单位）随着距离（以百万秒差距为单位，每百万秒差距约为 326 万光年）的增加而增加的量。目前，确定哈勃常数的一种方法得出的数值略高于 67 千米 /（秒 · 百万秒差距），但这一方法的主要竞争对手得出的另一个结果则比这一数值高出约 10%，接近 73 千米 /（秒 · 百万秒差距）。这两个数值间的差异导致了一种被宇宙学爱好者经常描述为“宇宙紧张局势”的局面。“宇宙学危机”这个词可能会赢得更多关注，但现在“紧张局势”这一描述对我们来说就已足够，因为我们要问：这对我们、对科学意味着什么？

从长远的历史角度来看，我们可能会庆幸天体物理学家的意见趋于一致，而非担心令人不安的分歧。在哈勃望远镜问世之前，著名天体物理学家在确定哈勃常数的数值时提出的见解有两倍的分歧：一方倾向于 50，另一方倾向于 100。如今，67 和 73 之间的差异让许多宇宙学家困扰不已，这一事实也是我们一生中取得的巨大进步的光荣见证。

目前，一些天体物理学家——通常不包括那些没有直接参与测量或对测量结果进行解释的人——对这种情况持冷静看法。他们认为，用不了多久，一种相当平淡的解决办法就会缓解宇宙紧张局势，一个接近 70 的值（会是这个数值吗？）就会成为正确答案。但是，许多花费数年甚至数十年时间努力寻找哈勃常数精确值的人却持相反的观点（正如我们所预料的那样），并继续在分歧问题上展开宇宙争斗。如果两个阵营的数值都被证明是正确的，那么从历史的角度来看，这就是两个无法调和的数字打开了通向新物理学大门的时代。

产生宇宙紧张局势的两种观测方法是什么？第一种方法是通过观测遥远星系的超新星爆发来估算距离，揭示了暗能量的存在。对这些爆发恒星越来越进步的观测，加上天体物理学家对它们之间细微差别的理解不断完善，最终得出了接近 73 的数值。不过，在讨论围绕这个数值的不确定因素之前，我们应该先研究一下确定哈勃常数的另一主要方法。

这种方法依赖于宇宙学家所说的“标准尺”，类似于传统哈勃常数计算方法所使用的超新星“标准烛光”。如前一章所述，在大爆炸发生 38 万年后的“退耦时期”，宇宙背景辐射对物质的同质化效应基本已经停止了。

从那时起，宇宙背景辐射就在物质粒子之间自由穿梭，而不会对它们产生明显的影响。这时，物质粒子之间相互影响的最大距离约为 42 万光年，因为相距更远的区域还来不及进行任何交流。这个距离为宇宙学家提供了标准尺。我们在前一章中指出了它的存在，即宇宙背景辐射中不平滑区域的最大值。

随着宇宙的扩张，标准尺也在扩大，它继续测量着最大的空间跨度，在这个跨度内，物质密度可能会出现与其平均值相一致的偏差。现在，我们可以在两个不同的时代“看到”这把尺子——更准确地说，是它的影响。我们已经看到了其中的第一种情况：宇宙背景辐射中出现了微小的均匀性偏差，这些偏差追踪了退耦时期物质的轻微不均匀分布。在随后的数十亿年里，这些密度偏差的百分之一演变成了巨大星系团内部以及巨大星系团之间区域物质密度的巨大差异。这些星系团的最大尺寸显示了从退耦时期到现在标准尺的尺寸增加了多少。

因此，确定哈勃常数的第二种方法旨在绘制一幅当今宇宙的精确地图，以便与宇宙背景辐射的原始差异进行比较。(实际上，“今天”指的是“仅仅几十亿年前”，也就是星系团的平均回溯时间，这些星系团都是在宇宙背景辐射所体现的微小偏差基础上成长起来的。) 在 21 世纪的头十年里，在不断提高精确度的努力中，一个名为“斯隆数字巡天”(Sloan Digital Sky Survey) 的研究项目开始了。利用位于新墨西哥州阿帕奇山顶 (Apache Point) 的专用望远镜，该项目以前所未有的精确度绘制了星系在太空中的三维分布图，从而提供了标准尺的现代尺寸——大约 4.9 亿光年。将这一距离与退耦时期标准尺的 45 万光年进行比较，得出的哈勃常数值接近 67。

我们能为 67 和 73 这两个相互冲突的数字分别赋予多少不确定性呢？使用标准尺方法的天体物理学家小组的最新分析得出的数值是 67.3（正负 0.6）。另一种基于超新星的哈勃常数测定方法涉及几个独立的超新星观测团队，他们不仅要争夺最精确的结果，还要争夺最吸引人的团队缩写，其中 H0LiCOW 和 SH0ES 两个团队都在缩写名中讨好地加入了 H_0。SH0ES 得到的最新数值为 73.3（正负 1.0），而 H0LiCOW 得到的数值为 73.3（正负 1.8）。67+ 和 73+ 之间的差异，加上其估计的不确定性，形成了科学家所说的"五西格玛差异"，我们可以将其翻译为"大到难以解决"。（大多数科学家认为三西格玛的差异是非常重要的，前提是他们相信基础数据。）

在我们面对这些对立的结果之前，我们应该注意到，天体物理学家在他们的观测武器库中还有另外三种方法来确定哈勃常数的值，这也许会让我们感到有些惊讶。其中之一已经部署，另两种也将很快有助于提高我们的知识水平。

更深入的研究涉及一种新方法，即通过详细观测较近星系中包含超新星的巨型星团中最亮的恒星，来估算相对较近星系中超新星的距离。通过对恒星演化过程的了解，天体物理学家知道了这些恒星的能量输出。与观测星系中的超新星一样，通过比较已知具有相同固有亮度的天体的观测亮度，可以得出天体的距离比。虽然这项观测计划并没有达到超新星观测所能达到的那么大的距离，但其结果表明哈勃常数的折中值是上面提到过的 70。哈勃常数值 73 的支持者对这些结果进行分析后得出结论：事实上，这些结果只是让哈勃常数值 73 略微降低。从这种冲突中，问题最终可能会得到解决。

与此同时，另外两种计算哈勃常数的独立方法也取得了一定的成果，但目前还处于比较初级的阶段。这两种方法都依靠爱因斯坦的广义相对论开辟了新天地。一种方法涉及引力对空间的弯曲，另一种方法研究的则是科学家们在过去几年中才探测到的引力辐射。与更古老、更成熟的技术一样，这两种方法都旨在更精确地确定天体距离，以便与它们远离我们的速度进行比较。第一种方法是分析宇宙背景辐射在经过众多星系到达我们身边时产生的轻微引力弯曲数据。第二种方法是“标准汽笛”观测——是整个宇宙中具有类似特征的引力辐射源的集合。标准汽笛这一命名与我们已经提到的宇宙学“标准尺”类似。空间弯曲法和标准汽笛法都有望在不久的将来取得与目前测量宇宙膨胀率的最佳技术相媲美的结果。

从广义上讲，我们应该如何判断当前“宇宙紧张局势”的意义呢？就像天体物理学家本身一样，精明的读者在预测可能的解决方案时，可以合理地寻找自己的偏见。你是倾向于保守的方法，保持冷静并期待所有得出的值在不久的将来都会趋向 70？还是倾向于一场革命：67 和 73 之间的对抗将为新物理学打开大门？我们可以肯定，宇宙本身没有危机。问题出现在地球上，人类对地球的认识不可避免地远远未达到完美。宇宙学家和物理学家们认为这种紧张局面亟待解决，就像他们自己的研究所要求的那样，试图通过确定我们在对宇宙的认识中遗漏了什么来解决这个问题。

也许归因于创造者，他们提出的解决方案清单会让大多数读者不堪重负。几乎所有这些提议要么改变了目前公认的宇宙膨胀历史模型，要么引入了“新物理学”——可能包括改变相对论或万有引力定律。最普遍的新物理学提议涉及假设的未知粒子（完全不同于假设中构成暗物质的未知粒子），或者在宇宙早期膨胀过程中暗能量的量发生了假想的微妙变化，这些变化可能发生在退耦时期之前，也可能发生在退耦时期之后不久。遗憾的是，其中一些理论尽管对科学的进步来说是幸运的，但我们目前对宇宙背景辐射的精确观测对这些假说施加了强大的限制，在最简单直接的情况下以极高的概率排除了这些假说。从某种角度看，这增加了宇宙紧张局势给宇宙学带来的刺激：我们不仅可能发现在 67 和 73 之间看似不大的分歧中潜藏着新物理学，而且还可能发现增加“简单的”新物理学可能被证明是不够的。在这种情况下，必须对我们的认识进行更广泛的修正，才能解决宇宙紧张局势，使天体物理学家能够专注于在未来观测中确定无疑会产生的新难题。

第七章　一个宇宙还是多个宇宙

1998年年初，来自超新星的观测结果震撼了整个宇宙学界，这些数据表明，我们生活在一个膨胀的宇宙中，而且它膨胀的速度还在不断增长。不久后，对宇宙背景辐射的详细观测又进一步确认了宇宙加速膨胀的事实。时至今日，为了弄清宇宙加速膨胀背后蕴含的意味，宇宙学家已经奋斗了好些年。两个重要的问题深深折磨着他们，同时也照亮了他们的梦想：是什么让宇宙加速膨胀？为什么宇宙膨胀的加速度正好是我们现在测量到的这个值？

对于第一个问题，最简单的解释就是把宇宙加速膨胀归因为暗能量的存在和非零的宇宙常数。这个加速度的值直接取决于每立方厘米内包含的暗能量：暗能量越多，它产生的加速度就越大。因此，只要宇宙学家能弄清暗能量来自何方，以及它的数量为什么正好是我们今天测量到的这个值，他们就可以宣布自己解开了宇宙的基本秘密——宇宙的“免费午餐”到底是什么。真空中的这些能量持续不断地促使宇宙越来越快地膨胀，在那遥远的未来，近乎无限的空间中将充斥着近乎无限的暗能量，物质的密度则稀释到了几近于无。

暗能量到底来自哪里？宇宙学家可以从粒子物理学的幽深世界里找到答案：如果我们认可目前的量子力学对物质和能量的描述，那么暗能量必然来自真空中的某些事件。量子力学是粒子物理学的根基，它提出的假设常常精确契合来自亚微观世界的观测结果，所以它获得了物理学家的广泛认同。根据量子力学的一部分理论，我们所谓的“真空”中其实充斥着“虚粒子”（virtual particle），这些小家伙的状态在存在与不存在之间频繁切换，所以我们永远不可能直接锁定它们，只能观察到它们产生的效果。那些喜欢创造物理术语的家伙给虚粒子持续不断的出现和消失起了个名字，叫作“真空的量子涨落”（quantum fluctuations of the vacuum），它将能量赋予了真空。此外，量子物理学家还能相对比较轻松地计算每立方厘米的真空中包含的能量。如果将量子力学直接应用于所谓的“真空”，我们就会发现，量子涨落必然创造出暗能量。从这个角度来说，关于暗能量的最大问题或许应该是：宇宙学家为什么花了这么长时间才意识到这种能量必然存在？

不幸的是，根据实际情况的细节，这个问题又变了副模样，我们现在要问：粒子物理学家为什么错得这么离谱？他们算出的每立方厘米真空包含的暗能量的值大约比我们根据超新星和宇宙背景辐射实际观测值得出的结果大 120 个数量级。对于那些特别遥远的天文环境，如果理论计算值和实际观测值的差距在 10 倍以内，我们就认为这样的结果可以接受，哪怕只是暂时的，但再乐观的人也无法欣然接受 120 个数量级的差距。如果真空中包含的暗能量真有粒子物理学家算出来的那么多，那么宇宙早就膨胀到了不知道多大，我们也不用为这个问题头疼了，因为在这么多暗能量的作用下，只需要一点点时间，物质密度就会被稀释到超乎想象的地步。理论和观测结果的确达成了共识：真空中应该包含着暗能量，但这些能量到底有多少，理论值和观测值却差了十万八千里。这么巨大的数量级差异在地球上根本找不到类比，哪怕到宇宙去找也很困难。我们已知的最遥远的星系与地球之间的距离差不多比质子的尺寸大 40 个数量级，虽然这个数大得超乎想象，但宇宙常数理论值和实际值之间相差的倍数相当于这个数的立方。

很久以前，粒子物理学家和宇宙学家就知道，量子力学预测的宇宙常数值大得令人无法接受。但那时候他们以为宇宙常数的值是0，所以他们希望未来能发现某些新的解释，让理论公式中的正负条件相互抵消，从而巧妙地消灭这个问题。他们曾经利用类似的手法解决了另一个问题：虚粒子为可见粒子贡献了多少能量？现在，既然宇宙常数非零，找到抵消条件的希望也变得渺茫起来。如果真的存在这样的抵消条件，它必须通过某种方式近乎彻底地抵消我们如今算出来的这个大得恐怖的数值。可是现在，宇宙学家完全无法解释宇宙常数的理论值为什么这么大，在这种情况下，他们只能继续和粒子物理学家合作，根据宇宙常数的实际观测值来构建暗能量在宇宙中的产生机制。

杰出的宇宙学家和粒子物理学家一直致力于解释目前的观测值，但还没有任何人获得成功。这个问题点燃了理论界的战火和愤怒，因为这些理论家深知，要是有人能解释自然界到底通过什么方式把宇宙塑造成了我们今天看到的样子，那他一定会获得诺贝尔奖，更别提还有发现带来的无穷乐趣。不过除此之外，常常引发争议的还有另一个亟待解释的问题：我们通过等价质量测得的暗能量总值为什么和宇宙中物质贡献的能量总值大体相当？

我们可以换个说法，用代表物质密度和暗能量等价质量密度的两个 Ω 值来重新表述这个问题：为什么 Ω_M 和 Ω_Λ 的值大体相当，而不是其中一个数远大于另一个数？在大爆炸之后的第一个10亿年里，Ω_M 几乎完全等于1，而 Ω_Λ 约等于0。最开始，Ω_M 的值是 Ω_Λ 的几百万倍，然后变成了几千倍、几百倍。时至今日，在这个 $\Omega_M = 0.27$、$\Omega_\Lambda = 0.73$ 的宇宙中，这两个值的数量级完全一样，而且 Ω_Λ 的值明显大于 Ω_M。而在遥远的未来，到了500亿年以后，Ω_Λ 的值将变成 Ω_M 的几百倍，然后是几千倍、几百万倍，直至几十亿倍。只有在大爆炸之后30亿年到500亿年的这段时间里，这两个值才会大体相等。

30 亿年到 500 亿年的时间跨度这么漫长，现在我们正好处于这个阶段，这难道有什么不对吗？但从天文学的角度来说，几百亿年的时间其实非常短暂。天文学家通常采用对数来划分时间阶段，每个阶段的时间跨度相差 10 倍。最开始，宇宙的年龄达到了某个值，下一个阶段，它的年龄会增长 10 倍，再下一个阶段，再增长 10 倍，以此类推，直到永远，每一个阶段与上一个阶段的时间跨度各有 10 倍的差距。比如说，大爆炸之后，我们从量子力学允许的最小的时间跨度开始计时，那么第一个时间节点是宇宙诞生后 10^{-43} 秒。每年大约有 3000 万（3×10^7）秒，那么从大爆炸之后的 10^{-43} 秒到 30 亿年，我们大约需要乘以 60 个 10。相比之下，从 30 亿年到 500 亿年只需要乘以 1 个 10，在整个宇宙的漫长历史中，只有在这一个短暂的时期内，Ω_M 和 Ω_Λ 的值大体相当。在此之后，无数个 10 将引导宇宙走向无限远的未来。所以如果采用对数纪年，我们就会发现，我们正好生活在这个 Ω_M 和 Ω_Λ 的值大体相当的年代，这样的可能性其实非常渺茫。美国的宇宙学带头人迈克尔·特纳（Michael Turner）将这个难解的谜题——我们为什么发现自己生活在这个 Ω_M 和 Ω_Λ 的值大体相当的时期——命名为“南茜·克里根问题”（Nancy Kerrigan problem），因为这位奥运滑冰运动员曾在遭受竞争对手的男友袭击后问道：“为什么是我？为什么是现在？”

尽管宇宙学家无法算出接近观测值的宇宙常数，但他们的确为克里根问题提供了一个答案，不过对于这个答案蕴含的意味和它的重要性，学界莫衷一是。有人真心欢迎它，有人只是勉强接受，有人仍在犹豫，还有人对它不屑一顾。这个解释将宇宙常数的值与客观的事实联系到了一起：我们生活在一个普通星系内绕着一颗普通恒星公转的行星上。根据这套理论，正是因为我们存在，所以那些描述宇宙的参数，尤其是宇宙常数，必然拥有一个允许我们存在的值。

我们不妨想象一下，如果宇宙常数的值比现在大得多，那会发生什么。如果暗能量的总量比现在大得多，那么只需要再过几百万年（而不是 500 亿年），Ω_{Λ} 的值就将远远超过 Ω_{M}。到那个时候，在那个暗能量加速效应占据主导地位的宇宙中，物质将飞速扩散，任何星系、恒星和行星都无法成形。假设从物质团首次成形到生命起源至少需要 10 亿年时间，那么我们就会得出这样的结论：我们的存在将宇宙常数的值限制在了 0 到现值的几倍之间，同时排除了任何更高的值存在的可能性。

如果我们和很多宇宙学家一样相信，我们称之为宇宙的所有事物都属于一个大得多的“多重宇宙”，那么这套理论的吸引力就会变得更强。多重宇宙包含了无数个互不影响的宇宙。根据多重宇宙的概念，事件的所有状态都嵌在更高的维度中，所以我们这个宇宙中的空间完全不可能接触到其他宇宙。由于多重宇宙的假设从理论上排除了各个宇宙发生互动的可能性，我们显然无从验证它的真实性，自然也就不可能去证明它——除非有哪个更聪明的天才能想出办法来测试多重宇宙模型。在多重宇宙的世界里，新宇宙的诞生完全是随机的，它有可能膨胀到无限大，即便如此也绝不会干扰其他无数个宇宙。

多重宇宙中的每一个新宇宙都拥有自己的物理规则和宇宙参数，其中包括那些能够决定宇宙常数值的参数。其他很多宇宙的宇宙常数比我们的大得多，它们会加速膨胀到近乎 0 密度的状态，这样的宇宙对生命当然很不友好。多重宇宙中只有一小部分（可能近乎无穷小）宇宙能提供允许生命存活的条件，因为只有这些宇宙的参数能让物质聚集生成星系、恒星和行星，并允许这些天体存在数十亿年。

这种解释宇宙常数值的方法被宇宙学家命名为“人择原理”

（anthropic principle），不过更恰当的名字或许应该是“人择方法”。这种解释宇宙学关键问题的方法具有很强的感染力：人们要么爱它，要么恨它，很少有人保持中立。和其他很多有趣的想法一样，人择方法可以方便地应用于各种神学和目的论的宏伟精神框架。某些笃信宗教的原教旨主义者发现，人择方法完全可以支持他们的信仰，因为它赋予了人类最核心的角色：如果没有观察者，宇宙——至少是我们所知的这个宇宙——将不可能存在。所以，这个一切都刚刚好的世界一定是某种更高级的力量为我们创造出来的。反对者会提出，这违背了人择方法的真意；从神学层面上说，如果这位上帝真的存在，那他必定是最浪费的造物主，因为他创造了数不清的宇宙，但生命却只能诞生在其中一个宇宙的一小片区域里。我们不如跳过“人择方法”，继续相信那些以人类为中心的更古老的创世神话。

从另一方面来说，如果你和斯宾诺莎一样相信上帝存在于一切事物之中，那你肯定无法抗拒这个拥有无数宇宙的多重宇宙。和大部分最前沿的科学理论一样，多重宇宙的概念和人择方法能够做出各种各样的解释，轻而易举地满足不同信仰系统的需求。目前来看，很多宇宙学家发现，多重宇宙能够游刃有余地包容任何信仰系统，而且不会与之发生任何实质性的联系。剑桥大学天文系的霍金和前辈牛顿一样坐拥卢卡斯教授席位，他认为人择方法完美地解决了克里根问题。斯蒂芬·温伯格（Stephen Weinberg）曾因量子物理学方面的洞见荣获诺贝尔奖，他不喜欢人择方法，但他也赞同这个假设，因为除此以外找不到其他更合理的解释，至少目前如此。

也许历史最终会告诉我们，现在的宇宙学家完全搞错了重点，因为我们现在拥有的知识根本不足以探讨这个问题。温伯格喜欢拿约翰内斯·开普勒（Johannes Kepler）的事迹来类比：开普勒穷尽毕生精力，试图解释太阳为什么拥有六颗行星（当时的天文学家都这样以为)，以及这些行星为什么会沿着现在的轨道运转。然而直到400年后的今天，天文学家对行星的起源依然所知甚少，所以我们到现在还没弄清太阳系内行星的确切数量以及它们的轨道。按照开普勒的假设，行星公转轨道围绕太阳依次排列，五个大小不一的正多面体完美地嵌在两条相邻的轨道之间。现在我们倒是知道，这套假设毫无道理，因为多面体的嵌套并不完美，而且(更重要的是)我们找不到任何理由来解释行星轨道为什么会遵循这样的规则。我们的后代或许会认为，今天的宇宙学家就像开普勒一样，鲁莽地试图用少得可怜的知识来解释复杂神秘的宇宙，这样的努力注定徒劳无功。

并不是所有人都喜欢人择方法。有的宇宙学家谴责说，人择方法是一种失败主义论调，它无视历史(物理学家经过长期的努力，最终成功解释了曾经神秘的现象，这样的例子不绝于史，人择方法实质上否认了这些成功的案例)，而且非常危险，因为人择方法蕴含着这样的意味：我们的宇宙是由某种有智慧的存在设计出来的。除此以外，按照这套假设，我们生活在一个包含了无数宇宙的多重宇宙中，但哪怕从理论上说，我们也不可能接触其他宇宙，很多宇宙学家根本不能接受将这样的假设作为整个宇宙学的根基。

关于人择原理的争辩让我们清晰地看到，宝贵的怀疑主义为我们理解宇宙的科学方法奠定了根基。某个理论或许特别吸引某位科学家，尤其是提出这套理论的科学家本人，不过与此同时，另一位科学家可能觉得这套理论荒谬透顶，或者根本就是错的。争论的正反双方都明白，能为大部分观测数据找到最完美解释的理论才拥有最强大的生命力(正如一位著名科学家说过的那样，要对那些能解释所有数据的理论保持警惕，因为到头来它往往会被证伪)。

人择原理之争短期内恐怕还无法平息，但在不远的未来，学界必然会继续提出其他更多假设，试图解释我们在宇宙中观察到的现象。比如，普林斯顿大学的保罗·斯泰恩哈特(Paul Steinhardt)

与剑桥大学的尼尔·特（Neil Turok）共同提出了宇宙的“火劫模型”（ekpyrotic model）——他们真该好好学学怎么起名。这套模型的灵感来自粒子物理学中的弦论（string theory），斯泰恩哈特认为宇宙一共拥有十一个维度，其中大部分维度处于“折叠态”，这有点像卷起来的袜子，所以它们在宇宙中占据的空间近乎无穷小。某些额外的维度拥有实在的尺寸和大小，只是无法被我们感知，因为我们仍被困在熟悉的四个维度中。如果我们将宇宙中的所有空间想象成一张无限薄的平面（这个模型将空间的三个维度压缩成了两个），同时存在另一张与它平行的平面，那么这两张平面可能会互相靠近，然后发生碰撞，大爆炸就是碰撞的结果。接下来，两张平面弹开，每张平面的历史沿着我们熟悉的脉络展开，星系和恒星就此诞生。最终这两张平面会停止反向运动，重新开始靠近彼此，引起下一次碰撞和大爆炸。在这个模型中，宇宙的演化就是一段段以千亿年为单位的循环历史，每次循环至少在大体上保持一致。“ekpyrotic”这个词语在希腊语中的意思是“烈火”（或许你更熟悉的是另一个词：“纵火”，pyromaniac），“火劫宇宙”通过这种玄奥的方式告诉所有人，我们所知的宇宙诞生于一场大火之中。

无论是从感情上说还是从理性上说，宇宙的火劫模型都很有吸引力，但这仍不足以说服斯泰恩哈特的很多宇宙学家同侪，至少现在还不能。不过，就算火劫模型最终被证伪，有朝一日，也许某个和火劫模型一样含糊暧昧的理论会帮助宇宙学家达成夙愿，完美地解释神秘莫测的暗能量。如果有人能够抛开“世上有无限多个宇宙，我们恰好幸运地生活在其中一个宇宙里”这套说法，为现在的宇宙常数提供一个无懈可击的解释，那么就连最顽固的人择方法支持者也不会固执己见，抗拒这样的新理论。正如 R. 克朗布（R. Crumb）创造的一位卡通角色说过的那样：“我们生活的世界多么精彩，多么奇怪呀！哇！”

卷二

星系和宇宙结构的起源

第八章　发现星系

两个半世纪以前，那时候英国天文学家威廉·赫歇尔爵士（Sir William Herschel）还没有制造出全世界第一台真正的大型望远镜，人类所知的宇宙只有恒星、太阳、月亮、行星、木星和土星的几颗卫星、几个模糊的天体，以及在夜空中绘出一条牛奶路的那个星系。事实上，“星系”（galaxy）这个词来自希腊语“galaktos”，意思是“牛奶”。天空中还有一些模糊的天体，它们的学名叫作“星云”（nebula），这个词来自拉丁语里的“云”——这些形状模糊的天体包括金牛座的蟹状星云（Crab nebula）和仙女座的仙女座星云（Andromeda nebula）。

赫歇尔的望远镜直径约为1.22米，在它建成的1789年，这样的尺寸堪称石破天惊。支撑望远镜、帮助它调整方向的桁架结构复杂，因此这套设备看起来十分笨重，不过，当这台望远镜的镜头指向天空，赫歇尔清晰地看到了组成银河的无数颗恒星。利用这台望远镜和其他更轻巧的小望远镜，赫歇尔和妹妹卡罗琳（Caroline）共同编制了第一份详细的北半球“深空”星云目录。赫歇尔的儿子约翰爵士延续了家族传统，为父亲和姑妈编制的北半球天体目录增补了一些内容。他还在非洲最南端的好望角待了很长一段时间，为南半球可见的大约1700个模糊天体编制了目录。1864年，约翰爵士将已知的所有深空天体汇总到一起，编撰了一份《星云和星团总表》（*A General Catalogue of Nebulae and Clusters of Stars*），这份表单共有5000多个条目。

尽管当时的天文学家收集了这么多数据，但谁也不知道这些星云到底是什么，它们离地球有多远，各个星云之间又有何差别。无论如何，1864 年版的总表给了天文学家一个机会，现在他们可以根据形态或者应该说形状对星云进行分类。根据“所见即所名”的棒球裁判传统（赫歇尔编撰总表的时候，这项运动正好进入全盛时代），天文学家将旋涡状的星云命名为“旋涡星云”（spiral nebula），大体呈椭圆形的自然是“椭圆星云”（elliptical nebula），那些形状不规则——既不是旋涡也不是椭圆——的星云则被命名为“不规则星云”（irregular nebula）。有的星云看起来又小又圆，跟望远镜里的行星差不多，所以它们就成了“行星状星云”（planetary nebula）——多年来这个名字一直困扰着天文学的初学者。

在天文学历史上的大部分时间里，天文学家一直非常直白，他们描述事物的方式和植物学者差不多。天文学家在不断增补的星图中寻找相似的模式，然后利用这些模式对天体进行分类。这样的研究方式十分合理。大部分人从孩提时起就会自发地根据物品的外观和形状来排列它们。但“所见即所名”的方法能做的也只有这么多了。由于夜空中这些模糊天体的大小看起来都差不多，赫歇尔家族一直以为，所有星云和地球之间的距离也都差不多。所以对他们来说，使用同样的方式来归类所有星云是一种公平无私的好办法。

问题在于，后来我们发现，“所有星云和地球的距离大体相当”的假设其实大错特错。大自然总是那么神秘莫测，甚至有些鬼鬼祟祟。某些被赫歇尔家族归类为星云的天体和地球的距离并不比恒星更远，它们其实比较小（如果万亿千米级的尺寸也算“比较小”的话）。其他一些星云的距离要远得多，既然所有星云的大小看起来都差不多，那么距离较远的星云实际尺寸必然远大于那些相对较近的“同类”。

我们可以从中学到一课：不要轻信事物的表象，你应该做的是深入追问它到底是什么。幸运的是，到了 19 世纪末，科技的发展赋予了天文学家新的工具，现在他们能做的就不仅仅是归类宇宙中的事物了。这样的改变促成了天体物理学的诞生，物理规则在天文学领域找到了用武之地。

就在赫歇尔推出星云总表的年代，研究星云的天文学家得到了一件新的科学设备：光谱仪（spectroscope）。光谱仪的唯一用途是将光分解成多种颜色组成的光谱。这些颜色和颜色蕴含的特征不仅能揭示光源化学成分的大量细节，根据多普勒效应，它还能告诉我们，这个光源到底是在接近还是在远离地球。

光谱仪揭示了一个惊人的事实：差不多所有旋涡星云（这种星云几乎主宰了银河以外的天空）都在以极高的速度远离地球。与此相对，所有行星状星云和大部分不规则星云的运动速度相对较慢——其中一部分离我们越来越近，另一部分渐行渐远。难道银河中心发生了一场大爆炸，但是只有旋涡星云飞了出去？如果真是这样，那为什么没有任何旋涡星云坠落下来？或者我们正好在一个特殊的时间点目睹了这场悲剧？尽管摄影术的进步带来了显影速度更快的感光剂，让天文学家得以测量那些越来越暗淡的星云光谱，但这并未阻止大批旋涡星云离去的步伐，这些问题依然没有答案。

天文学和其他科学领域的绝大部分进步是由新技术推动的。随着 20 世纪 20 年代的到来，另一台关键设备粉墨登场：加州帕萨迪纳附近的威尔逊山天文台竖起了直径 2.54 米的胡克望远镜。1923 年，美国天文学家哈勃利用这台当时世界上最大的望远镜在仙女座星云中找到了一种特殊的恒星：造父变星（Cepheid variable star）。变星的亮度会依照已知的模式发生变化；造父变星的名字来自它的原型，仙王座（Cepheus）恒星造父一，这种星星亮度极高，哪怕距离遥远仍清晰可见。变星的亮度依照可识别的模式循环变化，所以只要坚持不懈、细心观察，天文学家必然会发现越来越多的变星。哈勃在银河里找到了几颗造父变星，他估算了这些星星和地球之间的距离，但让他深感震惊的是，仙女座星云的那颗造父变星比他之前发现的这些暗得多。

对于这样的亮度差异，最合理的解释是，这颗新的造父变星和它所在的仙女座星云与地球之间的距离比银河里的造父变星远得多。哈勃意识到，如果事实果真如此，那么仙女座星云离地球一定非常非常远，它根本不可能位于仙女座，甚至不在银河里——所以它和其他旋涡星云姊妹也不可能被银河“泼洒”出去。

这个发现蕴含的意味简直令人窒息。哈勃的发现告诉我们，旋涡星云是独立、完整的恒星系统，它的尺寸和它包含的恒星数量应该跟我们的银河差不多。用哲学家伊曼努尔·康德（Immanuel Kant）的话来说，哈勃发现了我们的银河系以外必然存在几十个“宇宙岛”（island universe），要知道，仙女座星云不过是我们熟知的众多旋涡星云之中的一个。事实上，仙女座星云根本就不是星云，而是一个星系。

到了 1936 年，天文学家已经利用胡克望远镜和其他大型望远镜找到了大量宇宙岛，并为它们拍摄了照片，于是哈勃决定尝试一下形态学。他对星系类型的分析基于一个未经验证的假设：不同形状的星系实际上处于生命中不同的发展阶段。在 1936 年出版的著作《星云世界》（*Realm of the Nebulae*）中，哈勃将不同类型的星系排列成了一支音叉的形状，音叉的柄代表椭圆星系，形状最圆的那些星系位于叉柄最远端，相对较扁的星系放在两个分叉的交会处附近。普通的旋涡星系顺着其中一条分叉向外延伸：离叉柄最近的星系旋臂收得最紧，越往前走，旋涡星系的旋臂就越松散。另一条分叉由那些中心区域有一根“直棒”的旋涡星系组成，它们也按照从紧到松的顺序向外排列。

按照哈勃的预想，星系在诞生之初都是近圆的椭圆形，随着时间的流逝，它会变得越来越扁，最终呈现出旋涡结构，这个旋涡还会变得越来越松散。这真是个巧妙而美丽的想法，甚至说得上优雅，只是完全不对。首先，这幅“音叉图”排除了所有不规则星系；其次，天体物理学家后来发现，每个星系中最古老的恒星年龄都差不多，这意味着在宇宙的历史中，所有星系诞生于同一个年代。

接下来的30年里（第二次世界大战拖慢了研究的步伐），天文学家一直按照哈勃的思路观测、归类星系，这幅音叉图将所有星系分成了三类：椭圆星系、旋涡星系和棒旋星系，不规则星系被归类为一个独立的子集，因为这些星系的形状太奇怪，音叉图上根本没有它们的身影。椭圆星系看起来似乎大同小异，就像罗纳德·里根（Ronald Reagan）眼中的加州红杉一样。这些星系之所以如此相似，是因为它们既没有旋涡星系和棒旋星系特征明显的旋臂，也没有孕育新恒星的星际气体和尘埃形成的巨大云团。这些星系内部的造星运动早在几十亿年前就已结束，只剩下一簇簇球状或椭球状的星团。和最大的旋涡星系一样，最大的椭圆星系包含了几千亿颗甚至更多的恒星，星系直径长达几十万光年。除了专业的天文学家以外，椭圆星系如梦似幻的图案和复杂的造星历史很难引发人们的赞叹，原因非常合理，至少和旋涡星系相比，椭圆星系的形状过于简单，造星过程也非常直白：它们尽己所能地将气体和尘埃转化成恒星，直至无以为继。

让人愉快的是，旋涡星系和棒旋星系带来了椭圆星系缺乏的视觉奇观，这些星系的形状和我们的银河系非常相似。如果我们能将相机送到银河系中心圆盘上方或下方几十万光年以外，它拍下的照片必将深深搅动我们的心灵和头脑，这张照片上的图像其实就和我们现在看到的旋涡星系差不多。今天，我们觉得这个目标依然十分遥远，因为人类发射的飞得最远的太空探测器才刚刚走过了这个距离的十亿分之一；就算我们能制造出以光速航行的探测器，人类也要等到很久以后（这个时间跨度远远超过有记载的人类历史）才能看到这张照片。而在目前，天文学家只能继续从银河系内部测绘我们的星系，透过树木般林立的恒星和星系描摹这片森林的轮廓。他们的努力让现在的我们知道了，银河系的形状和我们的近邻——仙女座那个巨大的旋涡星系——差不多。仙女座大约位于 240 万光年以外，这个距离不远不近，观测起来十分方便，这位邻居为我们提供了旋涡星系基本结构模式的大量信息，也让我们看到了各种各样的恒星和它们的演化历程。仙女座星系的所有恒星与我们之间的距离都差不多（大概只有几个百分点的出入），所以天文学家知道，我们观察到的这些恒星的明亮程度和它们自身的亮度直接相关，而恒星的亮度又和它们每秒释放的能量成正比。这条规则无法应用于银河系内的天体，但在观测其他星系的时候，这条规则大大降低了天文学家研究恒星演化、得出关键结论的难度。仙女座星系边缘有两个绕着主星系旋转的椭圆状卫星星系，它们各自包含的恒星数量只有主星系的百分之几，这两个星系同样为我们提供了关于恒星生命和椭圆星系结构的重要信息。晴朗的夜晚，远离城市灯光的观察者如果知道该往哪儿看，而且眼神足够锐利，那他或许能在天空中看到仙女座星系模糊的轮廓——这是人类裸眼可见的最遥远的天体，落入我们眼中的星光开启这段旅途的时候，人类的祖先还在非洲的峡谷里游荡，寻找根茎和浆果。

和银河系一样，在哈勃的音叉图上，仙女座星系也落在一条分叉的中间位置，因为它的旋臂既不算太紧，也不算太松。如果将星系比作动物园里的动物，那么我们可以把所有椭圆星系关进同一个笼子，但灿烂的旋涡星系却要占据好几间兽舍。如果将一张哈勃望远镜拍摄的这些美丽动物，尤其是（相对于那些更近的星系而言）

距离我们1000万～2000万光年的那些星系的图片放到你眼前，那就无异于开启了一个充满无限可能性的奇观世界。它们的结构如此复杂，距离地球上的生活如此遥远，要是没有足够的心理准备，你会头晕目眩，或者你的大脑会启动防御机制，悄悄提醒它的主人，千万不要过度沉迷，这些东西既不能瘦大腿也没法治愈骨折。

作为星系家族的孤儿，不规则星系的数量大约占据了所有星系的10%，其余的份额由椭圆星系和旋涡星系瓜分，旋涡星系分到的那块要大得多。与椭圆星系相反，不规则星系的气体和尘埃含量通常高于旋涡星系，这为造星运动提供了最活跃的温床。银河系拥有两个不规则的大型卫星星系，它们的名字特别令人困惑：这两个星系分别被命名为“大麦哲伦云”（Large Magellanic Cloud，LMC）和“小麦哲伦云”（Small Magellanic Cloud，SMC）。它们之所以叫这个名字，因为这两个星系的发现者是1520年麦哲伦环球航行船队中的水手，刚开始，他们还以为这些星星是天空中的云团。学界之所以将这份荣耀归功于麦哲伦的远航，是因为大小麦哲伦云的位置离南天极（地球南极正上方的点）太近，生活在北半球人口密集区（包括欧洲和美国大部分地区）的观测者永远不可能看到它出现在地平线上方。虽然大小麦哲伦云的规模远远不及包含了几千亿颗恒星的银河系和其他大型星系，但它们各自拥有几十亿颗恒星，内部也有大片的造星区域，其中最值得注意的是大麦哲伦云内的“蜘蛛星云”（Tarantula nebula）。近300年来最近、最明亮的超新星也出现在这个星系中，它被命名为“超新星1987A”。这场爆炸发生的时间必然是公元前16万年前后，因为它的光芒在1987年传到了地球。

20世纪60年代以前，天文学家一直满足于这套分类系统，几乎所有星系都被他们划分成了旋涡星系、棒旋星系、椭圆星系或者不规则星系。从他们的角度来说，这么做也没错，因为超过99%

的星系都能纳入这套体系（既然“不规则星系”都堂而皇之地占据了一个分类，那么这个结果也没什么奇怪的）。可是就在这10年里，一位名叫霍尔顿·阿尔普（Halton Arp）的美国天文学家发出了不和谐的声音，哈勃音叉图和不规则星系共同构建的简单分类体系遭到了挑战。秉持着“将疲惫穷苦的大众都交给我”的精神，阿尔普用世界上最大的望远镜——加州圣迭戈附近帕洛马山天文台的海尔望远镜（Hale Telescope）——拍摄了338个形状非常奇特的星系。阿尔普于1966年出版的《特殊星系图集》（*Atlas of Peculiar Galaxies*）是一座真正的科研宝库，它让我们看到了宇宙中各种各样“搞砸了”的情况。虽然在所有的星系中，这些“特殊星系”——形状奇怪得连“不规则”都不足以形容的星系——所占的比例极低，但它们却揭示了一些重要的信息，我们从中看到了出错的星系可能变成什么样子。比如说，后来我们发现，阿尔普图集中的很多特殊星系实际上是两个曾经彼此独立的星系碰撞融合留下的残骸。这意味着“特殊星系”根本就不是新的星系种类，就像撞坏了的雷克萨斯不是新款汽车。

要追踪这样的碰撞是怎么发生的，光靠笔和纸肯定远远不够。因为两个星系中的每一颗恒星都有自己的引力，这些力会同时影响两个系统中的其他所有恒星。简单地说，你需要一台计算机。星系碰撞是一场绵延几亿年的盛大演出。利用计算机模拟两个星系的碰撞，你可以随心所欲地选择开始和暂停的时间，在1000万年、5000万年和1亿年的节点上分别拍摄快照。每个时间节点的场景都不太一样。翻开阿尔普的图集，你会发现这个“星系”处于碰撞早期，另一个处于晚期，这两个星系发生了侧面碰撞，那两个是迎头相撞。

虽然天文学家在20世纪60年代初就完成了最早的计算机模

拟，而且早在 20 世纪 40 年代，瑞典天文学家埃里克·霍姆伯格（Erik Holmberg）就想出了一个好主意，他利用光模拟引力，在桌子上摆出了星系碰撞模型，不过直到 1972 年，双双任教于麻省理工学院的阿拉尔·图默（Alar Toomre）和朱利·图默（Juri Toomre）兄弟才首次描绘了两个旋涡星系“故意一股脑儿”撞到一起的辉煌画卷。根据图默模型，撕裂星系的罪魁祸首是潮汐力，也就是不同位置的引力差。两个星系彼此靠近的时候，星系边缘引力迅速增长，等到它们擦肩而过或者穿过彼此时，这股力量会拉长、扭曲整个星系，阿尔普那本《特殊星系图集》中的大部分特殊星系都是这样形成的。

除此以外，计算机模拟还能通过什么方式帮助我们理解星系呢？哈勃的音叉图将“普通”旋涡星系和中间有一根密集“短棒”的旋涡星系分成了两类。模拟程序表明，这根短棒可能只是一种暂时的现象，而不是区分不同星系种类的标志性特征。现在你看到的“短棒”可能再过 1 亿年就会消失。但我们无法在现实世界中观察那么长时间，只能利用计算机将 1 亿年的时间压缩到几分钟内，通过这种方式观察跨越漫长时间尺度的奇景。

阿尔普的特殊星系只是冰山一角，20 世纪 60 年代，天文学家开始探索各种看起来不像星系的奇怪系统，直到几十年后，他们才摸到了一点门路。走进这个突然出现的星系动物园之前，我们必须重拾之前被打断的宇宙演化故事，审视所有星系，包括正常星系、近乎正常的星系、不规则星系、特殊星系和怪得令人震惊的奇异星系——的起源，弄清它们到底是怎样诞生的，而我们又是多么幸运：我们生活的世界位于一个巨型旋涡星系的远郊，距离星系中心约 30 000 光年，往外再走 20 000 光年就是模糊弥散的星系边缘，这样的位置相对比较清静，所以我们才能从容地观察这个宇宙。承蒙旋涡星系的基本规则关照，我们的太阳诞生于气体的云团中，它沿着一条近乎圆形的轨道围绕银河系中心旋转，公转周期大约是2.4亿年（这个时间跨度有时候也叫“宇宙年”，cosmic year）。时至今日，我们的太阳大概已经转了20圈，接下来的日子里，它大概还能再转上20圈左右。在这段时间里，我们不妨先看看星系来自何方。

第九章　结构的起源

回顾宇宙中物质演化的历史，沿着 140 亿年的长河向上回溯，我们很快就会发现一种亟待解释的趋势：无论在宇宙中的什么地方，物质总会孜孜不倦地自我组织，形成结构。大爆炸之后的宇宙几乎完全是均匀的，然后物质开始聚集生成大大小小的团块，制造出巨大的星系团和超星系团、星系团内部的独立星系、组成每个星系的几十亿颗恒星，很可能还包括许多恒星公转轨道上那些小得多的天体：行星及其卫星、小行星和彗星。

要理解如今组成可见宇宙的这些天体源自何方，我们必须弄清一个问题：是什么样的机制将宇宙中弥散的物质凝聚成了高度结构化的元件？要完整描述宇宙中的结构是如何出现的，我们必须将现实的两个方面融合到一起，不过对于这个问题，目前我们仍力有未逮。正如前几章中介绍的，我们必须将量子力学（它描述的是分子、原子及其成分粒子的行为）和广义相对论（它描述的是极大量的物质和空间如何相互影响）融会贯通。

第一个尝试用一套理论同时描述亚原子微观世界和天文尺度宏观世界的科学家是爱因斯坦。如今的科学家继承了前人的宏志，尽管他们的努力收效甚微，但在“大统一理论”（grand unification）完成之前，他们必将不屈不挠地奋斗下去。在那么多令人困扰的未知中，现代宇宙学家最烦恼的问题只有一个：他们无法建立一套理论，将量子力学和广义相对论融合到一起。与此同时，这两个看似风马牛不相及的物理学分支——它们分别描述极大和极小两个相距遥远的世界——似乎完全不在乎我们的无知，它们在同一个宇宙中和谐共存，各自做出了不少成就，仿佛是在嘲笑我们试图将它们融为一体的努力。一个拥有一千亿颗恒星的星系显然不会在意自己内部构成行星系统和气体云的原子和分子遵循怎样的物理规则。那些被我们命名为星系团和超星系团的更大的物质团块更不在乎这事儿，它们自己就是由几百甚至几千个星系组成的。但如果没有早期宇宙中微不可察的量子涨落，宇宙中这些最宏大的结构根本不可能存在。要理解这些结构是怎么诞生的，我们必须尽可能地克服自己的无知，在量子力学主宰的微观世界（结构起源的关键就藏在这里）和广义相对论统治的天文世界（量子力学在这么宏大的尺度上不起作用）之间架起一座桥梁。

为了达到这个目标，我们必须设法解释大爆炸之后那个近乎完全均匀的宇宙如何演化出了今天我们看到的各种结构。任何试图解释结构起源的理论必须契合宇宙现在的状态。即便是这个最简单的任务也难倒了不少天文学家和宇宙学家，好在我们已经摆脱了那些错误的开头和谬误（至少我们热切地希望如此），走上了一条正确描述宇宙的光明大道。

在现代宇宙学历史上的大部分时间里，天体物理学家一直假设，宇宙中的物质均匀分布且各向同性。在一个物质均匀分布的宇宙中，每个方向看起来和其他方向没什么两样，就像一杯搅匀的牛奶。各向同性意味着宇宙从任何方向看起来都是一样的，无论观察者位于时空中的哪个位置。这两个描述看起来似乎是一回事，但事实并非如此。比如说，地球上的经线就不是均匀分布的，因为它们在某些地方的距离较近，某些地方距离较远；不过有两个地方的经线各向同性，那就是所有经线汇集的南北极点。无论你是站在这个世界的“顶端”还是“底部”，不管你怎么左右转头，你看到的经线格栅总是一样的。我们可以再举一个更贴近物理的例子，想象一下，你站在一座完美的圆锥形山峰峰顶，这座山峰是天地间的唯一物体，那么在这个点上，无论你望向哪边，眼前的地球总是一模一样。如果你正好生活在一块箭靶的正中央，或者你是一只蜘蛛，待在自己织成的完美的圆网中央，那么也会发生同样的事情。在上面这几个例子里，你看到的世界各向同性，但绝不均匀。

如果想找均匀但并非各向同性的例子，不妨看看砖墙。如果瓦工遵循传统的交叠砌墙方式，而且所有砖块都是完全相同的矩形，那么对于相邻的几块砖头和填充在砖头之间的灰浆来说，这堵墙就是均匀的。但要是你从不同的方向观察，灰浆线条的排列却不一样，所以它不是各向同性的。

有趣的是（对于那些趣味比较特别的人来说），数学分析的结果告诉我们，要让宇宙看起来均匀，那它必然处处各向同性。根据另一条数学形式的定理，只要空间中存在三个能观察到各向同性的点，那它必然处处各向同性。我真不明白为什么有人觉得数学是无聊乏味的空想！

从审美角度来说，宇宙学家很愿意相信空间中的物质均匀分布且各向同性，他们甚至将这个假设当成宇宙学的基本原则，我们或许可以称之为“平庸原则”（principle of mediocrity）：宇宙中的某个地方有什么理由比另一个地方更有趣？但如果从较小的尺度来观察，我们很容易发现，这套理论很难站得住脚。我们生活于其上的这颗固体行星平均物质密度大约是 5.5 克 / 立方厘米，作为一颗典型的恒星，我们的太阳平均密度大约是 1.4 克 / 立方厘米，但太阳和地球之间的行星际空间平均密度却小得多——大约比这两个数小 21 个数量级。宇宙中占地最广袤的星系际空间，平均每 10 立方米内连一个原子都没有，它的物质密度比行星际空间还要小 9 个数量级。这足以让大多数人相信，物质的富集只是宇宙中的偶然现象。

随着天体物理学家的视野不断拓展，他们清晰地看到，像我们的银河系这样由无数恒星组成的星系飘浮在近乎真空的恒星际空间中。这些星系还会聚集形成星系团，这无疑打破了宇宙均匀且各向同性的假设。不过还有一线希望：如果把观察可见物质的尺度再放大一些，也许天体物理学家最终会发现，这些星系团在宇宙中均匀分布且各向同性。要让某个特定的空间区域看起来均匀分布、各向同性，那它一定得够大，这样一来，任何结构（或者没有结构）看起来都不会显得突兀。如果用我们挖的西瓜球来类比的话，均匀分布且各向同性意味着这个空间中任何一处的任何性质都和平均性质十分相似，就像你挖出来的西瓜球只要大小差不多，看起来都一样。要是宇宙的左半边和右半边看起来不一样，那就很尴尬了。

要看到一个均匀分布且各向同性的宇宙，我们需要将观察的尺度放到多大？地球的直径是 0.04 光秒，海王星的公转轨道直径约 8 光时，银河系内的恒星组成了一个直径约 10 万光年的扁平圆盘，而银河系所在的室女座超星系团绵延 6000 万光年。这么说来，能让我们观察到均匀分布、各向同性的宇宙尺度必然大于室女座超星系团。天体物理学家在研究空间星系分布的时候发现，哪怕从 1 亿光年的尺度上看，星系就像相互交缠的薄片和细丝，它们之间仍有相对空旷的宽阔沟壑。这个尺度上的星系分布一点也不均匀，也谈不上什么各向同性，它更像一块松软的海绵。

不过，后来天体物理学家画出了更大的地图，在这张地图上，他们终于找到了梦寐以求的均匀和各向同性。他们发现，如果将“西瓜球”的尺寸放大到 3 亿光年，那么每个大小相似的宇宙西瓜球看起来的确差不多，他们苦苦追寻的宇宙美学标准终于得到了满足。不过，当然，在更小的尺度上，物质只会自顾自地聚集成团，根本不管什么均匀或者各向同性。

300 年前，牛顿也思考过物质是如何形成结构的。以牛顿的聪明才智，他自然很容易接受宇宙均匀分布且各向同性的概念，不过紧接着他又想到了一个普通人很难意识到的问题：宇宙中的物质自发形成了各种结构，但它们为什么没有全部聚在一起，形成一个超大质量的团块呢？牛顿提出，我们并未观察到这样的“超大物质团”，所以宇宙必然是无限的。1692 年，在一封写给剑桥大学三一学院院长理查德·宾利（Richard Bentley）的信里，牛顿提出：

> 如果宇宙中的所有物质均匀分布，每个粒子的固有引力无差别地作用于其他所有粒子，假如这个物质均匀分布的空间是有限的，那么在引力的作用下，有限空间以外的物质必然会受到其内部物质的吸引。出于这个原因，外部的所有物质最终必然坠入有限空间，与其内部的物质结合在一起，形成一个巨大的物质球。但是，如果物质均匀分布在一个无限的空间中，那它永远无法凝聚成一整个大团，而是这里聚成一小团，那里聚成一小团，由此产生无限多个大型物质团块；这些物质团块散落在无限的空间中，彼此相距遥远。

牛顿提出，这个无限的宇宙必然是静态的，它既不会膨胀，也不会收缩。在这个宇宙中，让天体“凝聚”成形的驱动力来自引力——任何有质量的物体作用于其他所有物体的吸力。引力是创造结构的核心因素，牛顿的这一论断直到今天仍真实有效，只是如今的宇宙学家面临的问题比牛顿时代的更棘手。我们无缘消受静态宇宙带来的种种好处，今天的我们必须承认这样的事实：尽管引力赋予了物质收拢聚集的趋势，然而自大爆炸以来，宇宙一直在持续膨胀。天体结构如何克服这样的膨胀聚集成形？考虑到大爆炸之后的一小段时间里，也就是天体结构开始形成的那个年代，宇宙膨胀的速度比现在快得多，这个问题就更难回答了。乍看之下，要让弥散的气体凝聚形成巨大的天体，我们似乎不能再依靠引力，就像你没法用铲子清除晒谷场上的跳蚤一样。但事实上，引力仍是促使天体结构成形的核心因素。

早期宇宙膨胀的速度极快，如果当时的宇宙在所有尺度上严格遵守均匀且各向同性的规则，那引力根本没有获胜的机会，今天的宇宙中也不会有星系、恒星、行星和人类，只有均匀散落的原子——这个无聊的宇宙既没有观察者，也没有可供观察的物体。但如今我们看到的宇宙充满乐趣、激动人心，它之所以会存在，唯一的原因是在大爆炸之后那短暂的关键时期内，宇宙并不是均匀分布、各向同性的，这道“前菜”为后来物质和能量的聚集埋下了伏笔。如果没有这样的开篇，引力根本无法抗拒宇宙的急速膨胀，物质也不会聚集形成今天我们熟悉的天体结构。

空间的不均匀和各向异性为宇宙中的所有结构播下了种子，为什么会出现这样的偏差呢？答案藏在量子力学的世界里，要是我们想追寻自己到底来自何方，那就必须踏入这个牛顿不曾想见的神秘领域。量子力学告诉我们，从最小的尺度上看，物质的分布不可能保持均匀和各向同性。恰恰相反，随着物质被拆分成一团团不断消失然后重生的颤抖的粒子，每一刻都有不同数量的粒子消失或重现，物质的分布也将出现随机的涨落。在任意给定的时刻，总会有某个空间区域内的粒子数量略高于其他区域，因此它的物质密度也略大一点。世间的所有事物都诞生于这个反直觉的狂想之中。密度略大的区域有机会吸引略多一点的粒子，随着时间的流逝，宇宙中密度相对较高的区域开始形成结构。

回顾大爆炸之后、结构形成之初的早期宇宙，我们需要重点关注两个时期，其中一个是“暴胀时期”，也就是宇宙急速膨胀的阶段，另一个是“退耦时期”（time of decoupling），这个阶段大约发生在大爆炸之后 38 万年，从此以后，宇宙背景辐射不再与物质发生互动。

暴胀时期持续的时间是大爆炸之后 10^{-37} 秒到 10^{-33} 秒。在这段相对比较短暂的时间里，时空构造膨胀的速度比光还快，短短的 10^{-33} 秒内，宇宙的尺寸就从质子的 $1/10^{20}$ 膨胀到了 10 厘米左右。是的，可观测的宇宙曾经只有一个西柚那么大。那宇宙为什么会膨胀？宇宙学家认为核心原因在于“相变”（phase transition），它在宇宙背景辐射中留下了可观测的特殊痕迹。

相变不仅仅存在于宇宙学领域，同样的变化常常发生在你的家里。我们会把水冻成冰块，烧开水的时候也会产生蒸汽。如果在糖水里放一根线，糖霜就会沿着这根线凝结。潮湿黏稠的面糊可以烤成蛋糕。这类变化有相似的规律可循。无论如何，相变前后的物质看起来总是很不一样。根据宇宙的膨胀模型，大爆炸之后的一小段时间里，充斥宇宙的能量场经历了某种相变。类似的相变一共发生过好几次，我们现在讨论的这一次相变不仅促成了早期宇宙的急速膨胀，还赋予了宇宙高低密度区域交错分布的特殊涨落模式。接下来，这样的涨落凝固成了膨胀的空间构造，为星系的形成提供了一幅蓝图。威廉·吉尔伯特（William Gilbert）和阿瑟·萨利文（Arthur Sullivan）创作的歌剧《天皇》中有位名叫浦巴的人物，他曾骄傲地宣称，他的血统可以追溯到“最古老的原子球”；与此类似，我们也可以说，我们和宇宙中的所有结构都起源于暴胀时期亚原子核尺度的涨落。

我们能找到什么证据来支持这个大胆的假设？天体物理学家不可能真正看到宇宙诞生之初那 0.000 000 000 000 000 000 000 000 000 000 001 秒内到底发生了什么事情，所以他们只好退而求其次，利用科学的逻辑将这个早期阶段与我们能观察到的年代联系起来。如果暴胀理论正确无误，而量子力学告诉我们，均匀且各向同性的流体内部必然存在细微的差别，所以暴胀时期的宇宙必然存在最初的涨落，因此空间中有可能出现物质和能量相对比较密集或稀疏的区域。宇宙背景辐射就像舞台的前景，它是我们这个时代与早期宇宙之间的屏障与纽带。如果婴儿期的宇宙真的存在这样的起伏和波动，那么我们应该能在宇宙背景辐射中找到相应的痕迹。

正如我们已经看到的，宇宙背景辐射由大爆炸之后最初的那几分钟产生的光子组成。在宇宙历史的早期阶段，这些光子与物质相互作用，以极高的能量将任何有机会形成的原子撞得粉碎，所以任何原子都无法存留太长时间。但宇宙的持续膨胀剥夺了这些光子的能量，所以到了退耦时期，光子的能量已经不足以阻止电子绕着质子和氦原子核旋转。从大爆炸之后 38 万年的这个阶段开始，原子存留下来（除非遭到附近恒星辐射之类的破坏），能量越来越弱的光子继续在宇宙中游荡，由此形成了宇宙背景辐射，即 CBR。

因此，CBR 携带着历史的印记，那是退耦时期的宇宙留下的快照。天体物理学家已经学会了审视这帧快照的方法，而且他们的观测精确度还在不断提高。首先，CBR 的存在表明，我们对宇宙历史的基本理解是正确的。其次，几十年来，天体物理学家测量宇宙背景辐射的能力越来越强，气球和卫星搭载的精密设备帮助他们绘出了一幅 CBR 地图，从中我们可以看到各向异性带来的微小偏差。这幅地图提供了一份历史记录，曾经尺度极小的涨落在暴胀时期之后的几十万年里随着宇宙的膨胀变得越来越大，接下来的几十亿年里，它又慢慢发展成了宇宙中大尺度的物质分布。

这是一个了不起的成就：CBR 让我们得以测绘早已消失的早期宇宙留下的印记，也让我们在天空中找到了那些密度略高于平均值的区域，后来那些区域发展成了星系团和超星系团。密度略高于平均值的区域留下的光子也比低密度区域多一些。能量的损失导致光子无法继续干扰新形成的原子，宇宙也随之变得透明，每个光子从此踏上了远离出生地的旅途。从我们现在所在的区域附近出发的光子奔向四面八方，时至今日，它们已经走过了 140 亿光年的距离，宇宙的彼端，另一个遥远的文明或许正在测量这些 CBR，而“他们的”光子又成了我们观察到的 CBR 的一部分，它们诉说着很久很久以前、很远很远的地方发生的故事，那时候，宇宙中的结构刚刚开始形成。

1965 年，天体物理学家首次探测到了宇宙背景辐射，接下来的几十年里，他们一直在寻找 CBR 中的波动和起伏。从验证理论的角度来说，他们迫切地希望找到这样的起伏，因为要是 CBR 在十万分之一的尺度上不存在起伏，那他们构建的结构起源模型就彻底失去了依据。如果在 CBR 中找不到这些种子，我们就无法解释自己为什么存在。不过令人欣慰的是，空间的各向异性正如人们期望的那样显露了真容。将仪器的测量精确度提高到预想的等级以后，宇宙学家几乎立即就找到了期盼已久的证据；首先完成这一壮举的是 1992 年的 COBE 卫星，接下来，我们在第三章中介绍过的气球和 WMAP 卫星搭载的精确度更高的仪器进一步验证了这一结果。组成 CBR 的微波光子数量在不同的位置有细微的差异，WMAP 以极高的精确度将它描绘下来，这就是大爆炸后 38 万年的宇宙涨落留下的证据。这样的涨落与 CBR 的平均温度通常只有微小的差异，所以寻找它们就像是在方圆 1.6 千米的池塘中寻找一滴密度略低于平均值的油花。这样的各向异性非常微弱，但它却是一切的开始。

在 WMAP 绘制的宇宙背景辐射地图上，那些较大的热点意味着这些区域的引力将克服膨胀宇宙的弥散趋势，聚拢足够的物质，最终形成超星系团。时至今日，这些区域已经发展成了包含 1000 个星系的庞大结构，其中每个星系各自拥有 1000 万亿颗恒星。如果算上暗物质，这样的星系团质量差不多相当于 10^{16} 个太阳。与此相反，较大的冷点意味着这些区域无法抵抗宇宙的膨胀，它们最终会发展成近乎真空的巨大结构，天体物理学家称之为“空洞”（void），它的范围由周围非空洞的区域界定。所以，天空中那些薄片或细丝状的星系不光会彼此交缠，形成星系团，还会形成“墙壁”和其他几何图形，在宇宙中圈出一块块空白的区域。

当然，成熟的星系并不是从密度略高于平均值的物质中突然冒出来的。从大爆炸后 38 万年到 2 亿年，物质不断聚集，但最早的恒星仍未诞生，宇宙中没有任何东西能发光。在这个黑暗的年代，整个宇宙里只有最初的那几分钟创造出来的东西——氢和氦，以及痕量的锂。除此以外，没有任何更重的元素，碳、氮、氧、钠、钙和其他更重的原子都不存在，能够吸收光的常见原子和分子还没有诞生。今天的宇宙中已经有了这些原子和分子，新形成的恒星发出的光会对它们产生压力，推开海量的气体，不然的话，这些气体就会坠向恒星。这样的“驱逐”效果将新生恒星的最大质量限制在了太阳质量的 100 倍以内。但在第一批恒星刚刚诞生的那个年代，由于宇宙中没有能够吸收光的原子和分子，坠向恒星的气体基本就是氢和氦，这两种元素几乎无法阻挡恒星对外释放的光，所以更重的恒星才得以形成，它们的质量可达太阳质量的几百倍，甚至几千倍。

大质量恒星的生命就像在快车道上奔跑，质量最大的恒星生命节律也最快。它们以惊人的速度将自身的物质转化为能量，制造出海量重元素，最后迅速在爆炸中死亡。这些恒星的预期寿命只有几百万年，还不到太阳寿命的千分之一。今天的我们并不指望能在宇宙中找到这些来自宇宙早期的超大质量恒星，因为它们早已燃烧殆尽。时至今日，更重的元素遍布宇宙，这种超大质量恒星根本没有机会聚集成形。事实上，我们从未观察到任何一颗这样的巨型恒星。但我们认为，正是这些恒星为宇宙创造出了第一批如今的我们熟悉的元素，其中包括碳、氧、氮、硅和铁。你可以说这是施肥，也可以说它是污染，但这些生命的种子的确始于早已消失的第一代大质量恒星。

退耦阶段之后最初的几十亿年里，几乎所有尺度的物质都在引力的作用下聚集成团，引力造成的坍缩也成了家常便饭。超大质量黑洞的形成就是引力自然作用造成的结果之一，每个超大质量黑洞的质量都有太阳的几百万倍，甚至几十亿倍。这样的黑洞尺寸差不多相当于海王星的公转轨道，它会严重破坏周围的环境。坠向黑洞的气体云有加速的趋势，但它们的速度却提不起来，因为前面挡道的东西太多了。所以这些气体只好冲撞、摩擦路径上的所有物质，最终形成一个奔向黑洞的巨型旋涡。在它们永远消失之前，气体云超热物质内部的碰撞会向外辐射海量能量，亮度相当于太阳的几十亿倍，但这一切都发生在相当于太阳系大小的空间范围内。海量的物质和辐射向外喷射，在气体云旋涡的上方和下方形成绵延几十万光年的喷射流，能量在这条隧道内左冲右突，朝着四面八方逃窜。等到这团气体坠入黑洞，另一个旋涡早已形成，这个系统的亮度有起有落，忽明忽暗，每一次变化间隔几个小时，也可能是几天或者几周。如果旋涡的喷射流正好对准了你的方向，和侧面的观察者相比，你会觉得它看起来更亮，而且更加变化多端。从安全的远处眺望，黑洞和坠落物质共同组成的奇观比我们今天看到的星系小得多，却亮得多。这就是“类星体”（quasar），我们刚才描述的正是它的诞生过程。

20 世纪 60 年代初，人类第一次发现了类星体。当时天文学家刚刚开始给望远镜配备对不可见波段辐射（例如，无线电波和 X 射线）特别敏感的传感器。有了新的设备，来自不可见波段的电磁辐射也被纳入了天文学家为星系绘制的肖像。与此同时，摄影技术的发展再次促进了显影剂的改进，两相结合之下，一批新的天体结构开始从宇宙深处显露真容。照片上最亮的那些天体看起来似乎只是简单的恒星，但它们会释放大量无线电波，这一点和恒星很不一样。确切地说，这些天体或许应该叫作“类恒星无线电波源”（quasistellar radio source）——这个称呼很快被简化成了“类星体”。比无线电波更令人瞩目的是这些天体的距离：整体而言，类星体是宇宙中已知的距离我们最远的天体。类星体这么小，离地球又这么远，但我们依然能看到它发出的光，这意味着它必然是一种全新的天体。它们到底有多小？不会比太阳系更大。那又有多亮呢？就连那些最暗的类星体也比普通的星系更亮。

截至20世纪70年代初，天体物理学家一直认为，超大质量黑洞是类星体的动力之源，被黑洞引力吞噬的物质会发出璀璨的光芒。黑洞模型可以解释类星体的小尺寸和亮度，却不会透露黑洞的“食物”来源。直到20世纪80年代初，天体物理学家才开始研究类星体所在的环境，因为这种天体的中心区域实在太亮，我们很难观测它周围相对暗得多的其他东西。不过，随着新技术的发展，我们设法屏蔽了类星体中心区域的强光，天体物理学家终于有机会研究某些比较暗的类星体周围的东西了。随着探测方式和技术的进一步改进，每颗类星体周围的环境逐渐显现，我们甚至从中看到了旋涡结构。最后我们发现，类星体其实不是什么新天体，而是一种新的星系核（galactic nucleus）。

1990年4月，有史以来最昂贵的天文设备——哈勃太空望远镜——由美国国家航空航天局（NASA）发射升空。这台望远镜的尺寸和灰狗公司的大巴差不多，它能摆脱大气层的干扰，根据地面发射的指令在轨道上观测太空。宇航员给哈勃太空望远镜安装了修正主镜片制造缺陷的辅助镜片以后，它开始帮助我们探测普通星系内部从未有人触及的区域，包括星系中心。于是我们发现，星系中心的恒星运动速度快得不可思议，单靠附近其他恒星的引力（根据恒星发出的可见光，我们可以推算它的引力）根本无法解释。强引力、小区域……那一定是个黑洞。我们在几十个星系的核心区域相继发现了速度快得令人生疑的恒星。事实上，哈勃太空望远镜能够清晰拍摄到的所有星系中心都存在这样的现象。

现在看来，每个巨型星系中央很可能都有一个超大质量黑洞，这个黑洞也许是吸引其他物质聚集成团的引力之种，又或者在稍晚的阶段，它促成了星系外围区域的物质向中央汇集。但并非所有星系都是年轻的类星体。

中央存在黑洞的普通星系名单不断增长，研究者开始产生了新的疑问：是否存在非类星体的超大质量黑洞？或者周围没有星系的类星体？他们不由得勾画出了一幅新的图景，在这幅图景中，某些星系是从类星体开始的。类星体实际上只是普通星系可见的璀璨核心，要成为类星体，这个系统需要的不仅是饥饿的巨型黑洞，还有向内坠落的充足气体。等到这个超大质量黑洞吞噬了势力范围内的所有食物，只剩下那些够不着的恒星和气体在安全距离以外绕着它旋转，到了这个阶段，类星体就会熄灭。然后你会看到一个温驯的星系，它中央的黑洞暂时陷入了沉睡。

天文学家已经发现了其他新的结构类型，它们的性质介于类星体和普通星系之间，具体取决于超大质量黑洞的“恶劣行为”。有时候，坠入星系中央黑洞的物质洪流速度稳定缓慢，只是偶尔有点波动。这样的星系核依然活跃，但相对比较温和。这些年来，我们发现的温和星系类型越来越多：LINER（Low-Ionization Nuclear Emission-line Region，低电离星系核）星系、赛弗特星系（Seyfert galaxy）、N型星系（N galaxy），还有耀变体

（blazar）。这些天体结构被统称为“AGN”（“活跃星系核”的英文缩写）。类星体都出现在遥远的宇宙深处，但 AGN 和我们的距离有远有近。这意味着 AGN 反映了星系的各种“不端行为”。年代久远的类星体会吞噬周围的所有食物，所以我们只能在宇宙深处看到古老的类星体留下的残影。与此相对，AGN 的胃口要小得多，所以哪怕已经过去了几十亿年，部分类星体周围还有食物可供它们消耗。

单靠 AGN 的可见形态来分类显然不够完善，所以天体物理学家在归类 AGN 的时候依据的是全波段的电磁辐射。从 20 世纪 90 年代中期到末期，研究者证明了星系的黑洞模型，他们还发现，要归类 AGN 动物园的大部分成员，其实只需要测量几个参数：天体结构中央的黑洞质量、黑洞“进食”的速度，以及我们相对于该结构吸积盘（accretion disk）和喷射流的观测角度。举个例子，如果我们观察的方向恰好“正对枪口”，也就是说，完全正对超大质量黑洞附近的喷射流，那么我们看到的天体结构要比侧面其他角度的观察者亮得多。这三个参数的差别可以解释天体物理学家观察到的几乎所有星系核形态，于是他们欣喜地发现，星系核的类型其实没有我们想象的那么多。借助这个机会，他们也进一步理解了星系的形成和演化。星系核的千差万别——形状、尺寸、亮度和颜色——最后都能归结到寥寥几个参数头上，这是 20 世纪末天体物理学最不为人知的伟大成就。它花费了无数研究者多年的精力和大量望远镜时间，虽然晚间新闻不会报道这种事情，但它的确是个了不起的成就。

但是，我们不能就此认为超大质量黑洞能够解释一切。虽然单个黑洞的质量可能是太阳的几百万倍甚至几十亿倍，但与其宿主星系相比，它的质量又显得微不足道。一般而言，大型星系中央黑洞的质量远远不到星系总质量的 1%。如果我们想解释暗物质，或者宇宙中其他看不见的引力源，这些黑洞的影响小得几乎可以忽略不计。但要是仔细算算这些黑洞产生的能量（将黑洞释放的能量视作其构造的一部分），我们就会发现，星系形成的能量主要来自黑洞。与黑洞的能量相比，星系中所有绕轨运行的恒星和气体云拥有的能量都显得微不足道。要是没有埋藏在星系中央的超大质量黑洞，我们今天看到的星系可能根本不会有机会形成。每个星系中央给曾经闪亮但如今已经看不见的黑洞提供了一条隐藏的线索，它或许可以解释，物质如何聚集形成一个亿万恒星围绕普通核心公转的复杂系统。

要为星系形成建立一个更普适的模型，我们需要的不光是超大质量黑洞的引力，还得用引力来解释其他更传统的天文结构。星系中数以十亿计的恒星从何而来？幕后的操纵者依然是引力，在引力的作用下，一团气体云就能孕育几十万颗恒星。星系中的大部分恒星诞生于相对松散的“星协”（association）之中。相对密集的新生恒星则会形成可辨认的“星团”（star cluster），星团内部的所有恒星围绕星团核心公转，每颗恒星在宇宙中运转的舞步由同一星团内其他所有恒星的引力共同决定，这些星团本身又会在远离中央黑洞毁灭力量的安全轨道上围绕星系中心运行。

星团内部的恒星运行速度各异，有的恒星运动速度极快，甚至可能脱离这个系统。有时候真的会发生这样的事情：运动速度过快的恒星挣脱了星团引力的束缚，在星系中自由穿行。这些自由游荡的恒星，加上包含了数十万颗恒星的“球状星团”（globular star cluster），它们和其他一些恒星共同组成了星系外围的球状光晕。星系晕（galaxy halo）是宇宙中最古老的可见天体，它的主要成员是曾经耀眼但已经变得暗淡的短命恒星，这些恒星的年龄和星系本身相当。

最后坍缩（因此也最后形成恒星）的是聚集在星系盘（galactic plane）上的气体和尘埃。椭圆星系没有星系盘，它的所有气体已经全部形成了恒星。但旋涡星系内的物质呈扁平状分布，每个旋涡星系都拥有一个中央星系盘，最年轻、最明亮的恒星就诞生在这里，围绕星系核心运行的疏密不一的气体孕育了它们。就像热棉花糖只要相互触碰就会粘在一起，旋涡星系中所有未曾参与星团形成的气体都会坠向星系盘，这些气体粘在星系盘上形成一个物质盘，这个物质盘会慢慢孕育出恒星。从过去的亿万年直至未来的亿万年，旋涡星系不断孕育出一代又一代的恒星，每一代恒星的重元素含量都高于上一代。随着恒星慢慢衰老，这些重元素（天体物理学家所说的“重元素”指的是所有比氦更重的元素）又会融入向外逃逸的气流，或者成为大质量恒星爆炸（超新星）的残骸，最终散落到恒星际空间中。重元素的存在改变了星系，以及整个宇宙的化学环境，为我们所知的生命提供了舒适的温床。

我们刚才概括介绍了旋涡星系形成的典型过程，这样的演化大戏在宇宙中上演了数百亿次，由此产生了形态各异的天体结构：有聚集在一起的星系团，也有细丝状或者薄片状的星系。

对我们来说，眺望宇宙深处就等于眺望宇宙的往昔，所以我们不仅能观察星系现在的模样，还能窥探它们亿万年前的样子——只要把目光放远一点就好。但在实际的观测中，要妥善运用这项理论，我们还得克服一个障碍：几十亿光年外的星系看起来又小又暗，就连最优秀的望远镜也很难描摹它们的轮廓。不过无论如何，这些年来，天体物理学家依然在这方面取得了极大的进展。其中一个突破来自 1995 年，时任约翰·霍普金斯大学空间望远镜研究所（Space Telescope Science Institute）所长的罗伯特·威廉姆斯（Robert Williams）将哈勃望远镜对准北斗七星附近的一个方向，观测了整整 10 天。我们之所以将这个突破完全归功于威廉姆斯，是因为负责筛选观测申请的哈勃望远镜时间分配委员会认为，威廉姆斯选择的这个区域空旷无趣，完全没有观察的价值。哈勃望远镜的日程排得很紧，既然没有任何项目能够直接从中受益，那就不值得为这个区域安排那么长的时间。但幸运的是，作为空间望远镜研究所的所长，威廉姆斯有权安排哈勃望远镜的一小部分观测时间（“所长的自由支配时间”），借着这个小小的特权，他最终拍下了“哈勃深空场”（Hubble Deep Field），它成了有史以来最著名的天文照片之一。

这10天的观测正好发生在1995年美国政府关门期间，截至目前，“哈勃深空场”是天文学历史上人们研究得最深入、最完备的一张照片。这张照片仿佛是从时间长河里撷取的一个纵截面，深空场中与银河系距离不一的星系和类星系天体发出的光分别来自不同的宇宙年代。比如说，我们可以从这张照片中同时看到13亿年前、36亿年前、57亿年前和82亿年前的天体，每个天体各自所属的年代取决于它和我们之间的距离。这张照片提供的数据宝库造福了数以百计的天文学家，借助“哈勃深空场”提供的新信息，他们得以深入理解星系如何随时间演化，刚刚形成的星系是什么样子。1998年，哈勃望远镜再次花费10天时间，拍摄了与第一次观测方向完全相反的南半球另一片天空，这张照片被命名为“哈勃南天深空场”（Hubble Deep Field South）。把两张照片放在一起进行比较，天文学家确认了第一张照片没有什么异常的地方（比如说，如果两张照片完全一样，或者完全不一样，那有人可能就会觉得是魔鬼在作祟），也进一步完善了不同星系如何形成的理论。经过一次成功的维修以后，哈勃望远镜装上了更好（更灵敏）的探测器，2004年，空间望远镜研究所又迫不及待地拍摄了第三张照片：“哈勃超深空场”（Hubble Ultra Deep Field），这是当时人们拍摄的最遥远的宇宙影像。

遗憾的是，就连哈勃望远镜也拍不到星系形成最早期的影像，这不光是因为那些天体距离遥远，更重要的是，在宇宙膨胀的作用下，来自那些天体的辐射已经转移到了电磁波谱的红外区域，超出了哈勃望远镜的探测范围。想要观测那些最遥远的星系，天文学家只能等待哈勃的继任者——詹姆斯·韦伯空间望远镜（James Webb Space Telescope，JWST）——设计制造完毕，发射升空并成功运转（这台望远镜的得名于阿波罗年代的 NASA 局长，这样的做法其实相当鸡贼，他们为望远镜选择了一位官员而非著名科学家的名字，确保望远镜计划不会被取消——现在，取消计划就相当于抹杀了一位重要官员的遗泽）。

JWST 的镜头比哈勃的还大，它将在太空中展开形成一个巨大的反射面，仿佛一朵错综复杂的机械花朵。如果不把反射面折叠起来的话，我们的火箭根本装不下它。新的空间望远镜将配备一套比哈勃先进得多的设备，要知道，哈勃望远镜设计于 20 世纪 60 年代，建造于 20 世纪 70 年代，最后于 1990 年发射升空，在 20 世纪 90 年代，这台望远镜经历了一次重要的升级，但它仍然缺乏一些非常基本的功能，譬如探测红外辐射。2003 年发射的斯皮策红外望远镜（Spitzer InfraRed Telescope Facility，SIRTF）可以弥补哈勃望远镜的部分不足，SIRTF 围绕太阳公转，它和地球之间的距离比哈勃望远镜远得多，这是为了避开我们的行星产生的大量红外干扰。出于同样的原因，JWST 多半也会选择远离地球的运转轨道，所以我们不可能像现在维修哈勃一样为它提供维护服务——NASA 最好一次搞定所有事情。如果新的望远镜能在 2011 年按计划升空，它将为我们拍下更壮丽的宇宙照片，包括 100 亿光年外的星系影像，它们比“哈勃深空场”中的那些星系更接近起源时期。[1] 新的空间望

(1) 由于预算严重超支，JWST 的发射时间已经推迟到了 2021 年。——译者注

远镜必将带来大量新数据，配合老式地面设备提供的信息，天文学家又有不少东西可以研究了。

未来充满无限可能，但天体物理学家过去 30 年来的成就也不容忽视，观测宇宙的新设备帮助他们完成了这些了不起的发现。卡尔·萨根（Carl Sagan）总喜欢说，要是连宇宙的伟业都无法让你驻足惊叹，那你肯定是个木头人。得益于观测技术的进步，现在的我们比萨根更了解星系起源的瑰丽历程：小于质子尺度的物质和能量分布的量子涨落最终孕育出了绵延 3000 万光年的超星系团。从混沌到宇宙，这样的因果关系影响着无比广阔的时空。正如微观的 DNA 链条决定了宏观物种的身份和特性，宇宙如今的模样和特性也来自最早期的构造涟漪，它穿越时间和空间，一直存留到了今天。无论是抬头、低头，还是反躬内省，我们都能感受到它的存在。

卷三

恒星和行星的起源

第十章 尘归尘

远离城市灯光，仰望澄净夜空，你立即就会发现一条横跨天际的朦胧光带，上面还点缀着一块块漆黑的斑点。天空中这条乳白色的光带名叫“银河”，它的光来自宇宙中的亿万恒星和气态星云。透过双筒望远镜或者后院里的天文望远镜仔细观察，你会发现银河中那些黑暗无趣的区域的确漆黑一片，没什么可看的，但若是将镜头转向那些明亮的区域，你会发现乳白色的光晕化作了数不清的恒星和星云。

1610年，伽利略·伽利莱（Galileo Galilei）在威尼斯出版了一本题为《星际信使》（*Sidereus Nuncius*）的小书，在这本书中，他第一次描绘了自己透过望远镜看到的天空，包括银河内的一片片光斑。伽利略将自己观察天空的设备称为“窥天镜”，因为当时“望远镜”（telescope，希腊语中这个词的意思是“远眺者”）这个词还不存在；他情不自禁地写道：

> 在窥天镜的帮助下，我们可以清晰地观察银河；亲眼看到的事实足以粉碎哲学家持续数代的争执，我们也将从此摆脱言辞上的交锋。银河不过是成团分布的无数恒星。无论将窥天镜指向哪个方向，你都会立即看到数不清的恒星，其中很多星星看起来又大又亮，但那些小星星才真的深不可测。

伽利略笔下的“无数恒星”描绘的显然是银河系中恒星最密集的区域，天文学家重点关注的也是这些区域。谁会对那些根本没有可见恒星的暗区感兴趣呢？银河内的暗区很可能是宇宙中的洞，通往后方无垠的空旷空间。

直到300年后，人们才发现，银河中的黑斑其实根本就不是什么洞，而是密集的气体和尘埃组成的云团，它们遮住了远方的星星，但孕育恒星的温床就藏在这些云团深处。美国天文学家乔治·卡里·康斯托克（George Cary Comstock）提出过一个问题：远方的恒星为什么看起来那么暗？单靠距离完全无法解释它们损失的光芒。顺着康斯托克的思路，1909年，荷兰天文学家雅各布斯·科内利乌斯·卡普坦（Jacobus Cornelius Kapteyn）揪出了背后的元凶。在两篇题目均为《论太空光线吸收》（*On the Absorption of Light in Space*）的论文中，卡普坦列出证据，提出了自己的设想：那些黑暗的云团（“恒星际介质”）不仅会遮蔽恒星的光芒，还会选择性吸收恒星光谱中不同波长的光线。在可见光的频率范围内，它们吸收、散射（从而削弱）的紫色光比红色光多得多。这样的选择性吸收最终会导致紫光的损失远大于红光，所以远方的恒星看起来比近处的更红。光在传播过程中穿过的星际介质越多，紫光的损失越大，星光变红的现象也越明显。

普通的氢气和氦气（它们是宇宙云团的主要成分）不会导致星光变红。但其他很多原子组成的分子却会产生这种效果——尤其是那些包含碳和硅的分子。有的恒星际微粒个头太大，不太适合再用分子来称呼，所以我们只好叫它“尘埃”；每个星际尘埃微粒都由数十万甚至数百万个原子组成。大多数人印象中的“尘埃”是家庭环境中的灰尘，但很少有人知道，封闭房屋里的灰尘主要是死亡脱落的人类皮肤细胞，如果你家养了不止一只哺乳动物的话，那就还有宠物皮屑。据我们所知，宇宙尘埃里完全没有人类上皮细胞，不过，恒星际尘埃的确包含大量复杂分子，它们发射的光子主要集中在红外和微波频段。直到20世纪60年代，天体物理学家才算有了称手的微波望远镜，而精密的红外望远镜直到 20 世纪 70 年代才出现。有了新的观测设备，他们开始深入探查恒星际物质确切的化学成分。接下来的几十年里，在这些新技术的帮助下，天体物理学家逐渐揭开了恒星诞生的复杂迷人图景。

气体云团并不是时时刻刻都在制造恒星，更常见的是，云团完全不知道自己下一步该何去何从。其实天体物理学家也不知道。我们知道的是，星际云团总是“倾向于”在自身引力作用下坍塌，制造出一颗或者多颗恒星，但云团的旋转及其内部动荡的气体运动却会破坏这一趋势。你在高中化学课上学过的气体压强会阻碍云团的坍塌。除此以外，磁场也会穿透云团，阻碍其内部带电自由粒子的运动，抵消引力带来的坍塌趋势。这个思想实验最可怕的地方在于，如果我们不是提前知道了恒星必然存在，那么来自第一线的观测结果将提供非常充分的理由，证明恒星根本不可能诞生。

银河系之所以叫银河系，是因为这个星系中恒星最密集的区域横跨天际，仿佛一条微微发光的带子；银河系内的几千亿颗恒星和巨型气体云一起围绕着银河中心旋转。恒星看起来只是一个个直径仅有几光秒的微小斑点，它们漂浮在近乎真空的宇宙之海上，偶尔彼此擦肩而过，就像夜晚的航船。从另一方面来说，气体云的尺度比恒星大得多，它们通常绵延几百光年，每一团气体云包含的质量都相当于 100 万个太阳。这些巨型云团在天穹中踽踽前行时常常发生摩擦，双方包含的气体和尘埃也会因此产生互动。有时候两朵云团会聚成一团，有时候它们又会互相冲撞，撕碎对方。互动的结果取决于双方的相对速度和碰撞角度。

如果云团的温度足够低（大约低于 100K），那么哪怕发生了碰撞，它内部的原子也会紧紧粘在一起，而不是像温度较高时那样四下飞散。这样的化学变化会产生深远的影响。发光的微粒（现在每个微粒中包含着几十个原子），开始来回散射可见光，所以云团后方的星光衰减得厉害。等到这些微粒终于发育成熟，每个尘埃微粒将包含几十亿个原子。处于“红巨星”阶段的衰老恒星也会制造出类似的尘埃微粒，并将它们轻轻吹向恒星际空间。由几十亿个原子组成的尘埃微粒不再像“年轻时”那样散射云团背后的可见星光。恰恰相反，它们开始吸收光子，然后将这些能量以红外辐射的形式重新释放出来，这种射线能够轻而易举地穿透云团。在这个过程中，光子的压力传递给了吸收它的分子，从而对云团产生了一个与光源方向相反的作用力。现在，云团与星光融为了一体。

引力让云团的密度不断增大，直到最后发生坍塌，恒星就此诞生。在这个过程中，云团内部的每个区域都将不遗余力地拉拢其他区域。比起冰冷的气体来，灼热气体抵抗压缩和坍塌的能力更强，所以我们现在面临的情况有些古怪：我们必须先让云团冷却下来，然后它才能产生足够的热量，制造出恒星。换句话说，要制造出核心温度高达 1000 万摄氏度（这是启动核聚变反应的必要条件）的恒星，云团必须尽可能地冷却下来。只有在几十 K 的极端低温环境中，云团才有可能坍塌，从而孕育出一颗恒星。

气体云坍塌变成新恒星，这个过程到底是怎么发生的？天体物理学家也只有一个模糊的概念。他们当然希望创建一个满足物理定律、囊括云团内部和外部所有影响条件的计算机模型，利用它来追踪大型星际云团内部的动力学变化，研究相关化学反应，但直到目前，我们仍无法完成这样的目标。更困难的地方在于，初始云团的尺寸比我们试图创造的恒星大几十亿倍，反过来说，最终诞生的恒星平均密度是初始云团的千万兆倍。这样一来，在原来的尺度下至关重要的一些因素可能变得无足轻重。

无论如何，根据我们在宇宙中观察到的现象，我们可以很有把握地说，在恒星际云团最黑暗、最致密的最深处，温度低于 10K 的区域中，引力的确有可能轻松克服磁场和其他阻碍因素，导致气团坍塌。这样的坍塌会使气团蕴含的引力势能转化为热，在这个过程中，坍塌区域（它们很快就会变成新生恒星的核心）内部的温度迅速上升，撕裂附近的所有尘埃微粒。气团坍塌核心区域的温度最终会达到 1000 万 K 以上的临界值。

在这个温度下，部分质子（它们其实就是被剥夺了所有外层电子的赤裸氢原子）的运动速度足以克服它们彼此之间的斥力。这样的高速运动让质子彼此靠近到了能让“强核力”发挥作用的程度。强核力只有在极短的距离上才能起效，正是这种力将每一个原子核内部的质子和中子凝聚在一起。质子的热核聚变会产生氦原子核——之所以叫“热核聚变”，是因为这种反应在温度极高的环境中才能发生，它会将多个微粒凝聚成一个原子核，每个氦原子核的质量都比参与反应的微粒总质量轻一点。根据爱因斯坦那个著名的方程，聚变过程中消失的质量转化成了能量。质量中蕴含的能量（它总是等于质量乘以光速的平方）可以转化为其他形式，例如，核聚变反应产生的高速运动粒子携带的额外动能（运动的能量）。

核聚变制造出的新能量不断向外扩散，被加热的气体开始发光。聚变释放的能量将气体加热到几千摄氏度的高温，接下来，这些曾被紧锁在原子核内部的能量通过恒星表面以光子的形式散入宇宙空间。虽然这片弥漫着灼热气体的区域仍蜷缩在巨型星际云团的子宫里，但我们或许可以向整个银河系宣布：一颗恒星诞生了。

天文学家知道，恒星的质量悬殊，从太阳的 1/10 到近 100 倍不等。出于一些我们尚不理解的原因，一个巨型气体云团能够孕育出不止一个冷囊，这些冷囊常常同时坍塌，由此制造出或大或小的恒星。不过从统计学的角度来说，小恒星的数量更多：每颗大质量恒星背后都有 1000 颗小质量恒星。事实上，初始气团内的气体只有一小部分参与了恒星的孕育，所以要解释恒星的形成，我们面临一个经典问题：星际气体云形成恒星的过程为什么总是大同小异？答案可能藏在新生恒星释放的辐射之中，这些辐射往往会抑制恒星的进一步形成。

我们可以轻松解释恒星的质量下限。如果坍缩冷囊中的气体质量小于太阳质量的 1/10 左右，那它蕴含的引力势能就无法将核心温度提升到氢核聚变所需的 1000 万摄氏度以上。在这种情况下，气团无法孕育核聚变恒星；取而代之，我们将看到一颗有缺陷的准恒星，天文学家称之为“棕矮星”。棕矮星自身无法制造能量，气团坍塌产生的少许热量的确会让它发光，但接下来它的亮度会稳定衰减。棕矮星的气态外层温度很低，所以在普通恒星灼热的大气中难觅踪影的很多大分子得以幸存下来。棕矮星的亮度很低，所以我们很难探测到它的存在，为了寻找棕矮星，天体物理学家不得不采用一些平常用于探测行星的复杂办法，比如，搜寻这些天体发出的微弱红外线。直到最近几年，天文学家才发现了能分成多个类别的大量棕矮星。

我们也可以轻松确定恒星形成的质量上限。如果一颗恒星的质量超过太阳的 100 倍左右，它就会显得太亮。换句话说，以可见光、红外线和紫外线的形式向外释放的能量太多。外部的气体和尘埃一旦靠近就会被星光的强大压力推走。恒星释放的光子也会推挤云团内部的尘埃微粒，于是这些微粒就会携带着气体离开恒星。在这种情况下，星光不可逆地化作了尘埃。辐射造成的压力如此有效，所以晦暗模糊的云团中只有极少数的大质量恒星能够发出足以驱散几乎所有恒星际物质的耀眼光芒，让整个银河系看到数十颗甚至数百颗全新的恒星。

你应该仰望过天空中的猎户座星云，组成猎人腰带的 3 颗亮星下方就有这么一片孕育恒星的温床，它大约位于猎人那柄晦暗的佩剑中间。这片星云已经孕育了数以千计的恒星，未来还将有数千颗恒星在这里诞生；很快它们就将形成一个巨型恒星团，随着星云渐渐散去，恒星团将变得越来越清晰。大部分新恒星组成的“猎户四边形星团”正忙着在自己诞生的星云中央吹出一个大洞。通过哈勃望远镜拍摄的照片，我们单单在这片区域里就发现了几百颗新恒星，这些婴儿恒星依偎在尘埃和来自星云的其他分子组成的盘状结构中，每个盘状结构都孕育着一个行星系。

直到银河系形成100亿年后的今天，我们的星系里还有很多地方仍在孕育恒星。虽然对银河系这样的巨型星系来说，大规模孕育恒星的阶段早已结束，但幸运的是，从现在到几十亿年后的将来，我们仍能看到新的恒星不断诞生。人类的幸运之处在于，我们有能力研究恒星的形成过程和刚刚诞生的新恒星，追寻冰冷的气体和尘埃慢慢发育为成熟恒星的完整故事。

恒星的年龄有多大？这些星星可不会把自己的岁数写在袖口上，但光谱会透露它们的年龄。天体物理学家可以通过多种方式判断恒星的年龄，但光谱分析法提供的证据最为可靠。每种颜色——我们观察到的每一种频率和波长的光波——都会讲述一个关于物质和星光的故事。比如，特定物质如何制造出特定颜色的光，或者物质如何影响离开恒星的光，又或者在星光进入我们的眼睛之前，宇宙中的物质对它做了点儿什么。将星光和实验室里的光谱进行严格的比对之后，物理学家确定了不同类型的原子和分子影响可见光颜色的多种方式。利用这方面的丰富知识，他们可以根据恒星光谱的观测结果推测影响特定恒星星光的原子和分子数量，以及这些微粒的温度、压力和密度。多年来，天体物理学家反复比对实验室光谱和恒星的光谱，还在实验室里深入研究了各种原子和分子的光谱，现在他们学会了解读天体的光谱。星光就像天体的指纹，它会告诉我们恒星外层的物理条件，这里是星光进入太空的直接通路。除此以外，天体物理学家还可以根据我们观察到的星光，判断飘浮在温度远低于恒星表面的恒星际空间中的原子和分子对光谱产生的可能影响，进而推测恒星际物质的成分、温度、密度和压力。

在光谱分析的领域中，每种原子或分子都有自己的故事。比如说，如果我们在星光光谱中观察到了任何分子的特征谱线，这就意味着该恒星外层温度必然低于3000摄氏度。如果温度高于这个值，快速运动的分子就会在碰撞中崩裂形成独立原子。将这样的分析手段应用于多种不同的环境，天体物理学家就能描绘出一幅近乎完整的恒星大气特性图景。辛勤的天体物理学家对自己热爱的恒星光谱了如指掌，甚至超过了他们对自己家人的了解。这可能影响他们的人际关系，但他们的工作的确增进了人类对宇宙的了解。

在所有的自然元素——能在恒星光谱中创造出特定谱线的各种原子中，天体物理学家主要利用一种来确定年轻恒星的年龄，它就是周期表中排行第三的锂元素。有的人可能对锂相当熟悉，因为它是一些抗抑郁药的活性成分。锂在元素周期表里正好排在氢和氦后面，但这两种元素的名气比锂大得多，因为它们在宇宙中的丰度远高于锂。宇宙诞生之初的几分钟里，大量氢元素聚变形成氦核，形成更重原子核的氢相对来说要少得多。因此，锂是一种相当罕见的元素，它在天体物理学家的心目中之所以地位特殊，是因为恒星几乎不会制造锂，只会摧毁它。宇宙中的锂一直在稳定减少，因为在每一颗恒星内部，摧毁锂的核聚变反应都比制造锂的反应更活跃。如果你想弄点儿锂，最好现在就下手。

对天体物理学家来说，这个简单的事实让锂成了判断恒星年龄的实用工具。所有新生恒星的锂含量都完全相同，那是在宇宙诞生之初那半个小时和大爆炸留下的遗泽。这个比例到底是多少呢？大约1000亿个原子核里就有1个锂原子核。新生恒星含有这么“丰富”的锂，但恒星核内的核反应会缓慢地消耗锂原子核，所以它的浓度会稳步下降。恒星内层和外层的物质不断混合、交换，所以等到几千年后，我们就能通过恒星外层的情况推测恒星核内曾经发生的事情。

因此，天体物理学家寻找新生恒星时总是遵循一条简单的规则：锂浓度越高的恒星就越年轻。仔细研究恒星的光谱，天体物理学家可以确定该恒星包含的锂原子核与（比如说）氢原子核的数量比，接下来，他们可以根据图表查出锂浓度对应的恒星年龄。利用这种方法，天体物理学家能够颇有把握地找出星团中最年轻的恒星，进而根据锂的浓度推测每颗恒星的年龄。由于恒星会不断摧毁锂，随着恒星年龄的增长，它的锂浓度会一直降低，直至于无，所以这种方法只适用于年龄不超过几亿岁的恒星。不过在研究年轻恒星时，利用锂来判断年龄的方法非常好用。天文学家研究了猎户座星云里 24 颗质量与太阳相当的年轻恒星，发现它们的年龄范围是 100 万岁到 1000 万岁。未来的天体物理学家或许能够准确分辨更年轻的恒星，不过现在，100 万岁差不多就是我们辨认恒星年龄时的极限了。

除了驱散孕育自己的气体“茧壳”以外，在很长的一段时间里，新生的恒星团不会带来任何麻烦，它们静静地将恒星核内的氢聚合成氦，同时不断摧毁锂原子核。但世事无常，几百万年的漫长时间里，恒星团附近不断掠过的巨型云团带来的引力扰动会导致大部分准星团“蒸发”，而它的成员会散落到星系里，成为无数恒星中的一颗。

太阳形成约 50 亿年后，它的兄弟姊妹都已消失。但银河系和其他星系里总有一些质量特别小的恒星，它们消耗燃料的速度极慢，这样的恒星近乎永生。中等质量的恒星（例如，我们的太阳）最终会变成红巨星，在走向死亡的过程中，它们的外层大气会扩张到原来的数百倍。扩散后的稀薄大气飘向宇宙空间，暴露出此前 100 亿年里一直为恒星提供能源的燃尽的恒星核。从太阳系附近掠过的云团会带走散佚的气体，这些气体又会投入下一轮的恒星形成过程中。

尽管大质量恒星十分罕见，但演化的所有王牌都捏在它们手里。大质量赋予了这些恒星最高的亮度，某些大质量恒星比太阳亮 100 万倍。它们消耗核燃料的速度比小质量恒星快得多，所以它们的寿命比其他任何恒星都短：大质量恒星可能只能活几百万年，甚至更短。大质量恒星内部持续的热核聚变依次制造出越来越重的几十种元素，从氢到氦，然后是碳、氮、氧、氖、镁、硅、钙，直到铁为止。垂死的大质量恒星最后爆发的烈焰足以短暂地照亮整个星系，天体物理学家称之为“超新星爆发”。超新星爆发看起来有点像我们在第五章中提到过的 Ia 型超新星，但二者背后的机制完全不同。灼热的烈焰熔炼出更多的元素，爆炸的能量将所有元素撒向整个星系，附近的气团被狂风吹出一个个大洞，超新星带来的原材料弥漫在气团内部，开始形成新的尘埃微粒。超声速爆炸激波掠过恒星际云团，对气体和尘埃产生巨大的压力，这可能会创造出恒星成形所需的高密度囊袋。

除了氢和氦以外的其他所有元素是超新星送给宇宙的大礼——行星、原生生物和人类都是由这些元素组成的。我们脚下的地球是数十亿年前无数恒星爆炸的产物，在那个遥远的年代，我们的太阳和整个太阳系都还没有诞生，它们的雏形仍包裹在一片昏暗的星际云团中——这片云团正是之前的大质量恒星爆发后留下的富含化学元素的余烬。

氦之后的所有元素都诞生于恒星内部，我们是怎么发现这一点的呢？本书作者认为，20 世纪最被低估的科学发现是，科学家认识到，超新星爆发——大质量恒星辉煌的死亡——为宇宙带来了丰富的重元素。1957 年，这个被埋没的珍贵观点发表在美国期刊《现代物理评论》(*Reviews of Modern Physics*)上一篇题为《恒星内的元素合成》(*The Synthesis of the Elements in Stars*)的冗长论文里，论文作者是 E. 玛格丽特·伯比奇(E. Margaret Burbidge)、杰弗里·R. 伯比奇(Geoffrey R. Burbidge)、威廉·福勒(William Fowler)和弗雷德·霍伊尔(Fred Hoyle)。在这篇论文中，四位科学家建立了一个理论计算框架，融会贯通了 40 年来其他科学家在两个重要议题上的思考成果：恒星能量的来源和化学元素的嬗变。

宇宙核化学向来是个麻烦的领域，这门学科研究的是核聚变如何制造、摧毁各种原子核。这个领域的关键问题包括：各种元素在不同的温度和压强下作何表现？它会聚变还是裂变？聚变或裂变的难度有多大？这个过程是会释放新的动能还是会吸收已有动能？周期表中的各种元素发生的反应有何不同？

对你来说，元素周期表意味着什么？如果你和以前的大部分学生一样，那你应该记得科学教室墙上挂的巨幅表格，神秘的方格子里晦涩难懂的字母和符号喃喃讲述着青春期年轻人完全不感兴趣的老掉牙的实验室故事。不过对那些深谙其中奥秘的人来说，这张表格讲述着宇宙中元素诞生的无数惊心动魄的故事。周期表按照原子核内质子数升序列出了宇宙中的所有已知元素。最轻的两种元素是氢和氦，它们的每个原子核分别包含了一个或两个质子。正如 1957 年那篇论文的四位作者所说，在适当的温度、密度和压力条件下，恒星能利用氢和氦创造出周期表中的其他所有元素。

核化学深入讨论的正是这个创造过程和其他摧毁(而非创造)原子核的互动反应，科学家利用“碰撞截面”，通过计算确定两个粒子必须接近到何种程度才可能发生明显互动。物理学家可以轻松算出水泥搅拌车或者拖在平板卡车后面沿街行驶的活动房屋的碰撞截面，但要分析神出鬼没的亚原子微粒的行为，那就完全是另一回事了。物理学家必须详细了解碰撞截面，才能预测核反应的速率和路径。截面表里小小的不确定性常常带来谬以千里的结果。这种模拟计算的困难之处有点像是拿一座城市的地铁路线图去另一座城市的地铁系统里找路：你的基本理论完全正确，但魔鬼藏在细节里。

尽管 20 世纪上半叶的科学家并不知道准确的碰撞面积，但长久以来他们一直怀疑，如果宇宙中的确存在奇异的核过程，那它很可能发生在恒星中央。1920 年，英国理论天体物理学家亚瑟·爱丁顿爵士（Sir Arthur Eddington）发表了一篇题为《恒星内部结构》（*The Internal Constitution of the Stars*）的论文，他在这篇文章中提出，英格兰的卡文迪许实验室（当时最先进的核物理研究所）很可能并不是宇宙中唯一能将某些元素转化为其他元素的地方：

> 但是，这样的嬗变是否真的有可能发生？对于这样的事情，我们很难给出肯定的回答，但恐怕更难否认……在太阳内部重现卡文迪许实验室的成就或许不算太难。恒星就像坩埚，星云里丰富的氢原子在恒星内部合成更复杂的元素，我认为这个想法十分有趣。

爱丁顿的论文为四位科学家后来的详细研究提供了一个引子，几年后问世的量子力学又让我们得以深入理解原子和原子核的物理机制。接下来，爱丁顿开始描绘恒星通过热核聚变，以氢为原料生成氦和其他更重元素，同时向外释放能量的过程。以我们今天的眼光去看，他的描述准确得惊人：

> 我们不能狭隘地认为，氢生成氦的过程就是（恒星内部）唯一的供能反应，虽然乍看之下，进一步生成其他元素的过程释放的能量比第一步少得多，有时候甚至还会吸收能量。我们

或许可以这样描述恒星的地位：所有元素的原子实际上都是聚合在一起的氢原子，而且它们很可能是由多个氢原子一次性形成的。恒星内部似乎就是发生这种变化的理想地点。

任何元素嬗变模型都必须解释一个现象：无论是在地球上还是在宇宙中的其他地方，我们为什么会发现这么多五花八门的元素。要完成这个任务，物理学家必须弄清恒星将一种元素转化为另一种元素，同时产生能量的基本过程。到了 1931 年，量子力学理论已经发展得比较完善（尽管当时我们还没发现中子），英国天体物理学家罗伯特·德艾斯科特·阿特金森（Robert d'Escourt Atkinson）发表了一篇系统性论文，一言以蔽之，这篇论文提出了一套“恒星能量及元素的合成理论……恒星内部较轻的元素循序渐进地合成其他各种化学元素，每一步都有新的质子和电子融入其中”。

同一年，美国核物理学家威廉·D. 哈金斯（William D. Harkins）在一篇论文中提出：“原子量（每个原子核内的质子数和中子数之和）较小的元素丰度大于那些更重的元素，平均来说，原子序数（每个原子核包含的质子数量）为偶数的元素丰度差不多 10 倍于那些原子量近似，但原子序数为奇数的元素。”哈金斯猜测，某些元素的丰度之所以相对较高，很可能是因为它们来自核聚变过程而非燃烧之类的化学过程，而且重元素一定是由轻元素合成的。

复杂的恒星核聚变过程可以从根本上解释宇宙中许多元素的来源，尤其是那些由前一种元素加上两个质子和两个中子（一个氦核）生成的元素，也就是哈金斯描述的丰度相对较高的“原子序数为偶数”的元素。但这套理论仍无法解释其他很多元素的存在及其丰度。所以宇宙中一定存在其他的元素形成机制。

1932 年，英国物理学家詹姆斯·查德威克（James Chadwick）

在卡文迪许实验室工作时发现了中子，爱丁顿不可能想到，这种微粒在核聚变过程中扮演着至关重要的角色。组装质子是件难事，因为和所有电性相同的微粒一样，质子天然互相排斥。要将质子熔炼到一起，你必须让它们靠得足够近（通常需要高温、高压和高密度条件），强核力才能战胜质子之间的斥力，将它们融为一体。但不带电的中子不会对其他微粒产生斥力，所以它可以大摇大摆地闯进别人的原子核里，在强核力作用下与已经组装完毕的其他微粒融合到一起。这个过程不会创造出新的元素，因为原子核内的质子数才是区分不同元素的标志。给原子核添加一个中子，我们得到的是初始元素的“同位素”，它和初始原子核只有非常细微的差别，因为它携带的总电荷并未发生改变。对某些元素来说，新俘获的中子会让原子核变得不稳定。在这种情况下，被俘获的中子会自发地转化成一个质子（它会继续停留在原子核内）和一个电子（它会立即逃逸出去）。通过这种方式，质子可以披着中子的外衣毫不费力地溜进原子核里，就像希腊士兵藏在木马里攻陷特洛伊城。

如果中子束始终保持较高的强度，那么在进入原子核的第一个中子发生衰变之前，原子核能够吸收多个中子。很多元素就是通过这样的“快中子俘获过程”创造出来的，它不同于我们刚才介绍的慢中子俘获过程——在这种情况下，原子核要等到俘获的前一个中子衰变后才会吸收下一个中子。

快中子俘获过程和慢中子俘获过程都能辅助形成大量新元素，为传统的热核聚变拾遗补漏。除此以外，自然界中还有一部分元素来自其他几种过程，比如，高能光子（γ 射线）会轰击重原子，将后者撞成碎片，从而产生新的元素。

我们或许可以说，每颗恒星的生命都源自其内部制造、释放能量的过程，这样的过程帮助恒星克服引力作用，维持自身存在，尽管这样的描述大大简化了大质量恒星的生命周期。如果没有热核聚变产生的能量，球状的气态恒星必将被自己的重量压垮。恒星核内氢原子核（质子）耗尽的衰老恒星注定会迎来这样的结局。正如我们之前提到的，大质量恒星将自己内部的氢转化为氦以后，还会进一步将氦转化为碳，然后碳变成氧，氧变成氖，如此循序渐进，直至最后生成铁。在这个环环相扣的聚变过程中，每往前多走一步，恒星都需要达到更高的温度才能克服原子核内质子的天然斥力。幸运的是，这些反应都是自发进行的，因为在每一个中间阶段走向尾声的时候，恒星的能量来源都会暂时枯竭，导致恒星中央区域收缩、温度上升，由此引发聚变的下一环。但世事无常，恒星最终会遇上一个大问题：铁的聚变不会释放能量，反而会吸收能量。对恒星来说，这真是个坏消息，它不能继续从核聚变的帽子里掏出新的能量释放过程来对抗引力了。于是恒星会突然坍缩，迫使自己内部的温度急速上升，接踵而来的爆炸会将整颗恒星炸得粉碎。

每一次超新星爆炸的过程中，质子、中子和能量都会以多种方式创造元素。在 1957 年的那篇论文里，四位作者结合多种因素——（1）久经考验的量子力学原理；（2）爆炸的物理规则；（3）最新的碰撞截面；（4）元素嬗变的各种过程；（5）恒星演化的基本理论——最终得出结论，宇宙中比氢和氦更重的所有元素都源自超新星爆发。

重元素来自大质量恒星，而超新星爆发将这些元素撒遍宇宙，于是四人组顺理成章地解开了另一个问题：我们在恒星核里熔炼出比氢和氦更重的元素以后，还得设法将所有元素散播到恒星际空间中，这些原材料才有可能形成我们这个有树袋熊的世界，超新星爆发完成的正是这项任务。四位科学家将我们对恒星核聚变过程的理解和宇宙中看得见的元素诞生过程融合到了一起。几十年来，他们的结论历经考验仍屹立不倒，时至今日，四人组的这篇论文已经成了我们理解宇宙机制的一块里程碑。

是的，地球和地球上的所有生命都来自星尘，但宇宙化学领域还有很多未解之谜，其中一个有趣的谜题与锝有关。1937 年，人类在地球上的实验室里创造出了第一种人造元素锝（锝的英文名是 Technetium，前缀 tech 来自希腊语中的 technetos，意思是“人造的”）；我们还没有在地球上发现天然锝，但天文学家已经在银河系内极少数红巨星的大气层里找到了这种稀有元素。红巨星中存在锝倒是不足为奇，但考虑到锝会衰变成其他元素，而且它的半衰期只有 200 万年，远低于这些恒星的预期寿命，这件事就显得有些古怪了。为了解开这个谜题，天体物理学家提出了种种稀奇古怪的解释，但目前还没有哪种解释能得到学界的公认。

虽然这种化学性质特殊的红巨星为数不多，但也足以吸引一群天体物理学家（主要是光谱学家）专门研究这个主题，他们甚至为此创办了一份报纸:《化学性质特殊的红巨星新闻通讯》（*Newsletter of Chemically Peculiar Red Giant Stars*）。当然，这份报纸不会出现在普通的书报摊上，它主要刊登该领域的会议新闻和最新研究进展。对感兴趣的科学家来说，这些未解的化学谜题吸引力不亚于黑洞、类星体和早期宇宙。但你在其他地方很难读到这方面的内容。为什么呢? 因为一般来说，媒体会替你决定哪些主题值得一看，哪些不值得。显然，对它们来说，地球和你身体里的每一种元素来自宇宙中的什么地方，这类问题完全不值得关注。

现在，你有机会反抗当代社会强加给你的预判。我们不妨在元素周期表中漫步一番，时不时停下脚步，关注各种元素最有趣的故事，畅想宇宙如何利用大爆炸产生的氢和氦制造出其他所有元素。

过去 200 年来，化学家和物理学家怀着满腔爱意编制了元素周期表，这份表格形象地体现了宇宙中已知（和未来某天有可能发现的）所有元素的基本行为和性质。从这个意义上说，我们应该将元素周期表视为一个文化符号，它象征着我们的社会整理、组织知识的能力。周期表的存在证明了人类科学事业是一项国际性的探险之旅，我们绝不会躲在实验室里故步自封，科学家探索的脚步必将踏遍宇宙，从粒子加速器到时空的边疆。

尽管我们已经给予了元素周期表足够的重视，但它仍时时为我们带来惊喜。周期表中的某些元素常有出人意料的一面，就连成年的科学家也不免为之震惊，它们就像苏斯博士[1]笔下的珍奇异兽，悠游自在地生活在一座特殊的动物园里。比如说，钠是一种足以置人于死地的活泼金属，你可以用一把黄油刀轻松将它切开，而纯氯是一种气味糟糕的致命气体，但将钠和氯结合到一起，我们就得到了氯化钠，这种无害的化合物对生命至关重要，它有一个更广为人知的名字：食盐。还有氢和氧，无论是在地球上还是在宇宙中，这两种元素都大量存在。氢是一种爆炸性气体，氧能为燃烧提供关键的助力，但这两种元素组成的水却能灭火。

周期表中各种元素之间可能发生的化学交互作用无穷无尽，在这间小小的奇迹商店里，我们挑出了宇宙中最重要的那些元素，它让我们能够以天体物理学家的视角重新审视元素周期表。我们应该抓住这个机会，在这张表格中自在遨游，欣赏这个小世界的独特风景和奇异特性。

根据元素周期表的基本规则，自然界的每种元素都有独一无二的“原子序数”，即该元素每个原子核内的质子（携带正电荷）数量。与质子数量相同的电子（携带负电荷）绕着原子核旋转，它们共同组成了电中性的完整原子。特定元素的多种同位素拥有相同的质子数和电子数，但它们的中子数各不相同。

氢元素的每个原子核内只有一个质子，作为最轻、最简单的元素，它诞生于大爆炸后的最初几分钟。目前我们在自然界中一共发现

(1) Dr.Seuss，美国著名儿童绘本作家。——译者注

了 94 种元素，氢原子占据了人体总原子数的 2/3，而宇宙中 90% 以上的原子都是氢原子，包括太阳和太阳系的各大行星。木星是太阳系内最大的行星，木星核内的氢承受着外层物质的巨大压力，所以它表现出来的性质更像是电磁传导性能优异的金属而非气体，正是这些氢原子造就了木星的强大磁场。1766 年，英国化学家亨利·卡文迪许（Henry Cavendish）在用水（H_2O，“氢”的英语单词 hydrogene 在希腊语中的意思是“形成水”，其中“gen”这个后缀代表“起源”）做实验的时候发现了氢，对天文学家来说，卡文迪许最重要的成就是，他首次测量了牛顿引力方程中的重力常数 G，进而准确算出了地球质量。无论是白天还是夜晚，在温度高达 1500 万摄氏度的太阳核心里，每一秒都有 45 亿吨高速运动的氢原子核（质子）融合形成氦原子核。在这个聚变过程中，大约 1% 的质量会转化为能量，剩余 99% 的质量则以氦的形式继续存在。

氦是宇宙中第二丰富的元素，但在地球上，它只存在于地下的少量孔洞中。大部分人只知道氦气是一种有趣的恶作剧道具：氦气的密度低于普通空气，所以当你吸入氦气的时候，它会改变气管的振动频率，让你说话的声音变得像米老鼠一样。宇宙中氦的含量相当于（除了氢以外）其他所有元素之和的 4 倍。大爆炸宇宙学有一个基本预测：整个宇宙中氦原子的占比不低于 8%，它们源自大爆炸之后那团均匀的原初火球。由于恒星内部的热核氢聚变还在继续制造额外的氦，所以宇宙中某些区域的氦含量会高于最初的 8%，但是，正如大爆炸模型所预测的，截至目前，我们还没有在银河系或者其他任何星系中发现氦含量低于 8% 的地方。

1868 年，天体物理学家观察日全食时的太阳光谱，发现了太阳中的氦，差不多 30 年后，他们才成功发现并分离出了地球上的氦。既然最初发现的氦来自太阳，所以科学家顺理成章地将希腊太阳神赫利厄斯（Helios）的名字赋予了这种未知的物质。氦气能提供的浮力相当于氢气的 92%，而且它不像氢气那样容易爆炸，所以绝不会引发德国兴登堡号空难那样的悲剧。于是梅西百货选择了用氦气来充填感恩节游行的巨型气球，这家著名百货公司也因此成了仅次于美国军方的全球第二大氦气消耗者。

锂是宇宙中第三简单的元素，它的每个原子核里有 3 个质子。与氢和氦一样，锂也诞生于大爆炸之后不久，和氦不一样的是，时至今日，恒星内部的核反应还会不断生成氦，但这些反应却只会摧毁锂。早期宇宙中的锂丰度相对较低（总含量不超过 0.0001%），所以宇宙中任何区域或天体内的锂含量都应该不高于这个值。截至目前，我们的确没有找到锂含量高于这个上限的星系，现实与大爆炸理论最初半小时的元素形成模型达成了完美的契合。氦含量下限和锂含量上限为我们提供了验证大爆炸宇宙学理论的双重约束条件。类似的验证条件还有一个，即宇宙中氘核（它由一个质子和一个中子组成）与普通氢核的相对比例。大爆炸之后最初几分钟的聚变会同时生成这两种原子核，但简单的氢核（它只有一个质子）比氘核多得多。根据天文学家对宇宙的观察，大爆炸理论的这个预测也得到了证实。

和锂一样，周期表里接下来的两种元素铍和硼（每个原子核内分别有 4 个和 5 个质子）主要来自早期宇宙的热核聚变，它们在宇宙中的丰度相对较低。氢和氦之后这三种最轻的元素在地球上都很稀少，对于不小心吃下了锂、铍或者硼的动物来说，这可真是个坏消息，因为整个地球生命的演化过程基本彻底绕过了这三种元素。但有趣的是，一定剂量的锂的确能缓解某些精神疾病。

6 号元素碳在元素周期表中大放光彩。每个碳原子的原子核内有 6 个质子，包含碳的分子比不包含碳的所有分子加起来还多。碳核在宇宙中广泛存在——恒星核会制造出大量碳原子核，奔涌的能量将这些碳送往恒星表面，再撒向整个银河系——再加上碳元素的化学性质十分活泼，很容易跟其他元素结合形成分子，所以碳是化学领域最基本的元素之一，它为生命的多样性做出了不可磨灭的贡献。除了碳以外，8 号元素氧（每个原子核内有 8 个质子）也是一种高丰度活泼元素，衰老的恒星和爆发的超新星都会制造、散播氧元素。对我们所知的所有生命来说，氧和碳都是不可或缺的基本物质。与这两种元素类似，制造、散播 7 号元素氮的过程在宇宙中也很常见。

除了我们熟知的生命形式以外，还有其他形式的生命吗？会不会存在一些完全基于另一种元素的生命，比如 14 号元素硅？元素周期表中硅的位置在碳的正下方，这意味着（看看，对于那些知晓元素周期表秘密的人来说，这张表格是多么有用啊）硅能够取代碳的位置，生成结构类似的化合物。但是，我们希望证明碳的性质比硅优秀，不光是因为宇宙中碳的丰度是硅的 10 倍，还因为与碳形成的化学键相比，硅形成的化学键要么太强，要么太弱。尤其是考虑到，硅和氧的化合物是坚硬的岩石，所以硅基复杂分子缺乏碳基分子的韧性，难以承担演化带来的生存压力。但这些事实无法改变科幻作家对硅的偏爱，他们不断发挥想象力，从天体生物学的各种角度揣想，我们第一次看到的外星生命到底会是什么样子。

除了充当食盐中的活性成分以外，11 号元素钠（每个原子核内有 11 个质子）还会发光——很多市政路灯里都充填着灼热的钠蒸汽。比起传统的白炽灯，钠灯亮度高、寿命长、能耗低。钠灯分为两种，普通的高压钠灯的光是黄白色的，比较罕见的低压钠灯发出的是橙光。人们发现，尽管光污染深深困扰着天文学家，但低压钠灯带来的危害相对较小，因为它发出的光频段较窄，科学家在处理望远镜数据的时候可以比较轻松地消除它带来的干扰。目前，天文台和城镇已经摸索出了一种合作模式。比如，作为基特峰国家天文台附近最大的城市，亚利桑那州图森市与当地大文学家达成协议，将城市里所有路灯都换成了低压钠灯。由于低压钠灯的发光效率更高，这一举措也为城市节约了能源。

13号元素铝（每个原子核拥有13个质子）在地壳中的占比接近10%，但古人对这种元素几乎一无所知，直到我们的爷爷那一辈，铝还是件稀罕物，因为它通常以化合物的形式存在。1827年，人类第一次分离、鉴别了铝；直到20世纪60年代末，铝才真正进入千家万户，厨房里的马口铁罐头和锡箔纷纷换成了铝罐和铝箔。抛光的铝可以近乎完美地反射可见光，所以今天的天文学家几乎给所有望远镜的镜片都镀了一层薄薄的铝膜。

虽然钛（每个原子核内有22个质子）的密度只比铝高70%，但它的强度是后者的两倍以上。较高的强度和相对较轻的重量让钛——地壳中丰度排名第九的元素——成了现代工业的宠儿，很多地方都离不开这种坚固的轻质金属，譬如军用飞机上的零部件。

宇宙中很多地方的氧原子都比碳原子多。恒星内部的每个碳原子都会和氧原子牢牢地结合在一起，形成一氧化碳或二氧化碳；多余的氧原子会和其他元素结合，譬如钛。科学家在红巨星的光谱里观察到了二氧化钛（TiO_2分子）的特征谱线，其实地球上也有这样的星光：星光红蓝宝石的放射状星芒都来自晶体内包含的二氧化钛杂质，氧化铝杂质又为这些宝石增添了额外的色彩。此外，粉刷天文台穹顶的白色涂料里也有二氧化钛，这种化合物能够有效地反射红外线，从而在白天显著降低穹顶内的温度。等到夜晚降临，穹顶打开，望远镜附近的空气温度就能迅速下降到接近环境温度，从而减少大气折射带来的干扰，进入望远镜的星光和其他天体的光芒也会变得更锐利、更清晰。“钛”的英文名“Titanium”来自希腊神话中的泰坦巨人，虽然这个名字和宇宙没有直接的关系，但土星最大的卫星也叫泰坦。

碳可能是生命领域最重要的元素，但从很多角度来说，宇宙中最重要的元素应该是26号元素铁。大质量恒星在自己的核心中熔炼元素，按照周期表的顺序制造出越来越大的原子核，从氦到碳，再到氧和氖，直到铁为止。铁原子核拥有26个质子和至少等量的中子，质子和中子依照量子力学原理相互作用，造就了铁元素的独特性质：铁原子核内的粒子（质子或中子）拥有最高的核结合能。这背后蕴藏着一个简单的事实：如果你想分裂铁原子核（物理学家称之为“裂变”），那么你必须为它们提供额外的能量。从另一个方面来说，如果你想让铁原子核融合在一起（这个过程叫作“聚变”），它们也得吸收能量。因此，铁原子核的聚变和裂变都需要吸收能量，但对其他元素来说，需要吸收能量的过程只有一种，要么是裂变，要么是聚变。

不过，恒星都忙着利用质能方程 $E = mc^2$ 将质量转化为能量，它们必须依靠这个过程来抵抗引力才不会坍缩。所以从本质上说，恒星在自己的核心内聚合原子核的时候，它需要的是释放能量的聚变过程。等到大质量恒星将核心内的大部分原子核聚合成铁以后，通过热核聚变获得能量的路就走到了头，因为铁的聚变是一个消耗能量的过程。失去了热核聚变提供的能量，恒星核会在自身引力作用下坍缩，然后迅速反弹，由此引发一场惊天动地的爆炸，我们称之为超新星爆发。比10亿颗太阳还亮的光芒将持续照耀一周以上。超新星爆发之所以会出现，完全是因为铁原子核的独特性质——无论是聚变还是裂变它都无法向外释放能量。

刚才我们依次介绍了氢、氦、锂、铍、硼、碳、氮、氧、铝、钛和铁，它们是组成宇宙和地球生命的关键元素。

不过，为了一窥宇宙的复杂之处，我们不妨再看看周期表中某些不那么显眼的成员。你或许从不曾拥有过这些元素，但科学家发现，它们不光能满足探索者的好奇心，还能在某些特殊环境中发挥巨大的作用。比如说，我们可以看看柔软的金属元素镓（每个原子核拥有31个质子）。镓的熔点极低，你只需要把它握在手里，它就会化为液体。除了充当客厅魔术道具以外，镓还能与氯结合形成氯化镓，这种化合物结构类似食盐（氯化钠），它能帮助天体物理学家探测来自太阳核心的中微子。为了捕捉神秘的中微子，天体物理学家将100吨氯化镓液体装在一个大桶里，然后将这个桶安置在地底深处（这是为了隔绝其他穿透力更弱的粒子），仔细观察中微子与镓原子核是否发生了碰撞，中微子的撞击会将镓原子核变成拥有32个质子的锗原子核。每个转化成锗的镓原子核都会释放出X射线光子，通过这种方式，科学家能够探测中微子与原子核发生的每一次碰撞。这种氯化镓“中微子探测器”帮助天体物理学家解决了所谓的“太阳中微子问题”：以前他们用别的中微子探测器测出的中微子数量总是远小于理论预测值，但换了氯化镓以后，这个问题就迎刃而解了。

锝（原子序数43）元素的原子核拥有放射性，它早晚会衰变成其他元素的原子核，但这个过程可能只需要片刻时间，也可能需要几百万年。不出所料的是，我们在地球上并未发现天然锝，只能利用粒子加速器人工制造这种元素。出于一些我们尚未完全理解的原因，锝存在于某些红巨星的大气层内。正如我们在上一章中提到的，锝的存在本来不足为奇，但考虑到锝的半衰期只有200万年，比这些恒星的寿命短得多，这事儿就显得有些古怪了。这些锝不可能从恒星诞生之初就已经存在，因为如果真是这样的话，现在它们早就衰变得一点儿不剩了。目前天体物理学家也不知道恒星核内有什么机制能制造出锝，并将它输送到能被我们观察到的恒星表面上，这个费解的谜题引来了许多异想天开的解释，但目前还没有哪种解释能得到学界的广泛认可。

锇、铂和铱是周期表中密度最大的三种元素。0.056立方米的铱（原子序数77）重量相当于一辆别克轿车，所以铱很适合用来做镇纸，它的重量足以对抗办公室里的任何风扇或者透窗而来的微风。除此以外，铱还为科学界提供了最著名的“冒烟手枪”。全球各地富含铱的地层组成了著名的“白垩纪－古近纪界线”，它形成于6500万年前，大部分生物学家相信，正是在这段时间里，所有体形大于面包盒的陆地动物（包括富有传奇色彩的恐龙）走向了灭绝。地球表面上的铱十分罕见，但某些金属小行星铱的丰度却是地球的 10 倍之多。不管你觉得恐龙灭绝的原因是什么，一颗直径 16 千米的杀手小行星的确能够掀起满天碎片，遮蔽全球阳光，它激起的尘埃要到几个月后才会慢慢散去——这套理论现在大受欢迎。

1952 年 11 月，第一次氢弹试验在太平洋地区进行，后来物理学家在爆炸产生的碎片中发现了一种未知的元素，为了纪念爱因斯坦，他们将这种新元素命名为锿（einsteinium），不知爱因斯坦对此有何感想，或许这种元素该叫“末日审判”才更合适。

氦的名字来自太阳，除此以外，周期表中还有 10 种元素的名字来自绕太阳运行的天体：

磷（Phosphorus），这个词在希腊语中的意思是“光的承载者”，古代人曾以此称呼金星，因为它总是出现在日出前的天空中。

硒（Selenium）的名字来自希腊语“selene”，意思是“月亮”。硒总是和碲（tellurium）伴生，而后者的名字来自地球的拉丁名“tellus”。

1801 年 1 月 1 日，也就是 19 世纪的第一天，意大利天文学家朱塞普·皮亚齐（Giuseppe Piazzi）在火星和木星轨道之间大得令人生疑的间隙中发现了一颗新行星。遵照天文学界以罗马神祇命名行星的传统，皮亚齐以丰收女神之名将这颗行星命名为“谷神星”（Ceres），我们早餐吃的“麦片”英语词根也来自这个名字。皮亚齐的发现令科学界欣喜不已，所以科学家将他们发现的下一种元素命名为铈（cerium）。两年后，又有人在这片区域内发现了另一颗绕太阳公转的行星，以罗马智慧女神之名，这颗新行星被命名为“智神星”（Pallas）；此后人们发现的第一种元素被命名为钯（palladium）。接下来的几十年里，人们在同一片区域里又发现了几十颗类似的行星，但它们的体积都比已知最小的行星还要小得多，于是这场命名的盛宴终于走向了尾声。太阳系的房地产总平图上多出了一块全新的区域，这里的住客都是形状古怪的小块岩石和金属。原来谷神星和智神星都不是真正的行星，而是直径仅有几百千米的小行星，它们都位于小行星带。现在我们知道，小行星带有几百万个这样的天体，目前天文学家已经完成分类命名的小行星多达15 000 颗——比周期表里的元素种类多得多。

金属汞（mercury）在室温下呈黏稠液态，它的名字来自罗马的飞毛腿信使之神。水星的名字也源于同一位神祇，它是整个太阳系内公转速度最快的行星。

钍（Thorium）的名字来自北欧神话中挥舞着锤子的雷神索尔，他对应的是罗马神话中掌管闪电的朱庇特（木星）。真正令人惊异的是，通过哈勃太空望远镜近期拍摄的木星极地照片，我们的确在这颗行星翻滚的云层里发现了闪电的痕迹。

虽然土星深受人们喜爱，却没有任何一种元素以它命名，而天王星、海王星和冥王星却在周期表里找到了各自的代言人。1789 年发现的元素铀（uranium）就是以天王星的名字命名的，8 年前赫歇尔刚刚发现这颗行星。铀的所有同位素都不稳定，它们会缓慢地自发衰变成更轻的元素，同时向外释放能量。如果你能设法加速铀原子核的衰变速率，引发“链式反应”，那么你就掌握了制造炸弹的钥匙。1945 年，美国在战场上引爆了第一颗铀弹（它更广为人知的名字是“原子弹”），日本城市广岛在爆炸中化为火海。每个铀原子核包含 92 个质子，所以铀是自然界中最大、最重的元素，不过我们也在铀矿中发现了痕量更大、更重的元素。

和天王星一样，海王星也拥有自己的代表元素。铀的命名距离天王星的发现只有 8 年，但人们直到 1940 年才在伯克利回旋粒子加速器里找到了镎（neptunium），这时候距离德国天文学家约翰·伽勒（John Galle）发现海王星已经过去了 94 年。海王星被发现之前，法国数学家约瑟夫·勒维耶（Joseph Le Verrier）已经算出了这颗行星在天空中的位置，天王星的轨道存在某些奇怪的特性，勒维耶认为，这是因为它受到了更远行星的影响。后来伽勒发现的海王星实际位置几乎完全符合勒维耶的预测。太阳系里的海王星紧挨着天王星，元素周期表里的镎也紧挨着铀。

粒子物理学家利用伯克利回旋加速器制造出了超过半打自然界中并不存在的元素，其中包括钚（plutonium），这种元素得名于冥王星，它在周期表中的位置在镎的后面。1930 年，年轻的天文学家克莱德·汤博（Clyde Tombaugh）在亚利桑那洛厄尔天文台拍摄的照片上发现了冥王星。和 129 年前皮亚齐发现谷神星时一样，人们为此激动不已。冥王星是美国人发现的第一颗行星，由于缺乏准确的观测数据，当时人们普遍认为这颗行星的尺寸和质量应该与天王星、海王星相当。随着观测技术的不断进步，我们估算出的冥王星的尺寸越来越小。直到 20 世纪 70 年代末，探索外太阳系的旅行者号任务期间，人类对冥王星尺寸的认知才算稳定下来。现在我们知道，冰冷刺骨的冥王星是太阳系内最小的一颗行星[(1)]，它的尺寸甚至比不上太阳系内最大的六颗卫星。与最初发现谷神星时一样，天文学家后来在同一片区域内发现了数以百计的其他天体；对于冥王星来说，外太阳系与它运行轨道相似的天体也不止一颗。它们的存在揭露了此前一直未被发现的小型冰冷天体的大本营，如今我们称之为“彗星的柯伊伯带”。纯粹主义者或许会提出，和谷神星、智神星一样，冥王星进入元素周期表也是一个误会。

和铀原子核一样，钚原子核也具有放射性。广岛核爆三天后，美国在日本长崎投放的另一颗原子弹迅速地结束了第二次世界大战，这颗炸弹包含的活性成分正是钚。由于钚能以稳定的速度持续产生

(1) 2006 年，国际天文联合会将冥王星从行星序列排除，将它归为矮行星。——译者注

温和的能量，科学家可以利用少量钍驱动放射性同位素热电发生器（英文缩写为 RTG），为飞往外太阳系的飞船提供电力。因为外太阳系的阳光非常稀薄，太阳能电池板完全无法发挥作用。1 磅钍能产生 1000 万度热能，足够让一幢房子里的电灯亮上 1100 年——一个人每天消耗的能量和一幢房子的电灯耗能差不多，如果不考虑身体老化，这么多能源足够让你活上 1100 年。1977 年发射的两艘旅行者号飞船已经飞到了冥王星轨道以外，直到现在，它们仍在利用钍产生的能量向地球发送信息。其中一艘旅行者号飞船正在离开太阳释放的带电粒子形成的“气泡”，准备进入真正的恒星际空间，现在它和我们之间的距离差不多相当于地日距离的 100 倍。

所以，我们的太空之旅结束于化学元素周期表，结束于太阳系边缘。不知道为什么，很多人不喜欢化学，这或许可以解释多年来人们为什么锲而不舍地试图摆脱食物中的各种化学物，也许只是因为那些晦涩难懂的化学名称听起来太危险。但是，我们不应该因此而责怪化学家，更不该怪罪化学物。从个人层面上说，你应该对化学物深感亲切，因为无论是你深爱的星星还是你最亲密的挚友，宇宙中的一切都是由化学物质组成的。

第十一章　行星的青春年代

探索宇宙历史的过程中，我们不断发现，很多秘密都隐藏在各种各样的起源故事里——无论是宇宙本身的起源，还是宇宙中那些庞大结构（星系和星系团）的起源，或者照亮了整个宇宙的恒星的起源。每个起源故事都至关重要，它不光解释了看似无形无质的宇宙如何形成各种天体的复杂组合，还决定了大爆炸 140 亿年后的今天，生活在地球上的我们为什么会出这个问题：这一切是怎么发生的?

起源故事之所以如此神秘，很大程度上是因为在物质刚刚开始组织起来形成恒星、星系等独立单元的“黑暗年代”，大部分物质几乎完全不产生可探测的辐射。那个黑暗年代留下的痕迹少得可怜，我们只能凭借这些细微的线索摸索早期阶段的物质如何组织成形。这意味着我们很大程度上只能利用自己构建的理论来解释物质的行为，却很难通过观测数据来验证这些理论。

说到行星的起源，迷雾变得更加浓重。我们不光缺乏行星成形初期关键的观测数据，甚至连相对可靠的行星成形理论都还没有建立。不过还好，近年来，我们发现一个问题所指的范围正在变得越来越宽广：行星到底由什么组成? 在 20 世纪大部分的时间里，关于这个问题的讨论主要围绕太阳系内的各大行星展开，但在 20 世纪和 21 世纪之交的几年里，天体物理学家在相对较近的恒星周围发现了超过 100 颗“系外”行星，由此积累了关于行星早期历史的大量数据，其中一些数据或许可以帮助我们弄清楚，这些黑暗致密的小天体到底是如何随着赋予它们光明和生命的恒星一起形成的。

现在天体物理学家或许得到了更多数据，但对于这个问题的准确答案，他们还是和以前一样摸不着头脑。事实上，系外行星的发现带来的问题比答案还多，许多系外行星的公转轨道迥异于太阳系内的行星，行星形成的故事离结束似乎还很遥远。如果非要简单总结一下的话，我们可以说，虽然我们还无法解释行星是如何从气体和尘埃中开始成形的，但要回答另一个问题却相对比较容易：行星开始成形以后，最初的小天体是如何在相对较短的时间内变得越来越大的。

行星成形的初始驱动来自何方，这的确是个棘手的问题。作为这个领域的世界级专家，普林斯顿大学的斯科特·特里梅因（Scott Tremaine）半开玩笑地提出了一套“特里梅因行星成形定律”。特里梅因的第一定律阐述如下，“关于系外行星的所有理论预测都是错的”，第二定律则是，“关于行星成形最可靠的预测是它不可能发生”。特里梅因的玩笑凸显了一个绕不开的事实：行星的确存在，虽然我们完全无法解释这个天文之谜。

200 多年前，为了解释太阳和太阳系的行星如何形成，伊曼努尔·康德提出了“星云假说”，根据他的理论，正在成形的恒星周围裹着一层旋转的气体和尘埃，后来这些物质逐渐凝聚成块，变成行星。宽泛地说，现代天文学行星形成理论的基础正是康德的假说，这套理论战胜了 20 世纪上半叶盛行一时的观点（太阳系的行星源自另一颗近距离掠过太阳的恒星），成了学界主流。按照后面这套理论设想的场景，在引力的撕扯下，两颗恒星都失去了一部分质量，这些气体离开恒星后有一部分冷却下来，凝聚形成行星。这套假说是英国著名天体物理学家詹姆斯·金斯（James Jeans）提出的，它的缺陷（或者说优点，具体取决于你个人的倾向）在于，如果这套假说成立，那么行星系应该非常罕见，因为在整个星系的生命周期中，两颗恒星近距离擦肩而过的机会可能只有寥寥几次。后来天文学家通过计算发现，被引力撕扯离开恒星的所有气体几乎都会蒸发，而不会凝聚，于是他们立即抛弃了金斯的假说，转而回头拥抱康德的理论。按照康德的设想，很多恒星都有自己的行星。

现在，天体物理学家有充分的证据证明，气体尘埃云里的恒星并不是一颗接一颗诞生的，而是千万颗恒星同时成形，一片尘埃云最终孕育的恒星可能多达 100 万颗。猎户座星云就是这样一个孕育恒星的巨大温床，它也是离太阳系最近的造星区域。在几百万年的时间里，这片区域将孕育数十万颗新恒星，这些星星会将星云中残存的大部分气体和尘埃吹向太空，所以几十万代之后的天文学家可能会观察到，这些年轻的恒星离开了孕育它们的茧壳，释放出灿烂的光芒。

现在的天体物理学家利用无线电望远镜来测绘年轻恒星周围的低温气体和尘埃。他们的观测结果表明，空间中运行的年轻恒星通常不是完全赤裸的，这些星体周围常常包裹着厚厚一层尺寸和太阳系相仿的旋转物质盘，这些物质的主要成分是氢（和其他丰度较低的气体），气团中散布着大量尘埃微粒。在这里，“尘埃”指的是数百万个原子组成的微粒簇，它们的尺寸比英文里的句号还要小得多。很多尘埃微粒的主要成分是碳原子，它们组合在一起形成了石墨（也就是铅笔里的“铅”）；其余成分包括硅和氧的原子混合物——从本质上说，这就是裹着细小石砾的冰晶。

恒星际空间中这些尘埃的形成也有一套复杂详细的理论，我们在此不加赘述，你只需要知道宇宙中充满尘埃就够了。尘埃形成的先决条件是数以百万计的原子富集在一起，考虑到恒星际空间中极低的物质密度，这样的过程最有可能发生在恒星大气层外温度相对较低的区域，因为恒星会将自身的材料温柔地吹向宇宙空间。

恒星际尘埃微粒的形成为行星的诞生奠定了至关重要的第一步。

这样的描述不光适用于地球这样的固态行星，也同样适合气态巨行星，例如，太阳系里的木星和土星。虽然这些行星的主要成分是氢和氦，但天体物理学家根据它们的内部结构和质量计算得出结论：这些气态巨行星必然拥有固态的内核。比如说，木星的总质量是地球的318倍，其中木星核的质量相当于地球的几十倍。而土星的质量是地球的95倍，它的固态内核质量是地球的一二十倍。而对于太阳系内较小的气态行星天王星和海王星来说，它们的固态内核占比反而相对较高。这两颗行星的质量分别是地球的15倍和17倍，其行星核可能占据了总质量的一半以上。

对于这四颗气态行星，或许还有我们新近发现的所有气态行星来说，行星核在它们的形成过程中发挥着至关重要的作用：首先成形的必然是行星核，然后固态的行星核才开始吸引气体。因此，任何行星的形成都是从一大块固态物质开始的。在太阳系的所有行星中，木星的固态行星核尺寸最大，土星其次，然后是海王星和天王星，地球位列第五名，巧的是，地球的完整尺寸在太阳系中的排名也是第五。要解释行星形成的历史，我们必须回答一个基本问题：大自然是如何将尘埃凝聚成直径数千千米的物质团的？

这个问题的答案分成已知的和未知的两个部分，其中未知的那部分不出所料和起源问题有关。只要空间中已经形成了直径约800米的物体（天文学家称之为“微行星”），它就能产生足够强的引力，成功吸引周围的其他物质。多个微行星相互吸引构成行星核，最终形成成熟行星，短短几百万年内，小镇大小的物质团就会变成一个全新的世界，它的外面可能有一层薄薄的大气（例如金星、地球和火星），也可能裹着一层厚重的氢气和氦气（例如太阳系的4颗气态巨行星，这几颗行星与太阳之间的距离足够远，所以它们能聚集大量氢气和氦气）。天体物理学家借助一系列易于理解的计算机模型就能模拟从微行星到成熟行星的整个“发育”过程，包括种种细节，但根据现有模型，最终生成的内层行星总是尺寸较小的致密岩石行星，而外层行星则是稀薄的气态巨行星（当然，行星核并不是气态的）。在这个过程中，在其他更大天体的引力作用下，很多微行星会和它们形成的较大的天体一起彻底离开太阳系。

计算机程序可以完美地模拟从微行星到成熟行星的过程，但最初那个微行星又是怎么来的呢？最优秀的天体物理学家穷尽所有的物理学和计算机知识也无法构建出一个合理的模型。引力无法造就微行星，因为小物体之间微弱的引力无法有效地将它们凝聚在一起。尘埃形成微行星的理论假设倒是有两个，但都让人不甚满意。其中一个模型提出，微行星由尘埃微粒碰撞粘连堆积而成。从理论上说，这似乎站得住脚，因为大部分尘埃微粒一旦相遇的确会发生粘连。正是出于这个原因，你家沙发下面的灰尘总会聚集成团。稍微发挥一点想象力，你完全可以在脑子里模拟太阳周围的巨型尘埃团从椅子那么大慢慢长到房子那么大，然后是街区那么大，要不了多久它就会发展成微行星，到了这个阶段，引力就会真正开始发挥作用。

糟糕的是，微行星这么大的"尘埃团"需要的成形时间十分漫长。科学家检测了最古老的陨石中不稳定放射元素的原子核，结果发现，整个太阳系的形成花费的时间绝不超过几千万年，甚至可能比这还要短得多。太阳系内的行星差不多有 45.5 亿岁，所以行星成形花费的时间只有其总寿命的 1%，甚至更少。但从尘埃到微行星的堆积过程需要耗费的时间比几千万年长得多，除非天体物理学家漏掉了这个过程中的某些关键因素，否则我们完全无法解释二者之间的巨大出入。

另一套假说则提出，可能有某种巨型旋涡将数万亿尘埃微粒卷到一起，在短时间内将它们挤成了一大块致密天体。形成太阳和行星的收缩气体和尘埃云显然都在旋转，所以这些巨大的气团很快就从椭圆形变成了盘状，正在形成的太阳位于盘状结构中央，它是一个密度相对较高的收缩球体，周围环绕着一层扁平的盘状物质。现在，太阳系的所有行星几乎都在同一个平面上按照同样的方向公转，这正是因为最初形成微行星和行星的物质都分布在扁平的盘状结构中。按照天体物理学家的设想，这个旋转的盘子里开始出现涟漪般的“不稳定”结构，密度较大和较小的区域交替排列。密度较大的区域会逐渐吸引结构内的气态材料和飘浮在气体中的尘埃，只需要几千年时间，这些不稳定结构就会变成旋转的巨大旋涡，它会将大量尘埃集中到相对较小的区域中。

微行星形成的旋涡模型看起来似乎很合理，但它还是无法彻底征服那些一心想弄清行星起源的人。经过仔细的检验，我们发现这套模型更符合木星核和土星核的情况，但不适合解释天王星和海王星的形成。“不稳定结构”的存在是旋涡模型成立的前提，但天文学家却无法证明这一点，而我们必须克制自己，不要盲目下结论。直到现在，太阳系内仍存在大量小行星和彗星，它们的尺寸和成分都类似原始的微行星，这或许可以证明，几十亿年前的原始行星的确是由数百万个微行星聚集形成的。因此，我们不妨把微行星的形成看作某种我们还不能完全理解的客观现象，它弥合了知识领域中的一个巨大缺口，让我们得以静下心来，欣赏微行星碰撞引发的一系列激动人心的后果。

在旋涡模型的框架下，我们很容易想象，太阳周围的气体和尘埃聚集形成几万亿个微行星，这些天体彼此碰撞，形成更大的物质团，最终创造出太阳系的 4 颗内侧行星和另外 4 颗气态巨行星的内核。别忘了还有围绕行星旋转的卫星。除了最内侧的水星和金星，太阳系的所有行星都拥有卫星。个头大的卫星直径长达几百到几千千米，这些天体看起来非常符合我们刚才提出的模型，因为它们也是由碰撞的微行星堆积形成的。卫星的个头达到我们如今看到的尺寸以后，堆积的脚步就会放慢许多，毫无疑问，这是因为（我们认为）到了这个阶段，大部分微行星都会被卫星附近的行星吸引过去，因为后者的引力更大。火星和木星轨道之间的数十万颗小行星或许正是这样形成的。最大的小行星直径长达几百千米，很可能来自微行星的碰撞，然而不远处的巨行星木星产生的引力干扰了小行星的进一步成长，阻止了它们继续长大。最小的小行星直径不到1.6千米，我们或许可以将它当成微行星的典型样本。这些天体诞生于尘埃之中，却从未和其他微行星发生碰撞，这可能同样因为木星的引力干扰。

对于围绕巨行星运行的那些卫星来说，这套模型非常合理。太阳系的四颗巨行星都拥有一系列大小悬殊的卫星，其中最大的卫星个头堪比水星，而最小的卫星直径不到1.6千米，它可能也是一颗原始的微行星，因为从未发生碰撞所以一直没有长大。在这四颗行星拥有的所有卫星中，几乎所有大型卫星都在近乎同一个平面上沿相同方向公转。你很容易想到，太阳系内的所有行星也在同一个平面上沿相同方向绕太阳公转，二者之间的相似之处可以顺理成章地解释为：每颗行星周围都有一团旋转的气体尘埃云，物质块就诞生在这里。新生成的物质块不断变大，成为微行星，最终再形成卫星。

太阳系所有的内侧行星中，只有地球拥有体积较大的卫星。水星和金星没有卫星，火星的两颗卫星福波斯和得摩斯形状酷似土豆，直径只有若干千米，因此它们很可能代表着微行星刚刚开始碰撞形成天体的阶段。某些理论认为，这些卫星起源于小行星带，它们之所以会绕着火星公转，是因为火星的引力使得这两颗曾经的小行星脱离了自己的初始轨道。

我们的月亮直径超过了3000千米，在太阳系的所有卫星中，比月球尺寸更大的只有土卫六、木卫三、海卫一和木卫四（木卫一、木卫二的尺寸和月球大致相当）。月球会不会也是微行星碰撞的产物，就像太阳系的四颗内侧行星一样？

这个假设看起来颇有道理，但来自月球的岩石样本却讲述了另一个故事。30 多年前的阿波罗任务从月球取回了一批岩石样本，我们分析了这些样本的化学成分，最终得出了两个结论，它们分别代表着月球两种可能的起源。一方面，月球岩石的成分与地球上的十分相似，所以这两颗天体不可能毫无关系，另一方面，月岩和地球岩石也存在微妙的区别，这足以证明组成月球的物质并非全部来自地球。既然月球并不是和地球全然无关，但也不是完全来自地球，那它到底是怎么形成的呢？

这个难题的答案乍看之下有些惊人，它基于一个曾经非常流行的假说：在太阳系早期的一次剧烈撞击中，太平洋海盆的一大块物质材料离开地球进入太空，最终形成了月球。学界目前的主流观点认为，月球的确来自某个巨型天体与地球的碰撞，但由于撞击地球的天体实在太大（尺寸和火星相仿），所以它的一部分材料自然而然地与地球上飞出的碎片融为了一体。被撞入太空的大部分材料很可能早已离开了地球轨道，但剩余的部分仍足以形成我们熟悉的月球，所以这颗卫星既拥有来自地球的材料，又蕴含一部分外来物质。这一切都发生在 45 亿年前，也就是行星最初开始成形的那 1 亿年里。

在那遥远的过去，如果真的有一颗火星大小的天体撞击过地球，那它后来去哪儿了？它不太可能在冲击力作用下完全崩裂，变成我们观察不到的细小碎片：在内太阳系内，最先进的望远镜足以分辨微行星大小的物质块。为了寻找这颗远古天体的下落，我们看到了早期太阳系的另一副面貌：在那个混乱的年代里，太阳系内时时刻刻都在发生大量剧烈的碰撞。微行星能够堆积形成火星大小的天体，这样的天体却不一定能长期维持下去。它不光会撞击地球，碰撞后产生的大块碎片还将不断冲击地球和其他内侧行星，除此以外，这些碎片还会彼此碰撞，或者撞击月球（一旦月球开始成形）。换句话说，太阳系诞生之初的几亿年里，碰撞恐怖主义横扫内太阳系，巨型天体的碎片不断撞击正在成形的行星，最终这些碎片也变成了行星的一部分。撞击地球的巨型天体不过是这场炮弹雨中个头特别大的一个，在那个混乱暴力的灭世年代，无数微行星和更大的天体撞击地球及其相邻行星，最终和它们融为一体。

从另一个角度来说，这场险象环生的“炮弹雨”代表着行星形成过程的最后一个阶段。太阳系的雏形从那片混乱中脱颖而出，直到 40 亿年后的今天，它的模样仍未发生太大的改变：一颗普通恒星周围环绕着八颗行星（再加上冰冷的冥王星，它其实更像一颗巨大的彗星而非行星）、几十万颗小行星、几万亿颗流星体（每天撞击地球的这种小碎片多达几千块）和几万亿颗彗星——这些脏雪球诞生在比地日距离远十几倍的地方。别忘了，除了个别例外，长期来看，太阳系所有行星的卫星运行轨道都很稳定，从 46 亿年前它们诞生时起就几乎没有变过。我们不妨近距离观察一下那些围绕太阳公转的太空碎片，对地球这样的世界来说，小小的太空碎片既是生命的使者，又是死神的镰刀。

第十二章　无数个世界：太阳系外的行星

上帝存在于无数个世界之中，

但我们只能在自己的世界里追寻他的影踪。

他的目光能穿透一切，

看见组成宇宙的一个又一个世界。

看星系如何形成，

观察别处的行星如何围绕别的太阳旋转，

每颗恒星如何哺育自己的子民，

或许这将告诉我们，

上帝为何将我们塑造成今天的模样。

——亚历山大·蒲柏，《人论》（1755）

近500年前，尼古拉·哥白尼（Nicolaus Copernicus）重新提起了古希腊天文学家阿里斯塔克斯（Aristarchus）首创的一套假说。哥白尼公然宣称，地球绝不是整个宇宙的中心，而只是围绕太阳旋转的一系列行星之中的一颗。

大部分人完全无法接受这一事实，他们从内心深处坚信，地球是绝对静止的中心，天空中的所有物体都围绕地球旋转，但长期以来，天文学家提供了大量富有说服力的证据，足以证明哥白尼所说的才是我们这个宇宙的真相。只要承认了地球只是太阳系内的行星之一，那么我们立即可以得出一个推论：宇宙中应该存在其他类似地球的行星，那些行星上可能也有居民，他们和我们一样工作、娱乐、做梦、制订计划、幻想未来。

几百年来，天文学家通过望远镜观察了成千上万颗恒星，却无法确定这些恒星是否拥有自己的行星。不过他们至少确定了一点：太阳的确是一颗颇具代表性的恒星，银河系里和太阳差不多的恒星数不胜数。既然太阳拥有一个行星系，那么其他恒星没道理都是孤家寡人，而且它们的行星完全有可能孕育出各种各样的生命形式。1600 年，焦尔达诺·布鲁诺（Giordano Bruno）正是因为公开表达这一观点而冒犯了教皇的权威，最终被烧死在火刑柱上。今天的游客可以穿过罗马鲜花广场露天咖啡馆拥挤的人群，走到广场中央，驻足瞻仰布鲁诺的雕像，思考思想的力量如何战胜那些企图压制它的势力。

布鲁诺的命运让我们看到，人类是多么热衷于想象其他世界的生命。若非如此，布鲁诺想必能够安然活到耄耋之年，NASA 恐怕也不会陷入资金短缺的窘境。纵观历史，人类从未停止过想象其他世界的生命，直到今天，NASA 仍在努力搜寻太阳系内的其他行星，希望发现生命的蛛丝马迹。不过，我们寻找地外生命的努力始终面临一个极大的障碍：太阳系的其他行星似乎都不太适合生命存活。

虽然再严苛的环境也不能完全抹杀生命存在的可能性，但我们对火星、金星、木星及其大型卫星的初步探查却没发现任何生命的迹象。更糟糕的是，我们发现了数不清的证据，足以证明这些星球的环境极端恶劣，完全不利于生命存活——至少不利于我们所知的生命存活。当然，要得出确切的结论，我们还需要做进一步的调查。幸运的是，这方面的工作正在进行中，尤其是寻找火星生命的工作。虽然目前看来，太阳系内存在地外生命的可能性十分小，但善于变通的人们早已将目光投向太阳系外的浩渺宇宙，在那个广阔的世界里，还有很多行星正围绕着别的恒星旋转。

1995 年前，我们对系外行星的认知几乎完全出于想象。除了少数几颗围绕爆炸恒星残骸运行的尺寸和地球相仿的太空碎片（我们几乎可以肯定，这些碎片形成于超新星爆炸之后，所以很难被视作正常的行星）以外，天体物理学家连一颗“系外行星”（围绕除太阳以外的其他恒星旋转的行星）都没发现。不过到了 1995 年年底，人类终于发现了第一颗系外行星，几个月后又找到了 4 颗，接下来，我们发现系外行星的速度越来越快，如同开闸后的洪水般势不可当。时至今日，系外行星数量已经远远超过了太阳系内的行星——目前，已经有 4000 多颗系外行星得到证认，而且可以肯定，未来几年内这个数字还将不断增长。

要描述这些新发现的世界，进而分析地外生命存在的可能性，首先我们必须面对一个难以置信的事实：尽管天体物理学家坚称他们不光知道这些行星的存在，还能推算它们的质量、与母恒星的距离、公转周期甚至公转轨道的形状，但从来没有任何一个人真正看到过地外行星的模样，也没有人拍到过它们的照片。

既然天体物理学家连见都没见过系外行星，他们又怎么知道它的那么多数据？对于那些研究星光的人来说，这个问题很好回答。观察星光的专家可以将星光分解成光谱，然后比较成千上万颗恒星的光谱，根据不同颜色的相对强度分辨各种类型的恒星。很久很久以前，这些天体物理学家只能通过照片研究恒星光谱。时至今日，他们的设备已经换成了能够精确记录各种颜色星光强度的高精确度数字仪器。虽然这些恒星远在数万亿千米之外，但天体物理学家对它们的基本特性了如指掌。只需要测量星光光谱，如今的天体物理学家就能轻松确定哪些恒星的性质最接近太阳，哪些恒星比太阳更热、更亮，又有哪些恒星比太阳更冷、更暗。

而且他们能做的还不止这些。熟悉了各种恒星光谱中的颜色分布规律以后，天体物理学家就能从常规光谱中快速辨认出一些熟悉的模式，比如说，某种颜色的光比平时少了一些，甚至完全消失了。

他们常常在星光中发现这样的模式，除此以外，他们还会发现某颗恒星的整个光谱朝红端或者蓝端偏移了一点，因此他们常用的指标也得做出相应的调整。

科学家用波长来定义颜色，波长测量的是振动光波连续两个波峰之间的距离。事实上，特定波长的光对应的就是眼睛看到（大脑感知到）的颜色，只不过这种描述方式更精确一点。如果天体物理学家在数千种颜色组成的光谱中发现了某种熟悉的模式。比如说，某些光线的波长比平时长了1%，那么他们会立即得出结论：恒星颜色之所以会发生变化，是因为受到了多普勒效应的影响，这种效应描述的是正在接近或远离我们的物体发生的波长（频率）变化。举个例子，如果某件物体正在靠近我们，或者我们正在靠近它，那么我们探测到的这件物体发出的所有光波都比静止时短；如果这件物体正在离我们远去，或者我们正在离它远去，那我们观察到的波长会比静止时长。运动光源相对于静止状态的波长（频率）变化幅度取决于它和观察者之间的相对运动速度。如果运动速度远小于光速，那么光波波长变化的百分比（我们称之为“多普勒效应”）等于光源与观察者的相对速度与光速之比。

20世纪90年代，为了更精确地测量星光的多普勒频移，美国和瑞士的两个科学家团队做出了大量努力。他们这样做，不仅是为了满足科学家对精准的不懈追求，更重要的是，他们有一个明确的目标：通过研究恒星的星光确认行星是否存在。

我们为什么要用这么迂回的方法来寻找系外行星？因为截至目前，要找到太阳系外的行星，这是唯一的办法。以太阳系为例，我们不难发现，相对于恒星之间的漫长距离而言，恒星与围绕它旋转的行星之间的距离短得可以忽略不计。最近的恒星与我们之间的距离相当于太阳与其最内侧行星——水星——距离的50万倍。就连冥王星到太阳的距离也只相当于太阳到半人马座阿尔法星（它是离我们最近的恒星）距离的1/5000。从天文学的角度来说，恒星与行星之间的距离实在太短，而且行星都很暗，它们只能反射恒星的光芒，所以我们几乎不可能真正“看见”太阳系外的任何一颗行星。举个例子，假设围绕半人马座阿尔法星旋转的某颗行星上有一位天体物理学家，他将望远镜对准太阳的方向，试图寻找太阳系内最大的行星——木星。考虑到太阳与木星间的距离相当于太阳与半人马座阿尔法星距离的1/50000，而木星的亮度只有太阳的十亿分之一，对这位天体物理学家来说，在太阳旁边寻找木星的难度不亚于迎着探照灯的光芒寻找一只萤火虫。未来某天，我们或许能解决这个难题，但以目前的技术水平而言，直接观测系外行星完全是个不可能的任务。[1]

多普勒效应为我们提供了一条捷径。通过对恒星的深入研究，我们可以仔细测量星光的每一丝变化，这意味着该恒星接近或远离我们的速度发生了改变。如果这样的变化是周期性的——速度差先逐渐变大，达到一个最大值，然后减小到一个最小值，接下来再次增长到同一个最大值，以相同的时间间隔如此不断循环——那么我们就能得出一个合理的推论：这颗恒星必然围绕着空间中的某点旋转。

主宰恒星舞步的力量来自何方？根据我们现有的知识，唯一的答案是引力。毫无疑问，按照行星的定义，它的质量远小于恒星，所以它产生的引力也很小。因此，当行星的引力作用于质量远大于它的恒星，恒星的速度只会发生很小的变化。比如说，木星造成的太阳速度变化值大约是12.2米/秒，比一位世界级的短跑运动员快一点点。木星以12年为周期围绕太阳公转，如果观测者正好位于公转轨道的同一个平面上，那么他应该能测出阳光在木星影响下产生

(1) 2014年，欧洲南方天文台（ESO）已经实现对系外行星的直接成像观测。——校者注

的多普勒频移。在一段特定的时间里，太阳相对于这位观察者的速度每秒会增加 12.2 米；等到 6 年以后，这位观察者又会发现，太阳的速度比平常慢了 12.2 米 / 秒。在整个循环周期内，太阳与观察者之间的相对速度会从极大值平稳过渡到极小值，然后再从极小值增长到极大值。经过数十年的观察，这位天体物理学家顺理成章地得出结论：太阳拥有一颗公转周期为 12 年的行星，它让太阳的运转轨道和运动速度发生了细微的变化。太阳轨道与木星轨道半径之比相当于二者质量的反比。太阳的质量是木星的 1000 倍，所以木星围绕二者共同质心旋转的轨道半径是太阳轨道半径的 1000 倍，挪动太阳比挪动木星难 1000 倍。

当然，太阳拥有好几颗行星，每颗行星的引力都会对太阳产生一定的影响。因此，太阳最终的运动轨迹由所有行星共同确定，而每颗行星的公转周期各不相同。作为太阳系内最大、最重的行星，木星作用于太阳的引力也最强，所以在这套复杂系统中，主宰太阳舞步的力量主要来自木星。

天体物理学家通过观察恒星的舞步寻找系外行星，他们知道，如果那颗系外行星的质量或者公转半径和我们的木星差不多，那么要找到它的踪迹，我们测量速度差的精确度至少要达到 12.2 米 / 秒。以地球标准而言，这个速度似乎不算慢，但放到天文尺度上看，这个值相当于光速的百万分之一，要知道，恒星与我们的相对速度通常是这个数的几千倍。因此，要测出百万分之一光速的速度差引起的多普勒频移，天体物理学家测量波长（对应星光颜色）的精确度也必须达到百万分之一。

精确测量星光的意义不仅仅在于寻找行星。首先，通过这样的观测，天文学家确定了恒星速度的变化周期，这实际上等同于相应行星的公转周期。既然恒星的舞步按照特定周期不断循环，那么隶属于它的行星必然遵循同样的公转周期，只不过后者的轨道半径比前者大得多。于是我们顺理成章地算出了行星与恒星之间的距离。牛顿早已证明，绕恒星公转的天体与恒星的距离越近，它的轨道周期就越短，反之则越长，所以根据行星的公转轨道周期，我们可以轻松算出它与恒星之间的平均距离。比如说，如果太阳系内某颗行星的公转周期是 1 年，那么它与太阳之间的距离必然等于地日距离，而 12 年的公转周期对应的轨道半径是地日距离的 5.2 倍，木星就在这条轨道上运动。所以，采用这种观测方法的研究团队不仅可以对外宣布他们发现了一颗行星，还能算出这颗行星的公转周期及其与恒星之间的平均距离。

除此以外，他们还能进一步推测这颗行星其他信息。既然行星与恒星之间的距离是一个确定的值，那么行星作用于恒星的引力直接取决于它自身的质量。越重的行星产生的引力越大，影响恒星舞步的能力也越强。经过多年的仔细观察与推演，科学家制定了一份行星特征表格，只要知道了行星与恒星之间的距离，研究团队就能根据这份表格推测行星的质量。

不过，通过恒星的舞步来确定行星的质量，这种办法也有局限。研究天空中舞动的恒星时，天文学家无从得知我们与行星轨道平面之间的位置关系，也许我们正好位于这颗行星的轨道平面上，或者正好垂直于轨道平面（在这种情况下，我们测得的恒星速度差应该是零），又或者（最常见的情况）我们的位置与轨道平面既不平行也不垂直，而是成一个夹角。在行星的引力作用下，行星与恒星的轨道平面完全重合。因此，要测得恒星轨道速度的完整值，我们观测恒星的视线必须落在这个轨道平面上。要进一步理解这一点，你不妨设想自己站在棒球场上，如果投手掷出的棒球正迎面向你飞来或者飞速离你而去，那么你当然可以测量它的飞行速度，但要是棒球从你的视野中横掠而过，那就完全是另一回事了。如果你是一名球探，那么你最好去本垒后面找个位置坐下，因为在这个方向上，你的视线正好迎着棒球的飞行方向。要是你站在一垒线或者三垒线旁边，那么投手掷出的球就会从你眼前横着掠过去，棒球在你视线方向上的速度分量约等于零。

多普勒效应体现的只是恒星接近或远离我们的速度，无法测量垂直于视线方向的速度分量，所以一般来说，我们无从得知自己观测恒星的视线与恒星轨道平面之间的夹角到底有多大。这意味着我们算出的系外行星质量只是一个下限，要让它等于实际值，除非我们能证明自己的视线正好落在恒星的轨道平面上。平均而言，系外行星的质量是这个下限的两倍，但我们无从得知哪些系外行星更重一点，哪些又更轻一点。

除了推算行星的公转周期、轨道半径和质量下限以外，利用多普勒效应研究恒星舞步的天体物理学家还完成了另一个任务：他们确定了行星公转轨道的形状。有的系外行星公转轨道近乎正圆形，就像太阳系里的金星和海王星一样，但也有一些系外行星轨道呈明显的长椭圆形，类似水星、火星和冥王星，这样的行星近日点和远日点相距遥远。由于行星离恒星越近，它的运转速度就越快，所以在这段时间里，恒星自身的速度也会发生较大的改变。如果天文学家观测到某颗恒星在整个周期中的速度差始终保持恒定，那么引发这种变化的行星必然绕着一条近乎圆形的轨道运动。反过来说，如果恒星速度差时大时小，那么对应的行星轨道一定不是正圆形的，通过测量恒星速度差在整个周期中的变化，天文学家可以确定行星轨道的扁度。

研究系外行星的天体物理学家仔细观察天空中的星光，然后根据观测到的数据进行合理的推测，最终他们可以确定任何一颗系外行星的 4 个关键参数：轨道周期、与恒星的平均距离、质量下限以及轨道扁度。他们捕捉来自数万亿千米外的星光，以 1% 的精确度测量星光的颜色，试图利用这种方法在天空中寻找地球的堂亲——

虽然他们尚未达成目标，但也获得了不小的成就。

不过还有一个问题。我们发现的很多系外行星公转轨道半径都比太阳系的行星小得多。考虑到目前已知的所有系外行星的质量都和木星（这颗气态巨行星的轨道半径相当于地日距离的 5 倍以上）差不多，这个问题就显得更严重了。我们不妨花点时间审视一下这桩怪事，再来看看天体物理学家的解释。

利用恒星舞步寻找系外行星的时候，我们必须记住，这种方法存在天然的偏差。首先，离恒星较近的行星公转周期必然比远处的行星短。由于天体物理学家观察宇宙的时间十分有限，所以他们率先发现的肯定是那些公转周期更短（比如 6 个月）的行星，而不是远处的大周期（比如 12 年）行星。无论行星的公转周期是长还是短，天体物理学家都至少需要观察几个周期，才能确定恒星的运行速度的确存在一个可重复的变化模式。因此，要寻找那些公转周期与木星相当（12 年）的行星，他们可能得花上大半辈子。

其次，近处的行星作用于母恒星的引力也强于远处的兄弟姊妹。更强的引力造成的速度变化更大，恒星光谱产生的多普勒频移更明显，探测起来也更方便，所以那些近距离内层行星更容易引起我们的注意。不过，无论这些系外行星与恒星的距离是远还是近，我们利用多普勒频移算出的行星质量都和木星差不多（相当于地球质量的 318 倍）。质量远小于这个值的行星对恒星速度的影响太小，我们现在的技术根本探测不到。

基于上述原因，我们发现的第一批系外行星与恒星的距离都很近，质量也都和木星差不多，这件事也不足为奇了。真正让人惊讶的是，这些系外行星与恒星的距离实在近得离谱——我们熟悉的系内行星围绕太阳公转的周期通常是几个月到几年，但系外行星的公转周期常常只有短短几天。截至目前，天体物理学家已经发现了十多颗公转周期小于一周的行星，其中最快的一颗行星公转周期只有两天半多一点。这颗名叫 HD73256 b 的行星围绕一颗类似太阳的恒星旋转，它的质量至少相当于木星质量的 1.9 倍，公转轨道呈长椭圆形，平均轨道半径只有地日距离的 3.7%。换句话说，这颗巨行星的质量是地球的 600 倍以上，但它的轨道半径还不到水星的 1/10。

水星由岩石和金属组成，这颗行星朝向太阳的那面温度高达几百摄氏度。与此相对，木星和太阳系的其他巨行星（土星、天王星和海王星）都是巨型“气球”，这几颗行星的固态内核在总质量中的占比极小。按照现有的任何一种行星构造理论，质量与木星相当的行星都不可能是水星、金星和地球这样的固态行星，因为构成行星雏形的原始云团包含的物质太少，不足以固化形成质量相当于地球几十倍的行星。在这个伟大的侦探故事中，只需要再向前迈出一步，我们就会得出结论：迄今为止，天文学家发现的所有系外行星（它们的质量与木星相当）必然都是气态巨行星。

这个令人震惊的结论立即带来了两个问题：这些类似木星的行星为什么会在这么近的轨道上运行？它们的气体为什么没被恒星的热量蒸发？第二个问题的答案相对简单：这些行星的质量很大，所以哪怕在高温环境中，它自身的引力也足以克服气体原子和分子向外逃逸的趋势。不过，在最极端的条件下，虽然引力占据了上风，但这样的优势非常微弱，只要行星轨道再向内收缩一点，它们的气体就真的会被恒星的热量蒸发。

要回答第一个问题，我们必须厘清行星形成的基本逻辑。正如我们在第十一章中看到的，为了理解太阳系的行星形成过程，理论家付出了极大的努力。他们认为，系内行星诞生于一片煎饼状的气体尘埃云里，小物质块慢慢堆积形成更大的物质块，这就是行星的雏形。在这个围绕太阳旋转的扁平物质团里，独立的物质块先是随机出现，新形成的物质团密度高于平均值，所以接下来它们开始吸引其他微粒。在这个过程的最终阶段，地球和其他固态行星都经受了最后一批大物质块的密集撞击洗礼。

随着行星系逐渐凝聚成形，太阳开始释放光芒，蒸发周围最轻的元素（氢和氦），所以太阳系最内侧的 4 颗行星（水星、金星、地球和火星）几乎完全由更重的元素组成，包括碳、氧、硅、铝和铁。与此相对，在地日距离 5～30 倍的这个区域里，物质块的温度相对较低，大部分氢元素和氦元素得以保留下来。这两种最轻的元素也是丰度最高的元素，所以 4 颗气态巨行星的质量都比地球大得多。

冥王星与岩石质的内层行星和气态的外层行星都不一样，它其实更像彗星。冥王星由岩石和冰组成，目前还没有任何一艘飞船造访过这颗天体。[1] 彗星的直径通常只有 8～80 千米，但冥王星直径长达 3219 千米，它算是早期太阳系里名列前茅的庞然大物。冥王星的寿命和最古老的陨石相仿，陨石是掉落到地面上的太空岩石、金属碎片或者岩石与金属的混合物，有经验的人能分辨花园里的普通石块和陨石。

所以行星的雏形很可能就是类似彗星和陨石的结构，气态巨行星利用固态内核吸引大量气体，维持自身形态。利用放射性测年法，科学家发现，最古老的陨石已经有 45.5 亿年历史，比月球（42 亿年）和地球（40 亿年出头）上最古老的岩石还要老得多。因此，太阳系大约诞生于 45.5 亿年前，在那个遥远的创世年代，太阳系的行星自然而然地分成了两组：相对较小的固态内层行星与个头和质量都大得多的气态巨行星。4 颗内层行星与太阳之间的距离相当于地日距离的 0.37～1.52 倍。与此同时，4 颗巨行星与太阳之间的距离要远得多，相当于地日距离的 5.2 ～30 倍，所以它们才能长到那么大。

---

(1) 2018 年，旅行者 1 号对冥王星进行了飞掠探测。——校者注

回顾太阳系行星的形成过程，再看看我们现在发现的系外行星，目前的局面着实令人尴尬：为什么有这么多质量与木星相当的天体运行在半径比水星还要小得多的轨道上？的确，我们发现的第一批系外行星与恒星之间的距离都近得离谱，太阳系倒更像是个例外。要知道，理论家以太阳系为蓝本建立行星系标准模型的时候，他们根本不知道其他行星系到底长什么样。不过，近处的行星的确更容易被发现，理解了这一偏见以后，科学家恢复了一点信心。没过多久他们就开始有意识地拉长观察周期，采用高精确度测量设备，试图寻找与恒星距离更远的气态巨行星。

时至今日，如果把我们发现的系外行星按照轨道半径从小到大的顺序排列起来，这份名单的最上方仍然是我们之前提到过的那颗公转周期只有两天半的行星，接下来我们跳过中间的上百个条目，直接去看最后一名：这颗行星围绕“巨蟹座 55”恒星旋转，它的质量至少是木星的 4 倍，公转周期长达 13.7 年。根据这颗行星的轨道周期，天体物理学家计算得出，它与恒星的距离相当于地日距离的 5.9 倍，或者木日距离的 1.14 倍。这是我们发现的第一颗轨道半径超过木日距离的系外行星，它所在的行星系看起来似乎和我们的太阳系差不多，至少二者的恒星和最大的行星都十分相似。

但事实并非如此。这颗围绕巨蟹座 55 旋转、轨道半径相当于 5.9 倍地日距离的行星其实并不是那个行星系的第一颗行星，而是第三颗行星。现在，天文学家已经积累了足够的数据，解释多普勒频移的技艺也越来越高超，所以他们可以根据恒星的舞步反推出两颗甚至更多行星的影响。每颗行星都会对恒星施加一定程度的影响，其循环周期等于行星围绕恒星公转的周期。只要观察的时间够长，计算机的功能够强大，行星猎手就能透过恒星的复杂舞步看到背后那一个个独立的世界。比如，巨蟹座 55 是一颗中等亮度的恒星，天体物理学家已经发现，它拥有两颗距离较近的行星，其公转周期分别是 42 天和 89 天，质量下限分别相当于木星的 0.84 倍和 0.21 倍，其中质量“只有”木星 0.21 倍（相当于 67 个地球）的那颗行星是当时人类探测到的最轻的系外行星。不过时至今日，系外行星的质量下限已经降低到了地球质量的 35 倍——还是比地球大得多。所以我们不必着急，未来很长一段时间里，天文学家恐怕都很难找到真正和地球条件相仿的系外行星。

围绕巨蟹座 55 运行的这颗行星的确引人注目，即便如此，我们也不能忘了刚才的问题：为什么有这么多质量与木星相仿的系外行星运行在半径远小于水星的轨道上？专家会告诉你，如果某颗恒星的条件与太阳相仿，那么在它周围 3～4 倍地日距离的范围内，根本不可能形成木星那么大的行星。假如系外行星也满足这一点，那么它们必然是在成熟以后才移动到离恒星更近的轨道上的。若事实果真如此，那我们要面对 3 个棘手的问题：

（1）什么力量将成形后的行星推到了离恒星更近的轨道上？

（2）为什么这些行星不会继续靠近恒星，直至最后烧毁？

（3）为什么那么多行星系里都发生了这样的事情，但我们的太阳系却没有？

在系外行星发现浪潮的刺激下，渊博的科学家找到了这些问题的答案。目前最受学界认可的专业意见可以总结如下。

第一，行星之所以会发生迁移，是因为气态巨行星形成以后，海量的剩余物质仍在它的轨道内侧围绕恒星旋转。大型行星的引力会将这些物质逐渐转移到外层轨道上，与此同时，受反作用力的影响，行星自身会慢慢朝着内层轨道运动。

第二，等到这些行星移动到比初始位置近得多的轨道上，来自恒星的潮汐力就会锁定它们的位置。太阳和月球的潮汐力会掀起地球上的潮水，恒星的潮汐力也会改变系外行星的自转周期，使其等于公转周期，就像地球和月球的情况一样。除此以外，潮汐力还会阻止行星继续靠近恒星，不过这种现象背后的天文学原理过于复杂，我们在此不加赘述。

第三，行星系内的碎片是多还是少可能完全取决于运气。有的行星系就是残留了大量碎片，最终导致行星迁移，就像我们观察到的那些系外行星，而有的行星系碎片相对较少，所以行星都停留在自己的初始位置上，例如我们的太阳系。对于巨蟹座 55 来说，也许它的三颗行星都向内发生过明显的迁移，最外侧的行星与恒星的初始距离其实是现在的好几倍，又或者这个行星系内碎片的分布情况比较特殊，最终前两颗行星向内发生了明显的迁移，但第三颗行星一直停留在自己的初始轨道上。

要解释恒星周围行星系成形的具体过程，天体物理学家还有很多工作要做。与此同时，系外行星猎人还在孜孜不倦地寻找地球的堂亲，它的尺寸、质量与轨道半径应该都和地球相仿。如果真的找到了这样一颗行星，他们希望能对它进行精确的测量，以确定这颗行星是否拥有类似的球的大气层和海洋，甚至拥有生命——哪怕隔着几十光年的距离。

天体物理学家深知，要实现这个梦想，他们必须将设备送到大气层外的地球轨道上，这样才能避开干扰，得到更精确的测量数据。NASA 的开普勒计划就是这样一项实验，它的目标是观察我们周围的数十万颗恒星，捕捉地球尺寸的行星掠过恒星表面时引发的星光微妙变化（大约万分之一）。这种测量方法对角度的要求极为苛刻，我们的视线必须和被观察行星的轨道平面几乎完全平行。不过，在这种情况下，行星引发恒星星光变化的周期等于行星的公转周期，有了这个数据，我们就能算出行星与恒星之间的距离，进而根据星光的变化规律确定行星尺寸。

不过，要想获得行星本身的更多物理参数，我们必须直接研究行星的照片，分析行星的反射光谱。NASA 和 ESA（欧洲空间局，简称“欧空局”）正在执行这方面的计划，希望在未来 20 年内实现这一目标。如果我们真的能找到一颗类似的球的系外行星，哪怕在另一颗比太阳亮得多的恒星旁边，它只是一个微不足道的暗淡蓝点，这也足以激励下一代的诗人、物理学家和政治家。我们可以分析这颗行星的反射光，确定它的大气层中是否含有氧气（生命存在的迹象之一），甚至确定那里是否同时含有氧气和甲烷（生命大概率存在的证据），这样的壮举足以让区区凡人飞升成为吟游诗人代代传唱的英雄。正如 F. 斯科特·菲茨杰拉德（F. Scott Fitzgerald）在《了不起的盖茨比》中所说的，我们即将面对的是与人类创造奇迹的能力同样伟大的一些东西。本书的最后几章介绍的正是这方面的内容，如果你梦想在宇宙中的其他地方发现生命，那就请继续读下去吧。

卷四

生命的起源

第十三章　宇宙中的生命

追寻起源的征途不出所料地将我们引向了一个最根本也最具争议性的最大谜团：生命的起源，尤其是未来某天可能与我们建立联系的地外生命的起源。数百年来，人类从未停止过猜测，我们和宇宙中的其他智慧生命将如何邂逅，如何做出一些必将载入史册的哪怕是最简单的交流。要解开这个谜题，最关键的线索或许就藏在宇宙的起源蓝图之中，它囊括了地球的起源、太阳系行星家族的起源、为生命提供能量的恒星的起源、宇宙中结构的起源，还有宇宙本身的起源和演化。

如果我们能够仔细审视这张蓝图，它将引领我们走遍整个宇宙，从最宏观的天文现象到最微不足道的细微波澜，从浩瀚无垠的空间到各种生命滋生演化的一个个具体地点。如果我们能将不同环境孕育出的不同生命形式放到一起比较，那么我们或许可以从中总结出生命诞生的规律，包括一般情况和特例。今天的我们知道的生命形式只有一种，那就是地球上的生命。地球上的所有生命拥有同样的起源，而且它们都基于 DNA 分子完成繁殖。这一事实局限了我们对生命的认识：既然我们只见过这一种生命形式，那要普查整个宇宙的所有生命，我们又该从何处入手？除非未来某天，我们在地球以外的地方发现了其他形式的生命，由此扩展了对生命的认识，这样的普查才有可能完成。

事情还可能发展得更糟。我们对地球生命的演化史的确已经有了一定的了解，而且从中归纳出了一些普遍规律，按照我们的设想，这些规律应该适用于宇宙中的所有生命。所以我们可以根据这些规律在宇宙中寻找满足（或者曾经满足）生命基本需求的环境。无论我们如何努力去想象地球以外的生命，最终都难免落入这种以人类为中心的思维窠臼，我们天生倾向于相信，地外生命形式必然类似我们自己。地球生命的演化史和个人的亲身体验局限了我们的视野，实际上我们根本无从想象生活在其他世界中的截然不同的生命形式。只有熟知地球生命多样性的生物学家才能自信地推测地外生命可能的模样，它们的奇怪程度完全超出了普通人类想象的极限。

也许未来某天——或许是明年，或许是下个世纪，或许是更久之后——我们会发现地球以外的生命，或者收集到足够多的数据，证明如今某些科学家提出的观点：地球上的生命是银河系中独一无二的特殊现象。但是现在，我们拥有的信息实在太少，所以一切皆有可能：也许我们会在太阳系内的某几颗天体上发现生命，这意味着银河系内拥有生命的行星系可能有几十亿个；也许我们最终确定，地球是太阳系内唯一拥有生命的天体，至于围绕其他恒星旋转的行星上有没有生命，这个问题只能留给时间来回答；又或者我们慢慢发现，无论望向多远的地方，我们都看不到生命的任何迹象。寻找地外生命的过程和其他任何努力一样，正面的结果总能助长积极的情绪，而不利的消息常常造成意志的消沉。关于地外生命是否存在的问题，最新的进展应该算是正面的。我们发现太阳附近的很多恒星都拥有自己的行星，所以在我们的银河系里，生命或许并不鲜见。无论如何，要准确回答这个问题，我们还有很多工作要做。如果我们最终发现，虽然行星的数量众多，但它们都无法提供适合生命存活的条件，那么地球或许真的是宇宙中唯一有生命的地方。

谈到地外生命，科学家常常援引美国天文学家弗兰克·德雷克（Frank Drake）在20世纪60年代初提出的德雷克方程。这个方程提供了一个颇为灵活的概念，而不是言之凿凿地宣称物理宇宙一定如何运转。我们一直试图估算银河系中可能存在智慧生命的星球数量，德雷克将已知和未知的信息有效地综合起来，把这个问题转化成了一系列量化参数的组合，每个参数分别代表智慧生命发展所需的一个必要条件。这些参数包括：（1）银河系中寿命长得足以让围绕它旋转的行星发展出生命的恒星数量；（2）每颗恒星平均拥有的行星数量；（3）客观条件适合生命存活的行星在所有行星中的占比；（4）宜居行星真正发展出生命的概率；（5）宜居行星的生命演化出文明的概率，按照天文学家的定义，“文明”至少应该具备和我们交流的能力。将这 5 个参数相乘，我们就能算出银河系中至少出现过文明的行星数量。而要算出最后的答案——在任意给定的时间段内（譬如现在），银河系中存在的文明数量——我们必须将刚才的计算结果再乘以第六个也是最后一个参数：文明的平均寿命与银河系总寿命（约 100 亿年）的比值。

要确定德雷克方程中各个参数的具体数值，我们必须综合运用天文学、生物学和社会学等各方面的知识。目前我们已经比较准确地估算出了前两个参数的值，第三个参数也有了一些眉目。从另一个方面来说，要估算第四个参数和第五个参数，我们必须先找到银河系内的其他生命形式，并对它们进行深入的研究。但现在我们完全没有这方面的数据，所以专家也只能和门外汉一样瞎蒙。比如说，如果一颗行星具备维持生命的基本条件，那么它真正孕育出生命的概率有多大呢？要回答这个问题，最科学的方法应该是在几十亿年的时间内持续观察多颗宜居行星，看看其中有多少行星能孕育出生命。同样，要估算银河系中文明的平均寿命，首先我们得有足够多的文明样本，然后还得连续观察几十亿年。

既然如此，这岂非不可能完成的任务？未来很长一段时间里，我们恐怕都无法算出德雷克方程的精确解，除非我们邂逅的某个地外文明早已解决了这个难题，没准我们的文明就是他们采集的数据样本之一。但无论如何，德雷克方程提供了一个行之有效的思路，让我们能以科学的方法估算目前银河系中可能存在的文明数量。方程中的 6 个参数都将直接影响计算结果，所以我们必须将这些参数连乘，才能得出最后的结论。举个例子，你原本假设每三颗宜居行星中有一颗能够真正发展出生命，但后来却发现这个比例实际上应该是 1/30，那么就算你的其他参数都正确无误，但最后你算出的文明数量也是实际值的 10 倍。

目前我们能够相对比较准确地估算德雷克方程的前三个参数，根据这些数据进行的初步计算表明，银河系中可能存在生命的行星多达数十亿颗。（谨慎起见，我们将寻找地外生命的范围局限在银河系以内，因为其他星系的文明恐怕很难和我们建立联系。）如果你愿意的话，你可以和朋友、家人、同事认真讨论一下德雷克方程后面三个参数的值，算出你心目中银河系拥有的技术文明数量。比如说，如果你相信大部分宜居行星都能发展出生命，而且这些生命基本都能演化出文明，那么你可以得出结论：银河系中曾经发展出文明的行星多达数十亿颗。反过来说，如果你觉得宜居行星孕育生命的概率只有几千分之一，而这些生命发展出文明的概率也不高于千分之一，那么根据你的设想，银河系中拥有过文明的行星就只有几千颗，而不是几十亿颗。不同的人算出的答案可能相差好几个数量级，我们举的这两个例子还不算极端。这是否意味着德雷克方程根本就不是什么科学，而是天马行空的妄想？事实并非如此。之所以会出现这样的局面，只是因为我们手里的数据太少，而这个问题又太复杂。

估算德雷克方程后三个参数的困难之处在于，以点代面难免失之偏颇——我们现在甚至连点都没有。比如说，我们连自己的文明能延续多久都不知道，又该怎么去估算银河系内文明的平均寿命呢？既然如此，我们是否应该彻底放弃估算这些数字呢？但这样一来，我们就只能停留在无知的迷雾中，也无从享受推测的乐趣。既然现在我们完全没有这方面的数据，那么在做推测的时候，我们最好保守一点：最安全的策略应该是假设我们在银河系中并不特殊（虽然这一点也可能错得离谱）。天体物理学家以哥白尼之名将这样的策略命名为“哥白尼原则”，16世纪中期，正是这位科学家将太阳放到了我们这个行星系的中央，后来人们发现，事实的确如此。虽然早在公元前3世纪，希腊哲学家阿里斯塔克斯就提出过日心说，但直到哥白尼的年代，大部分人仍然相信地球才是宇宙的中心。在罗马天主教会的支持下，亚里士多德和托勒密建立的地心说大行其道，地球是所有造物的中心，大多数欧洲人对此深信不疑。从神创论的角度来说，地心说俨然已是先验的真理。直到今天，仍有不少人坚信地球是宇宙的中心，因为他们感觉不到地球的运动，而且天空中的所有星星看起来的确都在围绕地球旋转。

虽然谁也无法确保哥白尼原则就一定适用于所有科学领域，但它的确有效平衡了我们总是觉得自己比较特殊的思维定式。更重要的是，截至目前，哥白尼原则成功帮助我们解决了许多难题，几乎从无败绩：地球并不是太阳系的中心，太阳系也不是银河系的中心，银河系更不是宇宙中心。如果你相信边缘才是最特殊的位置，那我们也不在任何结构的边缘。因此，最明智的做法应该是假设地球上的生命也同样遵循哥白尼原则。如果事实果真如此，地球生命的起源、组成和结构又将为我们寻找宇宙中的其他生命提供什么线索呢？

要回答这个问题，我们必须深入理解一系列生物学知识。长期的观察帮助我们积累了许多生物学数据，地球生命的多样性常常令我们惊叹不已，生物学家对此感触最多。仅仅在地球这一颗行星上就有无数种生命形式，其中包括真菌、甲虫、海绵、水母、蛇、秃鹫和巨杉。如果将这七种生物按照体形从小到大的顺序排列起来，你很难相信它们来自同一个宇宙，更别说同一个星球。如果一个人从来没见过蛇，你该如何向他描述这种生物？“你一定得相信我，我刚才在地球上看到了这样一种生物，它会用红外探测器跟踪猎物，哪怕猎物比它的头大 5 倍，它也能将对方活生生地吞下去，它没有手臂也没有腿，确切地说，没有任何附肢，但它能在水平地面上快速游动，和你走路一样快！”

和多姿多彩的地球比，好莱坞编剧对地外生命的幻想简直贫瘠得令人汗颜。当然，编剧或许可以责怪公众的庸俗口味，大家就爱看似曾相识的外星侵略者和怪物，而不是完全陌生的地外生命。除了《幽浮魔点》（1958）和斯坦利·库布里克（Stanley Kubrick）作品《2001：太空漫游》（1968）里那几个出色的地外生命形象以外，好莱坞塑造的外星人看起来总是和人类差不多。无论这些外星人长得有多丑（或者多可爱），他们几乎都拥有两只眼睛、一个鼻子、一个嘴巴、两个耳朵、一个头、一个脖子、一副肩膀、手臂、双手、手指、躯干、双腿、双脚，而且他们都会走路。从解剖学的角度来看，这些生物本质上和人类并无区别，虽然从理论上说，他们应该生活在其他行星上，演化路径也完全不同于地球生命。这简直是对哥白尼原则最粗暴的践踏。

研究地外生命可能形式的太空生物学是科学界推测色彩最浓郁的学科，但太空生物学家可以颇为自信地说，地外生命（无论是智慧生命还是非智慧生命）看起来至少应该和地球上的某些生命一样奇特，甚至更加奇特。寻找地外生命的时候，我们必须努力摆脱好莱坞深植于大众头脑中的偏见。要做到这一点并不容易，却非常重要，如果你真的想从科学的角度计算地外生命存在的可能性，而不是单纯从感情上期盼未来某天在宇宙中邂逅能与我们平静交谈的智慧生命。

第十四章　地球生命起源

要在宇宙中寻找生命，首先我们必须回答一个基本问题：什么是生命？太空生物学家会诚实地告诉你，这个问题其实并没有简单、权威的答案。“看到你就知道了”，这样的说法也没什么意义。无论采用什么标准来区分地球上的生命和非生命，你总能找到一些不符合定义的特例。某些（或者说全部）生命会生长、活动、衰败，但很多看起来一点也不像生命的物体也会表现出类似的行为。生命会繁殖？火也会。生命会演化产生新的形式？水溶液里的某些晶体也会。对于自然界的某些造物来说，只要一看到它，你就会不假思索地将它归类为生命——谁会怀疑三文鱼或者鹰不是生命呢？但如果你对地球生命的多样性有所了解，那么你不得不承认，对于很多生物来说，你得拥有专业的知识，而且足够幸运，才能发现它们的确是活的。

由于篇幅有限，我们只能给生命下一个粗略而实用的定义：能够繁殖、演化的物体都可归类为生命。如果某类物体仅仅拥有繁殖能力，我们还不能说它是活的。随着时间的推移，它们必须演化出新的形式，我们才能称之为生命。根据这个定义，如果被研究的物体只有一个，那么我们无从判断它到底是不是生命；我们必须查验同类物体的一系列个体，跟踪观察它们随时间流逝产生的变化，才能得出最后的结论。这样定义生命可能过于苛刻，但它至少很适合我们目前的情况。

通过观察地球上各式各样的生命，生物学家总结出了地球生命的一个共性。他们发现，地球上的所有生物主要都由四种化学元素组成：氢、氧、碳和氮。在任何一种生物的个体体内，其他所有元素加起来所占的比例也不到1%。除了四大元素以外，生物体内还有少量的磷，对大多数生物来说，这也是一种至关重要的关键元素。另外，还有更少量的硫、钠、镁、氯、钾、钙和铁。

但我们是否可以就此认为，宇宙中的其他生命形式也具有同样的特性？这时候就该祭出哥白尼原则了。地球生命体内含量最高的这四种元素在整个宇宙中的丰度都能排进前六名之列，由于位居前六的另外两种元素——氦和氖——几乎不与其他任何元素发生反应，所以我们可以说，地球生命由宇宙中最丰富、化学性质最活跃的元素组成。人类对其他世界的生命做出了五花八门的预测，其中最可靠的一条或许是：组成地外生命的基本元素应该和地球上的差不多。如果地球生命的主要成分是四种非常罕见的元素，例如，铌、铋、镓和钚，那么我们有充分的理由怀疑，地球生命在宇宙中必然有其特殊之处。但事实上，地球生命的化学成分非常合理，所以我们乐观地认为，宇宙中的其他某些地方很可能也存在别的生命。

地球生命的成分与哥白尼原则的契合之处还不止这一点。如果我们生活的行星主要由氢、氧、碳和氮组成，那么生命的主要成分也是这四种元素就完全是件顺理成章的事情，但事实上，地球的主要成分是氧、铁、硅和镁，而且最外层的地壳主要由氧、硅、铝和铁组成，对比一下组成生命的四大基本元素，我们发现这两组元素的交集只有一个：氧。我们将目光投向几乎完全由氢和氧组成的海洋，惊讶地发现，（除了氢和氧以外）海水中最常见的元素是氯、钠、硫、钙和钾，生命的另外两大基本元素碳和氮都不在此列。所以总的来说，地球生命的化学成分更类似恒星，而不是地球本身。生命的化学成分比地球本身更符合宇宙中的一般情况——对于执着于追寻地外生命的人来说，这是个良好的开端。

初步建立了“宇宙中组成生命的原材料并不鲜见”的观念以后，

接下来你或许会问：如果有合适的环境和能源（比如附近有一颗恒星），这些原材料组合形成生命的概率有多高呢？等到未来某天，人类对太阳系内可能存在生命的天体进行详尽的调查以后，我们或许可以比较准确地回答这个问题。不过现在，既然手头没有这方面的数据，我们只能通过其他迂回的方式找出一个近似的答案，然后继续追问：地球上的生命是怎么诞生的？

地球生命的起源仍是一个谜团。我们之所以对生命的起源所知甚少，很大程度上是因为这些事发生在几十亿年前，存留至今的线索几近于无。地球历史上 40 亿年之前的化石记录和地质记录完全是一片空白，但大多数古生物学家（研究远古生命的专家）相信，地球生命诞生于 46 亿年前到 40 亿年前，也就是太阳和它的行星诞生之初的这前 6 亿年里。

我们之所以缺乏 40 亿年前的地质数据，是因为地壳运动抹除了当时的记录，这样的运动通常被称为“大陆漂移说”，但更科学的叫法应该是“板块构造论”。来自地球内部的热能推动地壳板块不断滑动、碰撞、彼此重叠。板块的构造运动将曾经存在于地面上的所有东西缓慢地埋进地底。所以我们很难找到寿命超过 20 亿年的岩石，就连最古老的岩石也只有 38 亿岁。基于这一点，你很容易就能得出一个合理的推测：最原始的生命不太可能留下化石证据，我们几乎不可能在地球上找到最初一二十亿年的生命留下的可靠记录。目前我们发现的地球生命最古老的确切证据“只能”追溯到 27 亿年前，但有间接证据表明，在此之前，生命至少已经存在了 10 亿年。

大多数古生物学家相信，地球生命的历史至少有 30 亿年，甚至可能超过 40 亿年。也就是说，在地球形成之后的前 6 亿年里，生命已经开始出现。这个结论基于一个原始生命体的合理假设。近 30 亿年前，大量氧气开始出现在地球的大气层内。我们之所以知道这件事，线索完全来自地质记录而非化石证据：氧气会加剧富铁岩石的锈蚀，制造出漂亮的红色石头，亚利桑那州的大峡谷就是个典型的例子。来自前富氧时代的岩石绝不会是这种颜色，也不会留下其他与富氧大气有关的任何线索。

大气的富氧化是地球经历过的最严重的污染。除了加速铁的氧化以外，氧气还会和其他很多简单分子结合，严重破坏原始生命的食物来源。所以，大量氧气出现在地球的大气层中，这意味着生命要么适应这一变化，要么去死。如果直到这时候，地球上的生命还没有出现的话，它以后也永远不会出现了，因为此后诞生的原始生命都将面临饿死的危险，富氧环境会让它们的食物氧化变质。很多生物通过演化适应了氧气带来的污染，如今呼吸氧气的动物都能证明这一点。除此以外，你也可以选择尽量避开氧气。直到今天，所有动物（包括我们自己）的胃里还栖居着数十亿微生物，它们在胃部的酸性环境中活得很好，但只要暴露在空气中就会死亡。

地球大气层中（相对）丰富的氧气来自何方？这些氧气主要来自漂浮在海面上的微生物，它们的光合作用会释放氧气。还有一小部分氧气的生成与生命全然无关，因为阳光中的紫外线会分解海面上的部分水分子，将氢原子和氧原子释放到空气中。如果某颗行星地表有大量的水，那么在光线的照射下，行星大气层中的氧含量必将缓慢上升，只是这个过程可能需要几亿年甚至几十亿年。大气中的氧气也可能阻碍生命的出现，因为这种活泼元素会氧化一切能维持生命的营养物质。氧气会扼杀生命！这个论断听起来违反常识，但放到宇宙的尺度上却很准确：生命只能诞生于行星历史的早期阶段，否则大气层中越来越多的氧气将彻底扼杀生命出现的可能性。

出于某种奇怪的巧合，地球历史中缺乏地质记录的那个时期不仅仅是生命的起源年代，同时也是所谓的“大轰炸”时期。地球诞生之初的这几亿年的确意义重大，在这几亿年里，地球表面的每一寸土地都承受着太空碎片的持续轰击，亚利桑那州巴林杰陨石坑这种规模的撞击每个世纪都会发生好几次，每隔几千年，还有更大的碎片（直径长达几千米）坠落到地球上。每次剧烈撞击都会彻底重塑冲击点周围的地形，所以经历了数十万次撞击之后，整个地球表面早已面目全非。

这些撞击又将如何影响生命的起源呢？生物学家告诉我们，地球生命的出现和灭绝都和陨石有关，这样的事情可能发生过很多次。大轰炸阶段坠落到地球上的碎片主要来自彗星，从本质上说，这种天体其实就是夹杂着小石砾和灰尘的大雪球。彗星的“雪”里既有水凝成的冰也有二氧化碳凝成的干冰；除了雪、沙砾、富含矿物质和金属的岩石以外，最初几亿年里密集撞击地球的彗星碎片里还包含着各种各样的小分子，例如，甲烷、氨、甲醇、氰化氢和甲醛。这些分子再加上水、一氧化碳和二氧化碳，它们共同为生命提供了原材料。这几种分子都由氢、碳、氮和氧组成，而且它们都是构建复杂分子的基础结构。

因此，彗星的撞击为地球提供了海洋里的一部分水和生命起源的原材料。甚至生命本身也可能随着彗星来到了地球上，不过也有人提出，彗星的温度实在太低（通常是零下几百华氏度），很难孕育出真正复杂的分子。虽然我们无法确定是否真有生命搭乘彗星来到了地球，但可以肯定的是，在那个大轰炸年代，彗星在地球上散播生命之种的同时也可能毁灭已经出现的生命。最原始的生命形式可能反复在地球上诞生过很多次，每次它们都能存活、繁衍几十万年甚至几百万年，直到一块特别大的太空碎片撞向地球，抹除所有生命。过了一段时间以后，生命又会再次诞生，再次灭亡，如此周而复始，不断循环。

我们之所以能肯定，地球生命经历过不止一次诞生和灭亡，主要是因为两个事实。首先，地球生命诞生的时间很早，绝对不超过地球寿命的前 1/3。既然 10 亿年的时间足以孕育出生命，那么生命起源实际需要的时间说不定比这还要短得多，可能不超过几百万年，或者不超过几千万年。其次，我们知道，大型太空碎片的撞击摧毁地球上的大部分生命，这样的浩劫每隔几千万年就会发生一次，其中最著名的白垩纪—第三纪大灭绝发生在 6500 万年前，除了鸟类祖先以外的所有恐龙都死于非命，和它们一起走向灭绝的还有其他无数物种。但在地球历史上，白垩纪—第三纪大灭绝并不是最可怕的浩劫，发生在 2.52 亿年前的二叠纪—三叠纪大灭绝摧毁了地球上近 90% 的海洋物种和 70% 的陆地脊椎动物，地面上几乎只有真菌幸存了下来。

白垩纪—第三纪大灭绝和二叠纪—三叠纪大灭绝的源头都是某颗直径长达两三千米的巨型太空碎片。地质学家已经在尤卡坦半岛北部及其附近的海床上找到了 6500 万年前的一个巨型陨石坑，正好对应白垩纪—第三纪大灭绝发生的年代。澳大利亚西北海岸外有一个二叠纪—三叠纪大灭绝年代留下的更大的陨石坑，但引发那次灭绝的可能不仅仅是陨石撞击，还有其他一些因素，譬如火山爆发。其实白垩纪—第三纪恐龙灭绝这一个例子就足以提醒我们，彗星或小行星的撞击将对生命造成多大的破坏。而大轰炸年代的地球必然经历过不止一次这样的撞击，冲向地球的太空碎片直径可能长达 80 千米、160 千米，甚至 402 千米。这样的撞击必然会清空地球上的生命，它们要么彻底灭绝，要么只有一小部分存活下来；这样的巨型太空碎片造访地球的概率肯定比现在直径 16 千米的天体冲向地球的概率还高。现有的天文学、生物学、化学和地质学知识告诉我们，早期地球具备制造生命的必要条件，但外部的宇宙环境随时可能抹除刚刚萌芽的生命。在任何一颗恒星及其行星形成之初，造星过程残余的碎片都将密集撞击刚刚成形的星球，甚至可能抹除这些行星上的所有生命。

40多亿年前，太阳系形成过程中残余下来的大部分碎片要么已经撞向了行星，要么进入了公转轨道，不再横冲直撞。因此，地球周围的宇宙环境逐渐平静下来，我们迎来了如今的安乐时光。在这个阶段，可能每隔几百万年才会有一颗大得足以威胁全球生命的天体撞向地球。抬头看看天空中的圆月，你就能体会到，从那遥远的过去到现在，陨石撞击带来的威胁已经减少了几个数量级。月亮上那张“人脸”实际上是广阔的熔岩平原，它来自40亿年前大轰炸时代末期的一次剧烈撞击。这座直径长达88.5千米的环形山名叫“第谷坑”，造就这个巨坑的天体撞击月球的时间比地球上的恐龙灭绝略晚一点，虽然它的撞击力度略逊于地球上的那一次，但也足够引人注目。

地球上的生命是否早在40亿年前就已诞生，而且有一部分生命熬过了大轰炸时期的密集撞击？又或者在大轰炸时代结束后的静谧期，生命才开始萌芽？这个问题我们现在还无法回答。除此以外还有一种可能：地外天体为我们的星球带来了生命的种子，或许是在大轰炸期间，或许是在那之后不久。如果在那个天外火雨不断的年代，生命的确曾经反复出现、灭绝，那么我们或许可以合理地期待，宇宙中与地球相似的其他行星上，同样的过程也可能反复发生。但从另一个方面来说，如果地球上的生命只出现过一次，无论是土生土长还是来自地球以外，那么这个过程可能完全出于幸运。

无论地球上的生命只诞生过一次还是很多次，我们都无法回答一个关键问题：生命到底是怎么形成的？长久以来，人们提出过许多天马行空的猜测。要是谁能解开这个谜题，他必将获得丰厚的回报。从亚当的肋骨到弗兰肯斯坦博士创造的怪物，人们总是倾向于认为，某种神秘的“生命冲力”将鲜活的气息赋予了无生命的物质。

科学家试图深入探查，通过实验和化石记录研究生命与非生命之间的藩篱到底是什么，大自然又是如何打破这一藩篱的。早期人们认为，生命起源于池塘或潮池中的简单分子，它们会相互作用，创造出更复杂的分子。1859 年，查尔斯·达尔文（Charles Darwin）的惊世之作《物种起源》出版，在这本书中，达尔文提出，曾经出现在地球上的所有生命可能全都源自某种原始的生命形式。两年后，他在给朋友约瑟夫·胡克（Joseph Hooker）的一封信中写道：

> 人们常说，创造生命的所有条件现在我们一个都不缺，甚至从来就没缺过。但是（噢，这真是个沉重的但是）我们完全可以设想某个温暖的小池塘里什么都有（包括氨、磷盐、光、热、电，等等），蛋白质分子已经成形，并为下一步更复杂的变化做好了准备，如果这一切发生在今时今日，这些物质很快就会被“吃掉”，所以现在的情况和前生命时代很不一样。

换句话说，生命的起源需要两个条件：第一，新陈代谢所需的基本化合物必须大量存在，甚至有所冗余；第二，以这些化合物为食的造物还没有出现（其实还有第三个条件：大气层中的氧气相对比较稀薄，所以它们不会与这些简单化合物结合，破坏原始生命的口粮，我们之前讨论过这一点）。

从科学的角度来说，最成功的实验莫过于现实中的演化。1953 年，为了验证达尔文“生命起源于池塘或潮池之中”的观点，斯坦利·米勒（Stanley Miller）做了一个著名的实验：他在实验室中重现了早期地球的水池环境，当然，具体的条件主要出自他的设想，而且经过了高度简化。当时米勒还是芝加哥大学的一名研究生，他的老师是诺贝尔奖得主哈罗德·尤里（Harold Urey）。米勒和尤里将水装入烧瓶，然后在水面上方灌注水蒸气、氢气、氨和甲烷组成的混合气体；接下来他们从下方加热烧瓶，迫使烧瓶内的部分物质蒸发，再通过一根玻璃管将混合蒸汽导入另一个烧瓶；在第二个烧瓶中，他们用电火花模拟闪电的效果，最后再将混合蒸汽重新导入第一个烧瓶，完成一次循环。这个过程循环重复了几天，而不是现实中的几千年。没过多久，米勒和尤里就发现，烧瓶底部的水中充满了“有机黏性物质”，这是多种复杂分子组成的混合物，其中包括各种各样的糖和两种最简单的氨基酸（丙氨酸和鸟嘌呤）。

蛋白质分子本质上是20种氨基酸排列组合形成的不同结构，所以米勒-尤里实验揭示了一个惊人的结果：最简单的分子在极短的时间内就能生成氨基酸分子，而后者是构建所有生命体的基本单元。除了氨基酸以外，这个实验还制造出了另一些相当复杂的分子，人们称之为核苷酸，它是组成DNA（携带生物遗传信息的巨型分子）的关键结构元素。不过，要在实验室里真正制造出生命，我们还有很长的路要走。就算我们能人工制造出全部20种氨基酸，从氨基酸到生命仍有一条鸿沟。科学家在一些保存得最完好的古老陨石中发现了氨基酸分子，人们相信，这些陨石诞生于太阳系生命的早期，也就是说，它们的寿命长达46亿年，而且这些石头自形成以来几乎一直保持原状。所以，我们或许可以得出结论：制造氨基酸的自然过程在各种条件下都有可能发生。但从另一个方面来说，我们通过实验得出的结果也没什么奇怪的：生物体内的简单分子在多种条件下都能快速形成，但生命本身却不行。最关键的问题依然悬而未决：哪怕一切条件都已准备就绪，一系列的分子到底如何演变成生命？

早期地球孕育生命的时间绝不是短短几周，而是几百万年甚至几千万年，因此米勒和尤里的实验结果似乎足以支持生命起源的潮池模型。但时至今日，大部分试图追寻生命起源的科学家认为，当时的技术水平极大地限制了米勒和尤里的实验。他们之所以改变态度，倒不是对实验结果有所怀疑，而是因为他们认识到，这个实验背后的基本假说可能存在天然的缺陷。要理解这个缺陷，我们必须先看看现代生物学如何描述最古老的生命形式。

演化生物学的基础是各种生物 DNA 和 RNA 分子的相同和不同之处，这些分子携带的信息控制着生物的生理机能和繁殖过程。通过研究这些巨型复杂分子，生物学家描绘了一幅生命的“演化树”，你可以通过这棵大树直观地看到不同形式的生命在演化中的“距离”，两个物种演化距离的远近完全取决于它们的 DNA 和 RNA 分子有多大区别。

生物学家曾经将“界”定义为生物分类法中层级最高的类别，现在他们发现，生命之树有三个主要的分支（三个“域”）：古菌、细菌和真核生物。真核生物包括所有拥有清晰细胞核的独立细胞，细胞核内的遗传物质主导着细胞的繁殖。正是因为真核生物拥有这样的特性，所以它比另外两个域的生命体更复杂，事实上，普通人熟悉的所有生命几乎都属于这个分支。因此，我们或许可以顺理成章地得出结论：真核生物出现的时间应该比古菌和细菌更晚。又因为细菌的出现远远晚于古菌的出现（原因十分简单：细菌的 DNA 和 RNA 更复杂），所以我们几乎可以肯定，正如它们的名字所暗示的那样，古菌代表着最古老的生命形式。接下来我们要说的可能会吓你一跳：不同于细菌和真核生物，古菌主要由“极端微生物”组成，它们喜欢极端的环境——接近或超过沸点的水、强酸，或者普通生命根本无法存活的其他环境（当然，如果这些极端微生物拥有自己的生物学家，它们会觉得自己才是“正常”生物，而在室温下繁荣滋长的其他生命体才是“极端生物”）。对生命之树最新的研究表明，生命是从极端微生物开始的，后来它们才演化成了能在所谓的“正常”条件下获益的生命形式。

既然如此，达尔文的“温暖小池塘”和米勒-尤里在实验室里制造的潮池自然不是极端生物的理想栖息地。干燥与湿润交替循环的温和周期无从谈起，生命的起点很可能藏在喷涌的热泉附近，滚烫的泉水可能含酸。

在过去几十年里，海洋学家真的找到了这样的地方，而且发现了生活在那里的奇怪生命。1977 年，两位海洋学家乘坐一艘深海潜水器找到了第一处深海热泉，它藏在加拉帕戈斯群岛附近的太平洋海底，离平静的海面足有 2.4 千米。热泉附近的地壳就像厨房里的高压锅，将极高的压强锁在“锅盖”里，所以“锅子”里的水被加热到了 100 摄氏度以上，却不会沸腾。接下来，锅盖突然开一条缝，高压过热泉水立即从地壳下方喷涌到冰冷的海床上。

深海热泉喷出的过热泉水中溶解的矿物质会迅速冷却凝结，在喷孔周围形成多孔的巨型岩石“烟囱”，这些烟囱的内部滚烫，外层与海水接触的地方却很凉。温差悬殊的环境中生活着无数从未见过阳光的生命，它们不需要太阳的热量，却需要海水中溶解的氧，追根溯源，这些氧也来自海面附近能够进行光合作用的生物。生活在极端环境中的这些虫子靠地热为生，而地热有一部分来自地球形成过程的余温，还有一部分则来自不稳定同位素（例如，半衰期为几百万年的铝-26 和半衰期长达十数亿年的钾-40）持续衰变产生的辐射能。

海洋学家在阳光根本无法抵达的深海热泉附近发现了和成人身高一样长的巨型管虫，除此以外还有大群细菌和其他小型生物。就像植物从阳光中汲取能量完成光合作用一样，深海热泉附近的生物靠“化学合成作用”制造能量，这些能量归根结底来自地热。

化学合成到底是怎么发生的呢？深海热泉喷出的热水中富含硫－氢化合物和铁－氢化合物。喷口附近的细菌会将这两种化合物与水分子中的氢原子和氧原子结合起来，再加上海水中溶解的二氧化碳提供的碳分子和氧分子，制造出更大的碳水化合物分子。这样看来，深海细菌的行为和它地面上的表亲十分相似，后者也会利用碳、氧和氢制造碳水化合物。有的微生物会从阳光中汲取能量，制造碳水化合物，而有的微生物制造碳水化合物的能量来自海床上的化学反应。深海热泉附近的其他生物以这些细菌制造的碳水化合物为食，就像地面上的植食动物和肉食动物一样。

不过，深海热泉附近的化学反应制造出来的产品不仅仅是碳水化合物分子。要知道，碳水化合物里没有铁原子和硫原子，这些多余的原子会形成另一些化合物，其中最引人注目的是硫化铁晶体，俗称“傻子金”，古希腊人称之为“火石”，因为用它使劲撞击其他石头就会产生火花。作为地球上储量最丰富的含硫矿石，硫化铁可能在生命起源的过程中扮演着重要的角色，因为它促成了碳水化合物分子的形成。这套假说是由德国专利律师兼业余生物学家根特·维奇特萧瑟（Günter Wächtershäuser）提出的，繁重的工作并未磨灭他对生物学的兴趣，正如专利审查员的本职工作也不能阻止爱因斯坦研究物理学。（爱因斯坦拥有物理学的高级学位，但维奇特萧瑟的生物学和化学知识完全是自学的。）

1994 年，维奇特萧瑟提出，地球诞生之初，从深海热泉中喷涌而出的铁和硫自然生成的硫化铁晶体可能为富含碳的分子提供易于富集的表面，来自附近喷口的碳分子很容易在这里堆积起来。和池塘（或潮池）起源假说一样，维奇特萧瑟也无法清晰描述基本的分子如何形成生物，但他坚信深海的高温环境对生命起源做出了不可替代的贡献，或许我们最终会发现，他的思路没错。维奇特萧瑟认为，最早的复杂生命分子正是在高度有序的硫化铁晶体表面形成的，面对科学会议上的批评者，他发出了掷地有声的宣言：“有人说生命的起源是从无序中产生秩序，但我要说的是，秩序来自秩序本身！”这句德国色彩浓郁的口号赢得了不少拥护，但只有时间才能最终证明真理。

所以，生命起源的基本模型有这么多种，到底哪种才是对的呢？地球生命到底是源自海边的潮池，还是海床上的过热喷泉呢？目前看来，这两种假说的胜算基本五五开。研究生命起源的专家还不能完全接受“生命诞生于高温环境中”的说法，因为目前我们判断不同物种在演化树上位置的方法仍有争议。另外，我们通过计算机程序追溯古老 RNA 分子（DNA 的近亲，它在演化中出现的时间显然早于 DNA）中不同种类的化合物，结果发现，偏爱高温的化合物出现的时候，生命已经走过了一段温度相对较低的时期。

因此，哪怕是目前最前沿的研究也无法确切回答生命起源的问题，这样的情况在科学领域其实相当常见。虽然我们可以推算出地球生命诞生的大致时间，却无从得知这一伟大事件发生的地点和具体的过程。最近，古生物学家给地球生命神秘的祖先起了个名字：LUCA，这个英文缩写的意思是“所有地球生命最后一个共同的祖先”（瞧瞧科学家脑子里地球本位的思想是多么根深蒂固，这个缩写中的 U 代表的是“宇宙”，如果非要较真的话，既然是地球生命共同的祖先，它的英文缩写应该是 LECA，因为 E 才是“地球”的缩写）。目前，给这些祖先（拥有相同基因的一系列原始生物）起名字主要是为了提醒我们自己，要真正解开生命起源之谜，我们还有很长的路要走。

我们想弄清自己来自何方，这绝不仅仅是为了满足天然的好奇心。无论是在地球上还是在宇宙中的其他地方，起源不同的生命诞生、演化和生存的路径各不相同。比如说，地球的海床或许提供了这颗星球上最稳定的生态环境。哪怕有一颗巨型小行星撞击地球，抹除了地面上的所有生命，海底的极端微生物也很可能完全不受影响，继续快快乐乐地生活下去。甚至存在这样的可能性：每次大灭绝之后，海底微生物都会慢慢演化出新的生命形式，重新填满地面上的空间。就算太阳突然消失，地球开始在宇宙中流浪，这样的变化恐怕也很难登上极端微生物的报纸头条，因为它几乎不会影响深海热泉附近的生活。不过，在未来50亿年内，太阳将变成一颗红巨星，它的体积也将飞速膨胀，填满整个内太阳系。与此同时，地球的海洋将彻底蒸发，就连地球本身也会蒸发一部分。一旦事情发展到这个地步，地球上的任何生命恐怕都无法置身事外。

既然地球上的极端微生物如此常见，我们不禁要问：太阳系形成期间，那些未能进入稳定公转轨道、最终离开了太阳系的行星和微行星深处是否也可能隐藏着生命？这些天体的“地”热能足以维持几十亿年。推而广之，其他太阳系形成过程中也有数不清的行星被推出了恒星的引力范围，它们是否也携带生命？也许恒星际空间中充满生命，它们的诞生和演化过程都发生在那些没有恒星的流浪行星深处。认识到极端微生物的重要性之前，天体物理学家曾经认为每颗恒星周围都有一个“宜居带”，在这个范围内，行星上的水或者其他物质才能维持液态，分子才能漂浮其中，彼此接触，制造出更复杂的分子。但时至今日，我们必须修正这样的观念，除了恒星周围正好能接受适量星光的整齐区域以外，生命可能栖居在宇宙中的任何地方，它们维持活力依靠的可能不是星光带来的能量，而是附近的放射性岩石产生的热能。所以，三只小熊的农舍或许并不是童话故事里唯一的舒适家园。所有人，甚至包括三只小猪的居所里都可能摆着一碗不烫也不凉的食物。

也许我们最终会证明，这个充满希望甚至颇有先见之明的童话正好描绘了宇宙的现实。生命绝不稀缺，它可能和行星本身一样普遍。这一切都等待我们去发现。

第十五章　在太阳系中寻找生命

地外生命存在的可能性创造了一些全新的职业，虽然目前寥寥无几，但这些职业的从业者人数随时可能出现爆发式增长。“太空生物学家”或者“天体生物学家”研究的是地外生命，无论它们以什么样的形式出现。目前，除了猜测地外生命的模样以外，太空生物学家只能模拟地外环境，然后要么将地球生命形式暴露在这样的环境中，看看它们能否在不熟悉的严酷条件下幸存，要么将无生命的混合物分子放入模拟环境中，沿着米勒－尤里实验或维奇特萧瑟的研究路线探索生命的起源。他们结合猜测与实验，得出了几个公认的结论，这些结论符合宇宙中的实际情况，因而产生了相当重大的影响。现在，太空生物学家相信，宇宙中的生命需要下列条件。

（1）能量源；
（2）某种有潜力构建复杂结构的原子；
（3）能让分子漂浮其中并发生互动的液态溶剂；
（4）长得足以容许生命诞生、演化的时间。

在这些条件当中，条件（1）和条件（4）很容易满足。宇宙中的每颗恒星都是一个能量源，除了前 1% 质量最大的恒星以外，其他所有恒星都已经存在了几亿年甚至几十亿年。比如，过去 50 亿年来，太阳一直照耀着地球，稳定地为我们提供光和热，而且这样的状况还将维持 50 亿年。现在我们发现，生命能在完全没有阳光的条件下存活，它们生存所需的能量可以来自地热和化学反应。地热能部分来自钾、钍、铀等化学元素的放射性同位素，它们的半衰期以10亿年为单位，可以和太阳之类的恒星媲美。

地球上的生命满足条件（2），我们依赖的基本原子是碳。每个碳原子能与1个、2个、3个或4个原子结合，这样的特性让它成为我们所知的所有生命结构中最关键的元素。每个氢原子只能与一个原子结合，每个氧原子能结合的原子也只有一个或者两个。由于每个碳原子最多能结合4个原子，它们构成了生命体内几乎所有分子（除了最简单的那些以外）的“脊梁”，其中包括蛋白质和糖。

碳元素构造复杂分子的能力让它与氢、氧和氮一起成了地球生命体内含量最高的四种元素之一。我们已经看到，虽然地壳内含量最高的四种元素与生命体内含量最高的四种元素只有一个是相同的，但宇宙中丰度最高的六种元素囊括了地球生命赖以为生的四大元素，除此以外还有氦和氖。这个事实支持了“地球生命起源于恒星”的假说，我们至少起源于成分类似恒星的天体。无论如何，碳元素在地球表面的含量并不高，但在生命体内却非常丰富，这充分说明，碳在生命结构形成的过程中扮演着至关重要的角色。

对宇宙中的其他生命来说，碳元素也同样不可或缺吗？科幻小说中常常出现以硅为基本构造元素的外星生命，这是否符合宇宙的实际情况？和碳一样，每个硅原子能够结合的最大原子数也是4个，但从化学角度来说，硅键比碳键强得多，所以它不太可能取代碳，成为构造复杂分子的基本元素。碳与其他原子结合形成的化学键相对比较弱，碳-氧键、碳-氢键和碳-碳键都很容易被破坏，所以以碳为基础的分子才能通过碰撞和互动形成新的结构，对任何形式的生命来说，这都是新陈代谢活动的重要组成部分。反过来说，硅和其他很多原子形成的化学键太强，尤其是硅-氧键。地壳的主要成分是硅酸盐，它的主要化学成分就是硅和氧，这两种元素结合形成的强大化学键足以维持上百万年，因此它们很难和其他物质发生反应，形成新的分子。

硅原子和碳原子与其他原子结合的方式差别太大，这个事实清晰地告诉我们，大部分（如果不是全部的话）地外生命应该和我们一样，靠碳（而不是硅）原子来构建最基本的分子结构。除了碳和硅以外，只有少数几种罕见元素的原子能跟 4 个原子结合，但它们在宇宙中的丰度远低于碳和硅。纯粹从数学角度来说，锗之类的元素（就像地球生命体内的碳一样）成为生命基石的可能性非常非常小。

条件（3）强调的是所有生命形式都需要能让分子漂浮其中并互动的某种液态溶剂。“溶剂”这个词本身就隐含着“让其他分子漂浮其中并互动”的意思，这样的混合物化学家称之为“溶液”。液体能够容纳高浓度的分子，却不会过于严格地限制这些分子的运动。固体会将原子和分子牢牢锁在原地。确切地说，固体内部的原子和分子也能彼此碰撞、互动，但这个过程进行的速度比在液体内部慢得多。气体内部分子的自由度比液体大，它们在碰撞互动时受到的阻碍也更小，但美中不足的是，气体内部的分子发生碰撞和互动的频率远低于液体内部，因为液体的密度通常是气体的 1000 倍以上。正如安德鲁·马维尔（Andrew Marvell）在诗中所写，“如果有足够多的世界和足够长的时间”，生命起源于气体的概率可能远大于液体。但现实中的宇宙只有 140 亿岁，所以太空生物学家觉得，我们不太可能找到起源于气体的生命。他们认为，所有地外生命都和地球生命一样由液态的小囊（细胞）组成，各种不同的分子在小囊内部碰撞产生复杂的化学变化，由此生成新的分子。

孕育生命的液体就一定是水吗？我们生活在一颗水量丰沛的行星上，海洋覆盖了地表接近 3/4 的面积，这在太阳系中堪称独一无二，哪怕放到整个银河系中恐怕也不太常见。水分子由宇宙中丰度最高的两种元素组成，彗星、流星体、太阳系的大部分行星及其卫星都有至少一定量的水。但太阳系中的液态水仅存在于地球和木星最大的卫星木卫二的冰盖之下，目前科学家认为，整个木卫二表面都被海洋覆盖，但这毕竟只是一种推测，并未得到最终确认。还有其他什么化合物能像海洋或池塘一样提供理想的条件，让分子碰撞、互动，最终孕育出生命吗？能在比较宽泛的温度范围内保持液态的常见化合物有 3 种：氨、乙烷和甲醇。氨分子由 3 个氢原子和 1 个氮原子组成，乙烷分子由 2 个氢原子和 6 个碳原子组成，而甲醇分子包含了 4 个氢原子、1 个碳原子和 1 个氧原子。思考地外生命问题的时候，我们完全可以合理地推测，氨、乙烷或甲醇可能是某些生命的源头，就像地球上的水一样，它们为分子提供了走向辉煌的基础介质。太阳系的四颗巨行星拥有海量的氨，还有相对较少的甲醇和乙烷，而土星最大的卫星土卫六封冻的地表上可能存在液态的乙烷湖。

哪种分子最有可能成为孕育生命的基础溶剂？这个问题背后蕴含着生命的另一个基本要求：这种物质必须保持液态。我们并不指望南极的冰盖或者富含水蒸气的云团能孕育出生命，因为只有液态溶剂才能让分子充分互动。在地球表面的大气压下，水能在 0～100 摄氏度的范围内保持液态。我们刚才介绍的三种替代溶剂保持液态的温度范围都比水小得多，比如，氨在 –78 摄氏度结冰，在 –33 摄氏度蒸发。因此，氨不可能孕育地球上的生命，只有在平均温度比我们低 75 摄氏度的另一个世界中，氨才有可能成为生命的温床。反过来说，在那样的环境下，水不可能成为生命之源。

我们在化学课上学过，水是实至名归的“万能溶剂”，与此同时，它能在相当宽泛的温度范围内保持液态，但这并不是它最重要的特性。这种化合物最重要的特性在于，大部分物质，包括水在内都会热胀冷缩，但如果将水冷却到 4 摄氏度以下，它的体积反而会膨胀。随着温度不断逼近 0 摄氏度，水的密度会显著降低；降到 0 摄氏度那一刻，水会变成密度更小的冰。冰漂浮在水面上，对水里的鱼儿来说，这可真是个好消息。冬天气温降到冰点以下的时候，4 摄氏度的水会沉到底部，因为它的密度大于上方温度更低的水，与此同时，水面上会逐渐形成一层浮冰，冰又会进一步隔绝外部的低温。

如果水没有 4 摄氏度以下“热缩冷胀”的奇妙特性，冬天的池塘和湖泊都将从下往上而不是从上往下结冰。试想一下，如果低温下的水和世间万物一样热胀冷缩，那么一旦外界气温降到冰点以下，池塘表层的水就会冷却下来，沉到底部，与此同时，池底温度较高的水会被挤到上面来。这样的对流会让水温迅速降到 0 摄氏度以下，池塘表面开始封冻。接下来，密度更大的固态冰会沉到池底。就算一个冬天的低温不足以让整个池塘彻底结冰，池底的寒冰也很难融化，年复一年，这个过程不断重复，冻结的冰块也越来越多。在这样一个世界里，冰钓运动必将无以为继，因为所有的鱼都会被冻死。可怜的冰钓者会发现，如果湖面上的冰硬得足以承受踩踏，那么整个湖泊肯定已经冻透了。北极旅行者也不再需要破冰船——要么整个北冰洋都结了冰，破冰船根本没用，要么所有冰都沉在海底，海面仍能正常通航。冬天在湖面上溜冰的时候，你也完全不必担心掉进冰洞里。在这个奇怪的世界里，冰块和冰山会沉到水底，所以 1912 年 4 月的泰坦尼克号会喷着蒸汽安全地驶入纽约港，就像广告里吹嘘的那样，这艘船的确永不沉没。

从另一个方面来说，我们也可能陷入了“中纬度偏见”。地球上的大部分海洋根本没有封冻的危险，无论是从上到下还是从下到上。如果冰会沉到水底（而不是浮在水面上），那么北冰洋、五大湖和波罗的海或许会凝固，导致欧洲和美国深受其害，巴西和印度的势力趁机扩张，但地球上的生命可能依然欣欣向荣，丝毫不受影响。

我们不妨暂且假设，相比三位主要的竞争者（氨、乙烷和甲醇），水的确拥有极大的优势，所以大部分（如果不是全部的话）地外生命必须依赖于这种溶剂，就像地球生命一样。以此为前提，再考虑到生命原材料的丰富程度，碳原子的多少，以及生命诞生、演化需要的时间长度，最后我们会发现，至少在太阳系内部，“哪里有生命”这个古老的问题完全可以重新表述为：哪里有水？

单从表面上看，太阳系里的很多地方干枯荒凉，你或许会觉得，虽然水在地球上储量颇丰，但在整个行星系里却不算常见。但事实上，截至目前，在所有由三个原子构成的分子中，水是丰度最高的一种，这很大程度上是因为组成水的两种元素——氢和氧——在整个宇宙的丰度排名中分别位居第一和第三。这意味着我们根本不必问为什么某些天体上有水，而应该问为什么不是所有行星上都存在大量的水。

地球上的海洋来自哪里？月球上保存完好的环形山告诉我们，这颗星球一直在不断经受太空碎片的撞击。所以我们完全可以合理地推测，地球也经历过无数次撞击。的确，地球的尺寸更大，引力更强，所以我们的行星遭受撞击的次数和撞击碎片的尺寸都理应大于月球，这样的撞击自地球诞生之时就开始了，直到现在仍未停歇。归根结底，地球不是突然凭空出现的一个完美球体，它是从孕育太阳和其他行星的那一大团致密气体云中慢慢生长出来的。在这个过程中，地球的体积之所以会不断变大，早期靠的是吸收大量的固体小颗粒，后来则主要依赖富含矿物质的小行星和高含水量彗星的不断撞击。地球到底经历过多少次撞击？我们有理由相信，海洋中所有的水都来自彗星。当然，这套假说仍面临很多不确定性和争议。比如说，哈雷彗星上的水，氘（这是氢的一种同位素，它的原子核包含了一个额外的中子）含量远高于地球。如果地球上的水真的来自彗星，那么在太阳系形成之初撞击地球的彗星，其化学成分必然迥异于今天的彗星，或者至少迥异于以哈雷彗星为代表的这一类天体。

无论如何，考虑到就连火山喷发也能为大气层补充水蒸气，我们真的不愁如何解释地表水的来源。

如果你想找个没有空气也没有水的地方，那么不妨先看看月球。月球的大气压强几乎为零，白天长度相当于地球上的两周，这样的环境能够迅速蒸发所有水分。月球之夜同样长达两周，气温可能降到 -250 摄氏度以下，足以冻结万物。因此，造访月球的阿波罗号宇航员需要携带旅途中所需的所有水和空气（以及空调）。

不过，考虑到地球上有这么多水，附近的月球却一点儿水都没有，这事儿就显得很奇怪了。月球表面的水之所以比地球上的更容易蒸发，原因之一很可能是月球的引力比地球小得多。不过，未来的登月任务也许不一定需要携带水，或者人工制造水。月球探测器克莱门汀号（它搭载的设备能够探测恒星际高速粒子撞击氢原子产生的中子）的观测结果印证了人们长久以来的猜测：月球南北极的环形山下方可能埋藏着冻结的冰。月球每年都要经受一定次数的太空碎片撞击，这些碎片中总会有几颗体积较大的富含水的彗星。这些彗星到底有多大呢？要知道，太阳系里的很多彗星融化后足以填满伊利湖。

月球白天的温度高达 120 摄氏度，我们不能指望新形成的湖泊在这样的环境中幸存，但要是某颗彗星恰好砸到了月球两极附近某个很深的环形山底部（或者自己撞出了一座很深的极地环形山），那么它携带的水可能会在黑暗中保存下来，因为月球上“没有阳光照耀”的地方只有极地附近的深环形山（如果你认为月球上存在“永远黑暗”的一面，那你大概是被流行文化误导了，平克·弗洛伊德1973年的专辑《月之暗面》也起了不好的作用）。渴望阳光的南北极居民深知，无论什么季节、什么时间，这些地方的太阳永远不会升到天顶。现在不妨想象一下，如果你住在月球极地附近的环形山底部，那么太阳哪怕升到最高，也不一定能照射到环形山内部。月球上也没有散射阳光的空气，所以你将永远生活在没有阳光的黑暗之中。

不过，就算是在冰冷的黑暗中，冰也会缓慢蒸发。只要看看长假之后冰箱里的冰格，你就会发现，冰块的尺寸比你出门前小多了。但是，如果冰和大量固体微粒充分混合在一起（就像彗星一样），那么它将在月球极地深深的环形山底部留存数十亿年。如果未来我们选择在这些湖泊附近修建月球前哨站，那必将获得莫大的好处。除了直接融化、过滤冰块获得饮用水以外，我们还能利用这些冰制造氢气和氧气，然后将氢气和一部分氧气混合起来作为火箭燃料，剩下的氧气可供人类呼吸。除此以外，执行任务之余，宇航员没准还能去滑滑冰。

虽然金星的尺寸和质量都和地球差不多，但我们这颗姊妹星球拥有一些不同于太阳系其他行星的特性，其中特别值得注意的是，金星厚重致密的大气层反射率极高，它主要由二氧化碳组成，这使得金星的地表气压比地球高100倍以上。除了已经适应了海底高压的底栖生物以外，地球上的所有生命都无法在金星的大气环境中生存。但金星最独特的地方在于，这颗行星地表的环形山形成时间相对较晚，而且年龄都差不多。乍看之下，这个描述似乎没什么问题，但细究之下你会发现，这意味着金星在不久前经历过一次全球浩劫，这场浩劫抹去了以前的撞击留下的所有痕迹，所以后来新形成的环形山年龄都差不多，我们也无法通过环形山的地质情况判断行星地貌形成的年代。这样的结果可能源自某种强侵蚀性的天气现象（例如，全球性的洪水），也可能源于全球范围的地质活动，例如，熔岩流会将金星地表变成热爱开车的美国人梦寐以求的样子——整个星球表面都平坦光滑得像铺装路面一样。无论重置金星环形山时钟的事件是什么，它一定突然停了下来。但有一个重要的问题依然悬而未决：金星的水去了哪里？如果这颗行星真的出现过全球性洪水，那么这些水去哪儿了？这些水渗入了地下，还是蒸发到了大气层中？又或者所谓的“洪水”根本不是水，而是另一种常见物质？就算洪水纯属子虚乌有，就像它的姊妹星球地球一样，金星上也应该有彗星带来的大量水。那么这些水到底去哪儿了？

答案似乎应该是，由于金星变得太热（这又得归咎于它的大气层），所有水都已蒸发殆尽。虽然二氧化碳分子能允许可见光通过，但它却能有效截留红外辐射。因此，阳光能穿透金星大气层，但由于大气反射的存在，最终只有一小部分阳光能够抵达地表。这些阳光会加热金星表面，让地面释放出红外线，这部分辐射又会被大气中的二氧化碳分子吸收，金星底层大气和地表都会因此而升温。这种截留红外辐射的现象被科学家命名为“温室效应”，因为温室的玻璃窗也能容许阳光通过，但会锁住部分红外线。和金星一样，地球大气也有温室效应，这会对很多生命产生巨大的影响。科学家估计，与没有大气层的情况相比，温室效应导致地球气温升高了 7 摄氏度。地球温室效应主要源自大气层中的水和二氧化碳。不过地球大气层中二氧化碳的浓度只有金星的万分之一，所以相对来说，我们体验到的温室效应要温和得多。但是，化石燃料的过度使用使得大气层中的二氧化碳不断增加，所以地球的温室效应正在不断加剧，我们无意中做了一个全球性实验，让大家目睹了大气层截留的额外热量会造成哪些恶劣影响。金星大气的温室效应完全源自二氧化碳，它让这颗行星的温度上升了几十摄氏度，所以金星表面热得像火炉一样，温度高达500摄氏度，这让金星成了太阳系的所有行星中最热的那一颗。

金星为何走到了这样可悲的境地？科学家用“失控的温室效应”这个术语准确地描述了金星大气截留红外辐射，导致温度上升、液态水蒸发的过程。蒸发到大气中的水又会进一步截留红外线，加剧温室效应，从而导致更多水蒸发到大气层中，形成恶性循环。而在金星大气层顶部附近，阳光中的紫外线会将水分子分解成氢原子和氧原子。由于气温过高，氢原子会从大气层中逃逸，更重的氧原子则与其他原子结合，但没了氢原子，它永远不会再次生成水。随着时间的流逝，金星地表附近的所有水都会慢慢进入大气层，最终永远地离开这颗星球。

地球上也会发生类似的过程，只是速度慢得多，因为我们这里的气温远低于金星。如今地球表面的绝大部分面积被海水覆盖，但这些海都不算深，所有水加起来也只占地球总质量的1/5000左右。即便如此，海水的总质量也达到了惊人的1.5×10^{18}吨，其中2%的海水时时处于冻结状态。如果地球也和金星一样出现了“失控的温室效应”，那么我们的大气将截留更多太阳能，导致气温升高，海水持续沸腾，水分迅速蒸发到大气层中。这样的局面真是糟糕透顶。地球上的动植物显然都会因此灭绝，有一种死法相当惨烈：随着水蒸气越来越多，地球大气层的密度可能增加到原来的300倍，我们会被自己呼吸的空气压碎、烤熟。

我们对行星的迷恋（与无知）绝不仅限于金星。看到火星地表蜿蜒绵长的干涸河床、广阔的冲积平原、星罗棋布的三角洲、密如蛛网的支流遗迹，以及河水侵蚀形成的峡谷，我们可以肯定，这颗星球表面必然曾经存在流动的水，那时的火星宛如一座原始的伊甸园。除了地球以外，如果说太阳系里还有一个地方曾经拥有丰沛的水源，那只能是火星。不过，出于一些我们并不清楚的原因，今天的火星地表早已干涸。仔细审视地球的兄弟姊妹之后，我们不得不回过头来，以全新的视角看待自己的母星：如今地表充沛的液态水其实珍贵而脆弱，随时都可能消失。

20 世纪初，美国著名天文学家帕西瓦尔·洛威尔（Percival Lowell）通过望远镜看到了火星地表纵横的“运河”，于是他提出了一个大胆的设想：那是足智多谋的火星人在聚居地附近建立的水利系统，目的是将火星极地冰冠的水引到人口更密集的中纬度地区。为了解释自己的这套假说，洛威尔想象了一个水源几近枯竭的垂死文明，那情景就像凤凰城的居民突然发现科罗拉多河也有干涸的一天。1909 年，洛威尔发表了一篇周密详尽却充满误导的论文，在这篇题为《作为生命居所的火星》（*Mars as the Abode of Life*）的文章中，他沉痛悼念了自己想象中濒临灭亡的火星文明。

的确，按照目前火星的干涸情况，这颗星球的地表根本无法支持生命存活。就算现在火星地表还有残存的生命，时间也会缓慢但坚定地将它们彻底清除。随着生命最后的余烬随风而去，这颗星球将成为太空中一个死寂的世界，它的生命演化之路走到了尽头。

不过洛威尔至少说对了一件事。如果火星地表真的曾经存在需要水的文明（或者生命），那它必定已经灭亡，因为在火星历史上某个未知的时间段，出于某些未知的原因，那颗星球的地表水全都干涸了，于是生命必然陷入洛威尔描述的窘境，只不过这一切都发生在遥远的过去，而不是现在。几十亿年前的火星地表曾有丰沛的活水流淌，后来这些水都去了哪里？对行星地质学家来说，这仍是个未解之谜。时至今日，火星极地冰盖里还残余着一些水冰，不过这些冰盖主要由二氧化碳（“干冰”）组成；除此以外，火星大气层中也有微量水蒸气。目前据我们所知，火星上只有极地冰冠还保留着数量可观的水，但这么少的水量完全不符合几十亿年前丰沛的流水在火星地表留下的古老地质记录。

古代火星地表的水要么蒸发到了太空中，要么流进了地底，深藏在这颗行星表面之下的永冻层里。有什么证据能支持这个猜测吗？与小型环形山相比，我们更容易在火星地表的大型环形山边缘找到湿润泥土向外飞溅然后干涸结块的痕迹。如果火星永冻层埋在地底深处，那么只有极强的撞击才有可能触及这样的深度。撞击释放的能量会在接触的瞬间融化地底冰层，导致液态水向上溢出。拥有这种淤泥溅射痕迹的环形山在寒冷的极地区域更为常见——根据我们的预想，这些区域的永冻层应该离地表更近。科学家乐观地估计，如果火星地下永冻层的冰全部融化，那么这些水足以在火星地表形成覆盖全球的深达几十米的海洋。若要全面探查现在的火星是否拥有生命（或者寻找生命曾经存在的化石证据），我们必须调查很多地方，尤其是地表之下的阴暗角落。要想寻找火星生命，我们首先需要回答一个重要的问题：现在火星上有液态水吗？

我们可以从物理学中找到一部分答案。火星表面不可能存在液态水，因为那里的大气压还不到地球表面的百分之一，这样的环境不允许液态水的存在。登山爱好者都知道，气压越低，水的蒸发温度越低。比如，惠特尼山山顶的气压只有海平面的一半，水的沸点也从 100 摄氏度变成了 75 摄氏度，而珠穆朗玛峰峰顶气压只有海平面的 1/4，这里的水只需要加热到 50 摄氏度就会沸腾。离地 32 千米的高空气压只有纽约人行道的 1%，所以水的沸点也只有 5 摄氏度左右。如果再往上走几千米，液态水就会在 0 摄氏度沸腾，它一旦暴露在空气中就会立即蒸发。科学家用“升华”这个术语来形容物质从固态直接变成气态（跳过了液态）的过程。我们从小就听说过“升华”这个词，卖冰激凌的小贩打开“魔法门”，你看到的不光是美味的冰激凌，还有一块块用来保持低温的“干”冰。比起我们熟悉的普通水冰，干冰更适合保护冰激凌，因为它会从固态直接升华成气态，所以箱子里不会残留任何难以打扫的液体。某个老旧的侦探故事里有这么个情节：一个男人踩在干冰制成的蛋糕上，将自己的脖子套进了绞索，随着干冰慢慢升华，绳子越来越紧，男人一命呜呼，侦探完全不知道他是怎么把自己吊死的（除非他们仔细分析室内的大气成分）。

火星表面的水也会像地球上的二氧化碳一样升华。虽然火星的夏天也有气温超过 0 摄氏度的时候，但那颗行星表面根本不可能存在液态水。我们一直认为这样的环境完全不可能孕育生命，直到我们突然意识到，液态水可能存在于火星地下。未来，致力于寻找古代（甚至现代）生命的火星任务将选择适合钻探的区域，我们将深入火星地表之下，寻找能够孕育生命的流淌的灵丹。

虽然在某些人眼里，水是万能的灵丹妙药，但对那些不懂化学的人来说，水却是避之唯恐不及的致命毒素。1997 年，爱达荷州鹰岩初中一位 14 岁的学生内森·佐纳（Nathan Zohner）做了一个后来闻名世界（或者说闻名科普界）的实验，试图借此证明大众的反技术情绪和对化学的恐惧。佐纳邀请人们签署一份呼吁政府严格控制或者彻底禁止使用一氧化二氢的请愿书。他列出了这种无色无味物质的一部分恶劣性质：

· 它是酸雨的主要成分；
· 它会缓慢溶解接触到的几乎所有物质；
· 不慎吸入这种物质可能致命；
· 气态一氧化二氢可能导致严重灼伤；
· 它存在于末期癌症患者的肿瘤组织中。

根据佐纳的实验结果，50 个人里有 43 个人同意在请愿书上签名，还有 6 个人举棋不定，只有 1 个人强烈支持这种分子，拒绝签名。是的，86% 的路人投票同意彻底清除环境中的一氧化二氢（H_2O）。

也许火星上的水就是这样消失的。

纵观金星、地球和火星，我们看到了将水（或者其他溶剂）作为生命之源可能带来的回报和问题。寻找液态水的时候，天文学家最先考虑的是那些距离母恒星不远不近，温度环境能够容许液态水存在的行星，所以我们看到了一个“金发姑娘和三只熊”的故事。

40 多亿年前，太阳系已经初步成形。金星的位置离太阳太近，强大的太阳能蒸发了这颗行星表面可能存在的所有水。而火星的位置离太阳太远，所以这颗行星上的水冻成了永不融化的冰。只有地球与太阳的距离不远不近，刚好能容许液态水存在，所以这颗行星的表面成了孕育生命的天堂。太阳周围能容许液态水存在的区域被称为“宜居带”。

金发姑娘也喜欢“刚刚好”的东西。三只熊的小屋里摆着三碗粥，其中一碗太烫，一碗太凉，只有第三碗不烫也不凉，刚好合适，所以她喝掉了这碗粥。小屋楼上还有三张床，其中一张太硬，一张太软，只有第三张不软不硬刚刚好，所以金发姑娘躺在这张床上睡着了。三只熊回到家里，发现桌上的粥少了一碗，床上却多了个姑娘。（这个故事的结局我已经忘了，但我没想明白的是：作为食物链顶端的肉食动物，三只熊怎么没把金发姑娘吃掉呢？）

从宜居的角度来说，金星、地球和火星就像这个故事里的三碗粥和三张床，只是实际情况比童话复杂得多。40 亿年前，富含水的彗星与富含矿物质的小行星仍在不断撞击行星表面，只是频率已经降低了很多。在这个宇宙尺度的碰撞游戏中，有的行星从自己形成的位置向内移动了一点，而另一些行星被推到了更远的轨道上。这几十颗行星有一部分移动到了不稳定的轨道上，最终撞向了太阳或者木星，还有一部分行星被撞得离开了太阳系。最终只有几颗行星“刚好”幸存下来，接下来的几十亿年里，它们一直围绕太阳运行。

地球公转轨道与太阳的平均距离是14 967万千米。在这样的距离上，地球只能受到二十亿分之一的太阳辐射。假如地球能够吸收照射而来的所有太阳能，那我们这颗星球的平均温度应该是280K左右。正常大气压下，水的冰点是273K，沸点是373K，所以在这个距离上，地球上几乎所有的水都能愉快地保持液态。

不过先别急。讨论科学的时候，答案正确不代表原因也正确。事实上，地球只能吸收2/3的太阳能，剩余的能量都被地表（尤其是海面）和云层反射到了太空中。如果反射充分起到作用，地球的平均气温将下降到255K左右，比水的冰点还低。但我们都知道，地球的实际温度肯定高于冰点，这背后肯定藏着某种升温机制。

再等等。所有恒星演化理论都告诉我们，40亿年前，生命在地球这锅原始汤里刚刚开始成形的时候，太阳的亮度只有现在的1/3，那么当时地球的平均温度应该更低。不过这可能只是因为，在那遥远的过去，地球和太阳的距离比现在更近。只是在大轰炸阶段结束后，出于某种未知的机制，地球从一条稳定轨道进入了另一条更远的稳定轨道。或者，古代地球大气层的温室效应比现在强。我们无法确定到底发生了什么，但我们的确知道，按照我们最初的设想，宜居带与生命之间的关系其实没有那么密切，因为简单的宜居带模型根本无法解释地球历史，更重要的是，要让水或者其他基本溶剂保持液态，不一定需要恒星提供的热量。

利用宜居带寻找生命的方法存在很强的局限性，我们的太阳系里就有两个很好的例子。这两个天体中有一个位于所谓的宜居带以外，也就是说，单靠太阳提供的热量根本无法让这颗天体上的水保持液态，它也从来不曾拥有过覆盖全球的液态海洋。而另一颗天体温度实在太低，根本不可能容许液态水存在，在这样的环境中，孕育生命的溶剂可能不是水，而是一种对我们来说有毒的液体。不久前，我们的自动探测器近距离观测了这两颗天体，现在我们就来看看木卫二和土卫六的情况吧。

木卫二“欧罗巴”的尺寸和我们的月球差不多，这颗卫星表面有交叉的裂缝，而且这些裂缝还会在几周或者几个月内发生变化。对地质学家和行星学家来说，这样的现象意味着木卫二的表面几乎完全由水冰组成。换句话说，这颗卫星外面包裹着一层冰盖，就像地球上的南极洲一样，而且冰层表面的裂缝和沟壑还会不断变化。这个事实指向了一个令人震惊的结论：木卫二的冰盖实际上漂浮在覆盖全球的洋面上。多亏了旅行者号和伽利略号飞船发回的数据，科学家发现了木卫二冰层下的液态水，这才让他们观察到的现象有了合理的解释。这颗卫星表面变化的沟壑遍布全球，所以我们或许可以得出结论：木卫二的冰层下方必然存在覆盖全球的海洋。

这种液体到底是什么？它为什么能保持液态？令人惊讶的是，对于这两个问题，行星学家已经得出了两个颇为可靠的结论：首先，木卫二上的液体应该是水；其次，这些水之所以能维持液态，是因为巨行星木星引发的潮汐效应。宇宙中水分子的丰度大于氨、乙烷和甲醇，所以木卫二冰层下方的液体很可能是水，而且冰层的存在往往意味着附近还有别的水。但是，如果只考虑太阳带来的热量，木星附近的平均温度应该只有120K（-150摄氏度），在这样的环境中，水怎么可能维持液态呢？木卫二内部之所以比较温暖，是因为当木卫二与邻近天体的相对位置不断变化时，木星和附近另外两颗大型卫星（木卫一和木卫三）产生的潮汐力会不断揉搓弯折这颗卫星内部的岩石，由此产生大量的热。无论何时，木卫一和木卫二朝向木星的那一面受到的引力都大于背面，引力的细微差别必然会拉长两颗固态卫星的横向轴径。不过，在公转过程中，卫星与木星的距离会发生变化，木星造成的潮汐效应（卫星正面和背面产生引力差）也会随之改变，使得已经变扁的卫星再次发生微妙的形变。这样的形变又会让卫星内部的温度升高。我们都知道，壁球或回力网球来回撞击（从而形变）的次数越多，它的温度就会变得越高。与此类似，任何持续承受内部压力的系统都会升温。

如果单靠太阳获取热量，木卫一肯定是个冰冷死寂的世界，但事实上，内部压力却让它成了整个太阳系里地质活动最活跃的天体——火山喷发、地面破裂和板块漂移在这儿都是家常便饭。有人认为现在的木卫一就像刚刚成形时冒着热气的地球。木卫一内部的温度极高，所以这里的火山才会不断将带着地狱气息的硫化物和含钠化合物喷到几千米的高空中。事实上，木卫一根本无法容许液态水存在，因为它的温度实在太高。木卫二的潮汐弯折效应就没有木卫一这么明显，因为它距离木星更远，内部升温过程更温和，但也不容小觑。除此以外，木卫二遍布全球的冰盖仿佛罩在洋面上的“高压锅盖”，一方面它阻止了液态水蒸发到空气中，另一方面它又让这些水在亿万年的时间里始终维持液态，不会冻结。据我们目前所知，自木卫二诞生以来，液态水和上方的冰盖就已存在。木卫二的海洋温度接近冰点，但始终保持液态，这样的局面已经维持了45亿年。

因此，木卫二遍布全球的海洋是太空生物学家心目中最重要的调查目标。谁也不知道这颗卫星的冰盖有多厚，可能只有几米，也可能超过0.8千米。考虑到地球海洋中生活着丰富多彩的生命，木卫二可能是我们在太阳系寻找地外生命时的最佳目的地。想想看吧：我们可以在木卫二上冰钓！事实上，加州喷气推进实验室的工程师和科学家已经有了这样的构想：向木卫二发射一枚太空探测器，让它在这颗卫星表面着陆，然后在冰层上找（凿）一个洞，把水下摄像机放进冰洞里，我们没准就能看见在海水中悠游或者在海底爬行的原始生命。

是的，我们所期待的地外生命相当“原始”，因为它们身边可供利用的能量实在太少。无论如何，我们已经在华盛顿州厚度超过1.6千米的玄武岩层下方发现了大量靠地热生存的微生物，这意味着有朝一日，我们或许真的能在木卫二的海洋中找到迥异于地球生命的地外生物。但有一个问题仍悬而未决：这些生物有资格被称作“木卫二人”吗?

火星和木卫二是太阳系内最有可能存在地外生命的两颗天体。第三名与太阳之间的距离相当于木日距离的两倍。土星拥有一颗巨型卫星：土卫六“泰坦”。它和木星最大的卫星木卫三“盖尼米德”在太阳系的所有卫星中位居前二。土卫六的尺寸相当于月球的一半，它拥有厚厚的大气层，这是无可比拟的优势。（水星的尺寸略大于土卫六，但它和太阳之间的距离要近得多，所以水星表面的气体很容易蒸发。）不同于火星和金星，土卫六的大气层主要由氮分子组成，这一点和地球十分相似，而且这颗卫星的大气层比火星的厚几十倍。透明的氮气中飘浮着大量的气溶胶微粒，这层永不消散的迷雾隔绝了我们凝望这颗星球的视线。因此，关于土卫六是否存在生命的问题，我们只能放飞想象，大胆猜测。我们通过地表反射的无线电波（它能穿透土卫六的大气层和气溶胶）测量了这颗卫星的温度，结果发现，土卫六的地表温度约为94K（-179摄氏度），远低于水的冰点，却能容许液态乙烷存在，这种化合物由碳原子和氢原子组成，它是一种重要的石油精炼产物。几十年来，在太空生物学家的想象中，土卫六表面的乙烷湖中漂浮着无数生命，它们悠游自在地进食、相遇、繁殖。

21世纪进入第一个10年，最新的探索终于打破了天马行空的幻想。1997 年 10 月，NASA 与欧空局合作研发的卡西尼－惠更斯号土星探测器发射升空。这艘飞船先后借助金星（两次）、地球（一次）和木星（一次）的重力助推，花费了将近 7 年时间，终于抵达了土星附近。接下来，飞船再次点燃火箭，进入绕土星公转的轨道。

按照科学家最初的规划，惠更斯号探测器应于 2004 年年底与卡西尼号飞船分离，然后穿过土卫六不透明的云层，降落在这颗卫星的表面上。在快速降落的过程中，隔热罩会保护惠更斯号，防止探测器与上层大气摩擦产生的高温损伤设备，进入下层大气以后，它会展开一系列降落伞，借助浮力减速着陆。惠更斯号搭载的 6 台仪器能测量土卫六大气层的温度、密度和化学成分，并通过卡西尼号飞船向地球发送照片。在此之前，我们只能静静等待这些数据和照片，惠更斯号将掀开土卫六的面纱，揭示这颗卫星厚重云层之下的秘密。[1] 我们不太可能直接看到这颗遥远卫星上的生命（即使它们真的存在），但我们可以根据探测器发回的数据和照片判断那里是否适合生命繁衍生息。比如，我们可以看看地表有没有满是液态的湖泊和池塘。我们至少可以心怀期待：也许土卫六上有地球上没有的分子，这将为我们提供研究太阳系及地球生命起源的全新视角。

如果说水是生命之源，那么寻找地面生命的时候，我们是不是只需要关注那些拥有固态表面因而能够让水体成规模积聚的行星和卫星呢？答案是不一定。水分子和其他几种易于孕育生命的化合物（例如，氨、乙烷和甲醇）也常常存在于冰冷的恒星际气团中。在低温高密度的特殊条件下，借助附近恒星提供的能量，水分子可能被大量转化并导入增强高密度微波束中。这种现象背后的原子物理学

(1) 惠更斯号探测器已于 2005 年 1 月 15 日降落在土卫六表面，并成功完成观测任务。——译者注

原理类似可见光凝聚形成激光。不过在这种情况下，最终产生的不是激光，而是激微波，或者微波激射束。事实上，水不仅广泛存在于宇宙中，有时候还会聚集成束，向你迎面喷来。恒星际云团孕育生命的最大障碍不是缺乏原材料，而是云团内部的物质密度极低，这大大降低了微粒碰撞、互动的概率。如果说在地球这样的行星上，生命可能需要几百万年时间才会慢慢萌芽，那么在密度远低于地球的恒星际云团中，同样的过程可能需要耗费几万亿年——这比宇宙的寿命还要长得多。

在太阳系内寻找生命的过程中，我们似乎也完成了对宇宙起源基本问题的探索。但是，在结束这个主题之前，我们不妨想想未来会迎来的另一个重要的起源：我们与其他文明接触的起源。这是天文领域最引人遐思的主题，也是我们梳理宇宙学相关知识的最好线索。既然我们对其他星球上的生命起源已经有了一些了解，那么现在，我们不妨看看，人类有多大的概率在宇宙中找到有能力与我们交谈的生命。

第十六章　在银河系中寻找生命

我们已经看到，火星、木卫二和土卫六是太阳系内最可能找到地外生命迹象的天体，无论是活的生物还是化石遗迹。到目前为止，这三颗天体最可能拥有水或其他能容许分子碰撞、互动，进而孕育出生命的液态溶剂。

太阳系内可能存在池塘或湖泊的天体似乎只有这三个，所以大部分太空生物学家认为，如果我们真能在太阳系内找到原始生命，那恐怕只能指望这三个地方。悲观主义者更是合情合理地提出，就算这三颗天体中的某一颗或者几颗的确拥有适合生命存活的条件，未来的探索也很可能证明，这些地方根本就没有生命。无论结果如何，针对火星、木卫二和土卫六的探索必将为我们在宇宙中寻找生命提供极具价值的数据和经验。乐观主义者和悲观主义者至少已经达成了一个共识：要想找到高等生命——比简单的单细胞生物（这是地球上最早出现的生命，直到今天，单细胞生物仍是地球生命的主要组成部分）更复杂的生命——我们必须将目光投向太阳系以外，投向那些围绕其他恒星运行的行星。

很久很久以前，我们只能臆测这些行星的存在。但现在我们已经找到了上百颗系外行星，从本质上说，它们都类似太阳系里的木星和土星，所以我们或许可以颇有把握地预测，随着观测手段的进步，我们早晚会找到类似地球的行星。在 20 世纪最后的几年里，我们似乎发现了一些强有力的证据，足以证明宇宙中遍布宜居行星。因此，德雷克方程中的前两个项（它们共同确定了恒星周围寿命达到几十亿年以上的行星数量）应该对应相当大的数字，不过，接下来的两个项描述的是宜居行星在所有行星中的比例，以及宜居行星真正孕育出生命的概率，系外行星的发现似乎完全无助于确定这两个值，所以我们只能粗略地估计一下。德雷克方程的最后两项描述的是地外生命演化出智慧文明的概率和银河系中智慧文明的平均寿命，如果说方程中间两个项的值我们可以粗略估计，那最后这两个项我们只能猜测。

推测德雷克方程前五个项的数值时，我们可以将太阳系和人类文明作为典型参照物，不过在这个过程中，我们必须时刻牢记哥白尼原则，杜绝以特例自居的心理。但面对方程的最后一个项，即文明拥有发送恒星际信号的技术能力以后的平均寿命，哪怕以地球为参考，我们也根本无法给出确切的答案，因为谁也不知道人类文明能存在多久。近 100 年前，能够跨越海洋发送信号的无线电发报机问世，我们拥有了发送恒星际信号的能力。但谁也无法预见我们的文明能够继续存在百年、千年还是百万年，因为我们的能力根本不足以做出这样的预判，而且有很多迹象表明，人类文明的寿命可能不会太长。

即便知道了人类文明的寿命，我们还将面临另一个问题：我们的文明就一定能代表银河系中的普遍情况吗？所以，虽然德雷克方程的最后一个项也将直接影响计算结果，但我们还是只能把它当成未知数。从乐观的角度来看，如果大部分行星系至少拥有一个适合生命存活的天体，并且这些宜居行星有相当高的概率（比如 1/10）孕育出生命，而这些生命又有极高的概率（仍然是 1/10）发展出文明，那么在银河系的 1000 亿颗恒星中，至少有 10 亿颗行星可能孕育文明。当然，我们之所以能得出一个这么大的数字，是因为银河系恒星众多，其中大部分类似太阳。要想看到悲观的计算结果，我们只需要把每种情况发生的概率下调到 1/10 000，可能存在文明的行星数量就会锐减到原来的 1/1000 000。也就是说，从 10 亿颗直接变为 1000 颗。

这两个数字无疑相差云泥。假设拥有恒星际通信能力的文明平均寿命是 10 000 年（大约相当于银河系总寿命的百万分之一），那么从乐观的角度来看，既然在某个历史阶段可能孕育文明的行星多达 10 亿颗，那么银河系里应该随时都有大约 1000 个欣欣向荣的文明。但从悲观的角度来看，任意时刻银河系内只有 0.001 个文明，如果事实的确如此，那么人类文明显然是个远高于平均值的例外，而且我们必将孤独。

哪种猜测更接近事实呢？从科学的角度来说，实验证据胜于一切。要想确定任意时刻银河系内文明的平均数量，最好的办法是数一数现在银河系里到底有多少个文明。要完成这个任务，最直接的办法当然是全面普查整个银河系，就像电视剧《星际迷航》里的船员最喜欢干的那样：记录我们遇到的每一个文明，对它进行分类和编号——如果我们真能遇到地外文明的话（要是银河系里一个外星文明都没有，那就太无聊了，所以电视剧绝不会采用这样的设定）。不幸的是，这样的调查远超我们如今的技术水平和经费预算。

此外，调查整个银河系可能需要花费几百万年时间，甚至更久。假设某个以星际探索为主题的电视节目严格按照现实来拍摄，那么屏幕上的船员恐怕一整集都在抱怨，因为他们已经在太空中飞了很远很远，但到达目的地仍遥遥无期。“我们已经把船上的所有杂志都读了一遍，”某位船员或许会说，“我们都受够了彼此，尤其是你，船长大人，你简直就是大家的眼中钉、肉中刺。”然后你将看到，几名船员对着自己不停地唱歌，还有一些船员陷入了自我的疯狂世界，紧接着一个长镜头会告诉你，银河系中恒星之间的距离比太阳系内部行星间的距离要远几百万倍。

你可能觉得几百万倍已经很夸张了，但这只是最近的邻居与太阳之间的距离，恒星之间的距离如此遥远，就连光都要耗费几年时间才能从这一颗到达那一颗。周游整个银河系需要的时间当然长得多。恒星际飞船如何跨越这么漫长的距离？对于这个问题，好莱坞电影要么彻底回避（1956 年和 1978 年的《天外魔花》），要么假设火箭技术或者物理学的进步帮助我们解决了这个难题（1977 年的《星球大战》），又或者利用一些有趣的办法，例如，把宇航员冻起来，帮助船员度过漫长的旅程（1968 年的《人猿星球》）。

这些方法各有好处，有的还能带来一些颇有创意的可能性。比如说，目前火箭的速度只能达到光速的万分之一左右，根据我们现有的物理学知识，这个速度还有很大的提升空间。不过，就算飞船能够达到光速，要抵达最近的恒星也需要好几年时间，横穿银河系更是需要近一千个世纪。把宇航员冻起来似乎是个好办法，但考虑到恒星际旅行时间漫长，只要地球上的出资人还没被冻起来，他们肯定不愿意痛快掏钱。人类能够集中注意力的时间如此短暂，到目前为止，要与地外文明——如果他们真的存在的话——建立联系，最好的办法似乎还是乖乖待在地球上，等着他们来联系我们。这种方法没什么成本，而且能够提供我们的社会极度渴求的即时回报。

问题只有一个：他们为什么要联系我们呢？我们的星球有何吸引地外文明的独特之处？在这个问题上，人类总是一厢情愿地无视哥白尼原则。随便找个人问问，地球上有什么值得外星人注意的地方，你很可能会收获一个恶狠狠的白眼。几乎所有人都坚信，只要有外星人存在，他们肯定会造访地球，这样的信念与很大一部分宗教教条基于同一个不言自明的前提：我们的星球和我们这个物种是宇宙中的奇迹。哪怕地球只是银河系边缘微不足道的一粒尘埃，我们也注定会吸引全宇宙的注意力——从天文学的角度来说，这事儿怎么看都不合情理。

人们之所以会得出这个狂妄的结论，是因为地球上的我们观察宇宙时看到的现象与实际情况截然相反：对地球上的观察者来说，行星是主宰天空的庞然大物，恒星才是天幕中微不足道的渺小光点，这更符合人们的日常经验。我们和其他所有生物一样生存繁衍，这似乎和周围的宇宙全然无关。银河系的天体虽多，但真正能够影响我们生活的只有太阳和月亮，而且后者的影响力远不及前者。这两颗天体按照严格的规律运行，几乎彻底融入了以地球为基础的舞台背景。我们人类的意识形成于地球之上，基于地球的事物和事件，我们理所当然地认为，地球才是重要的中央舞台，邂逅地外生命不过是遥远背景里微不足道的支线情节。我们的错误在于，设想这类支线情节的时候，我们仍认为自己才是事件的中心。

这样的观念早已扎根在我们的脑海深处，哪怕我们有意识地摈除这样的想法，也很难彻底摆脱它带来的影响。运用哥白尼原则的时候，我们必须时刻警惕大脑中属于爬行动物的部分发出的呢喃，不能理所当然地把自己当成宇宙中心。

回过头审视天外来客造访地球的报告时，我们还需要留意人类思维的另一个陷阱，它和反哥白尼原则的偏见一样普遍，一样富有自我欺骗性：人类过于相信自己的记忆，有时甚至不惜扭曲现实。我们之所以会表现出这样的倾向，背后的原因和人类认为地球是宇宙中心一样，都是出于生存需求。记忆记录的是我们感知到的东西，要想总结经验以备将来之需，我们必须关注记忆。

但是现在，我们已经有了比记忆更可靠的手段，对重要公共事件的记录不必再依赖个人的记忆。国会辩论和法律以文字的形式记录在案，犯罪现场有录像为证，犯罪活动也可能留下录音证据。我们发现，要永久性地记录发生过的事件，这些媒介比我们自己的大脑更好用。但凡事皆有例外。在法律实践中，目击证言仍被视为是准确的（至少是有效的）证据。我们保留了这一做法，尽管众多试验证明，哪怕当事人刻意用心去记，也很可能无法准确记忆完整的事件，尤其是在异常的刺激条件下，而重要的事件通常伴有这样的特征。法律系统接受目击证言的传统源远流长，不仅仅因为目击证言更容易激起人们的情感共鸣，更重要的是，它往往是唯一的直接证据。无论如何，每当有人在法庭上斩钉截铁地表示“就是这个人举着手枪”的时候，我们必须牢记，有很多案例的目击证人打心底里相信拿枪的就是那个人，但事实却并非如此。

分析不明飞行物（UFO）目击报告的时候，如果你时刻牢记以上事实，那你很快就会发现许多可疑的地方。UFO 的定义决定了它总是出现得非常突然，所以目击者往往在平时很少注意的天幕中突然看到它的踪迹，周围还夹杂着大量熟悉或不熟悉的背景物体，而且 UFO 通常很快就会消失，所以目击者必须迅速做出判断。除此以外，目击者通常坚信自己看到了十分了不得的东西，这简直就是催生记忆谬误的教科书式范例。

除了目击者报告以外，我们还能通过什么途径获得更可靠的 UFO 数据呢？20 世纪 50 年代，时任美国空军 UFO 领衔顾问的天体物理学家 J. 艾伦 · 海尼克（J. Allen Hynek）总是随身携带迷你相机，他坚持认为，如果看到 UFO，他就能用相机及时记录科学证据，因为他知道目击证言并不可靠。糟糕的是，随着技术的进步，伪造的图片和视频足以乱真，所以我们也不能完全相信 UFO 的图像证据。事实上，考虑到人类记忆的脆弱程度和骗术大师的高超技艺，我们根本不能指望通过某种简单的方式准确分辨真假 UFO 目击记录。

当我们将目光转向更富时代气息的“UFO 绑架”现象，人类扭曲事实的倾向变得更加明显。虽然我们难以统计准确的数字，但近年来，数以万计的人相信自己曾被带上外星飞船并被迫接受检查，而且这些检查往往令人羞耻。从平静客观的角度来说，单凭这样的描述我们就能判断，当事人陈述的根本不是事实。对于这样的事情，直接运用奥卡姆剃刀法则——“最简单的解释就是真相”——我们就能得出结论：所谓的绑架纯属虚构。因为当事人陈述的绑架事件几乎都发生在夜间，而且大部分当事人在事件发生时处于睡眠状态，所以最可靠的解释是，他们处于半睡半醒的状态。很多人在这种状态下会出现幻听和幻视，有时候还会做“清醒梦”，做梦的人觉得自己有意识，却动弹不得。这些感受能骗过大脑的过滤系统，与真实的记忆混淆在一起，所以当事人坚信自己真的经历过梦中的事情。

如果UFO绑架事件并非出自人们的想象，而是真的发生过，这意味着天外来客的确对地球情有独钟。外星人常常造访地球，所以才有数以千计的人遭到绑架（虽然时间很短），而且经受了详细的检查。（如果这些外星人真想研究什么的话，他们难道不应该早就完成任务了吗？就算他们对人体解剖学特别感兴趣，难道就不能弄几具尸体好好研究一番？）某些故事里还有外星人从被绑架者身上提取有用物质的情节，他们将自己的种子送入女性受害者体内，或者修改被绑架者的思维模式，以逃避追查。（他们就不能直接抹除被绑架者的记忆吗？）哪怕这些故事荒诞不经，我们也不能轻易对它们嗤之以鼻，因为谁也不能排除这样的可能：也许这些漏洞百出的故事都是外星人编出来的，目的是麻痹人类，赋予我们虚幻的安全感，好为他们后面的邪恶计划或者征服宇宙的宏图争取时间。不过，理性分析的能力和清醒的判断力足以帮助我们得出结论：这些绑架故事真实发生过的概率非常非常低。

UFO的支持者和怀疑者似乎都不得不接受我们的结论。如果地外文明真的造访过地球，那他们肯定知道，我们有能力在全球范围内传播信息和娱乐素材——就算有时候你真的很难分清哪些数据是有用的信息，哪些是花边新闻。如果外星访客有意使用这些设施，那他们必将得到最高的礼遇。只要他们愿意，官方机构会立即满足他们的要求（不过想想看吧，他们或许根本不需要地球人的批准），只需要一分钟，他们就能向全世界昭示自己的到来。既然谁也没在电视上见过外星人，那么他们要么根本没来过地球，要么不愿意露面——他们“害羞”。第二种解释又带来了一个有趣的难题：如果外星访客决定藏匿行踪，而且他们的技术水平比我们高得多（毕竟他们有能力跨越漫长的恒星际空间来到地球），那他们的计划怎么总是出纰漏呢？既然外星人不想露面，我们又怎么可能得到那么多证据（目击证言、麦田怪圈、古代宇航员修建的金字塔，还有绑架事件的记忆）？他们一定在玩弄我们可怜的大脑，享受猫和老鼠的游戏。他们很可能还在暗中操纵我们的领袖，这也是政界和娱乐界挥之不去的一团疑云。

UFO 现象揭示了人类意识中非常重要的一面。尽管我们坚信地球是造物的中心，头顶的繁星不过是点缀我们这个世界的背景（事实正好相反），但我们仍保持着与宇宙建立联系的强烈愿望，因此，我们才会深信天外来客造访地球的报告，从本质上说，这和古人相信仁慈的神为地球送来闪电和使者如出一辙。我们之所以会养成这样的态度，追根溯源，是因为在历史上极为漫长的一段时间里，对人类来说，头顶的天空和脚下的大地泾渭分明，星星永恒闪耀，但永远无法触及，它们怎么可能都是一回事呢？根据这些事物的不同，我们总结出了地上之物与天上之物的区别，凡俗与神圣之别，自然与超自然之别。为了在现实的这两面之间架起一座精神的桥梁，人类付出了很多努力。但现代科学告诉我们，人类其实都是星尘，这无异于彻底粉碎了我们的精神寄托，直到今天，我们仍无意识地试图找回那个完整的精神世界。对人类来说，UFO 是来自“另一面”的新的信使，全知的外星访客映照出我们的无知，尽管真相就摆在眼前，我们仍视而不见。经典电影《地球停转之日》（1951）成功地捕捉了人类的这种倾向，在这部电影里，智慧远胜于我们的外星访客来到地球，只为了警告我们，无休止的暴力行为可能最终导致人类灭亡。

我们对宇宙的感受天生具有黑暗的一面，所以我们常常将自己对陌生人的情绪投射到外星访客身上。很多 UFO 报告中都有这样的描述："我听到外面有奇怪的声音，所以我抓起步枪出去查看。"电影里的外星人也常常被描绘成有敌意的形象，从冷战时期的史诗之作《飞碟入侵地球》（在这部电影里，军队根本没问外星飞船的来意就毫不犹豫地开了火）到 21 世纪初的《天兆》（这部电影里的英雄热爱和平，所以没带步枪，但他竟然靠着一支棒球棍赶走了拥有跨越恒星际空间能力的外星人）都是这样。

我们之所以很难将 UFO 报告当成天外访客造访地球的可靠证据，最重要的原因在于地球的平凡地位和恒星之间的漫长距离。当然，这两个原因都无法一锤定音地彻底否认外星访客的存在，但它们的确是相当有力的反面证据。既然地球不是那么富有魅力，那么要想找到地外文明，我们是不是必须等到人类有能力抵达其他行星系的那一天？

不一定。如果银河系内外存在其他文明，那么要和他们取得联系，最科学的办法是尽量利用自然的力量。根据这一原则，我们或许可以将"人类对什么样的地外文明最感兴趣"（答案：有血有肉的访客）这个问题换成：从科学的角度说，最有可能和地外文明取得联系的方式是什么？考虑到恒星之间的漫长距离，答案自然应该是——利用现有的速度最快、价格最低的通信方式，因为对银河系中的其他文明来说，它可能同样廉价且高效。

最快、最廉价的恒星际通信方式是电磁辐射，地球上的远距离通信几乎全靠这种媒介。无线电波让我们能以光速在全球范围内传输文字和图片，这为人类社会带来了翻天覆地的变化。这些信息传递的速度如此之快，如果我们将数据发往离地 37 015 千米高的同步卫星，利用它作为中继将数据传到地球的另一面，那么单边通信延时还不到 1 秒。

由于恒星之间距离漫长，延时也会相应地增加，这样的事情在所难免。如果我们打算向半人马座阿尔法星发送一条信息，那么单边通信需要 4.4 年。假如地球发出的信息能在 20 年内抵达几百颗恒星，或者围绕这些恒星运行的行星，那么发出信息以后，我们需要等上 40 年才能得到回复。当然，得到回复的前提是这些恒星附近的确存在文明，而且他们对无线电的运用水平至少和我们相当。

我们之所以没有采取这种办法来搜寻地外文明，最根本的原因不在于这个设想本身，而在于我们自己的态度。既然我们有可能永远得不到回复，那么 40 年的等待时间就显得太长了，不过，要是 40 年前我们发出了信息，那么现在我们没准已经对周围能够熟练运用无线电的文明有所了解了。这方面唯一算得上正经的尝试出现在 20 世纪 70 年代，为了庆祝波多黎各阿雷西博附近的无线电望远镜成功升级，天文学家利用它向 M13 星系团的方向发送了一条持续几分钟的信息。这个星系团远在 25 000 光年以外，就算我们能等到对面的回复，那也是很久很久以后的事情了，所以这一尝试更像象征性的演示，而不是真正的实践。如果你觉得人类不愿对外发送无线电波是出于谨慎（面对未知的领域，谨慎总是好的），那不妨想想第二次世界大战之后广播和电视的飞速发展，还有强大的雷达波束技术，这些早已让一批批球壳状的无线电波发送到了太空中。这些信号以光速在宇宙中传播，《蜜月期》和《我爱露西》[1] 那个年代的“信息”已经拂过了数千颗恒星，《天堂执法者》和《霹雳娇娃》也覆盖了几百颗恒星。如果其他文明真能从背景噪声中过滤出来自地球的电视节目（传到那些恒星的时候，这些信号的强度应该和太阳系内包括太阳在内的天体发出的辐射差不多），那么这或许可以解

(1) 均为 20 世纪 50 年代美国的著名电视剧。——译者注

释我们为何迄今为止没有得到邻居的音信，他们或许觉得我们的节目骇人听闻，或者过于精彩，所以他们选择沉默。

也许明天我们就将收到一条满载有趣信息和评论的消息。这是电磁辐射通信的最大魅力所在。它非常便宜（向太空中发射50年电视节目需要的成本比不上一次太空任务），而且是即时的——假设我们真能收到另一个文明发来的信息，并且正确理解它的含义。人们之所以对此寄予厚望，原因和大众痴迷UFO如出一辙，只是在这种情况下，我们讨论的是能被记录下来再加以验证的真实信息。

搜寻地外文明计划（SETI）的重点在于寻找无线电信号，不过光波信号也是一种不容忽视的替代通信手段。虽然来自另一个文明的光波必须克服大量自然光源的干扰，但激光束能将光波凝聚成单色或者单频率的电磁波——不同广播站和电视台发射的无线电波正是靠着这样的手段来区分彼此的。如果只考虑无线电波，那么SETI成功的希望在于巡天天线，接收器会记录天线探测到的信息，强大的计算机会分析接收器记录的信号，寻找非自然的痕迹。有两种基本的可能：（1）我们也许会偶然收到其他文明无意中泄露到太空中的通信信号，就像我们自己发射的广播电视信号一样；（2）我们也可能收到专门发送的信号，旨在吸引未知的天外文明。

前一种可能性实现的难度显然更大。信号束的能量集中于某个特定方向，如果你正好就在这个方向上，那么你很容易探测到它；另一方面，无意中泄露的信号在各个方向上基本平均分布，所以向外传播一定距离以后，它的强度就会变得远低于成束的信号。此外，从理论上说，信号束中应该包含一些引导信息，以指导接收者解码信号，但无意泄露到太空中的信号不会有这样的“使用说明”。几十年前，人类文明就有大量信号泄露到太空中。除此以外，我们还向某个特定方向专门发送过一段长达几分钟的信号束。如果宇宙中的文明真的十分罕见，那我们应该把关注的重点放到无意泄露的信号上，而不是指望正好碰上一段目标明确的信号束。

随着计算机系统、天线和接收器技术的不断进步，SETI 计划的支持者开始监听宇宙，希望找到其他文明存在的证据。但谁也无法保证我们一定就能听到什么东西，所以这方面的活动募资十分困难。20 世纪 90 年代初，美国国会为 SETI 计划提供了一年的资助，但头脑冷静的政客不久后就叫停了这个计划。现在，SETI 计划相当依赖数以百万计的普通民众，人们从网站上（setiathome.sl.berkeley.edu）下载屏保，通过这种方式将自己的计算机闲时资源贡献出来，帮助科学家分析天线收到的太空信号。还有一些资金来自富裕的个人，其中最值得一提的有微软公司联合创始人保罗·艾伦（Paul Allen）和已故的伯纳德·奥利弗（Bernard Oliver），这位惠普公司的杰出工程师是 SETI 的终生支持者。奥利弗花费了多年时间思考 SETI 的基本问题，地外文明发送信息可能使用的频率数以 10 亿计，怎么筛选信号才最高效？奥利弗试图解决的正是这个难题。我们将无线电波谱分成相对较宽的频段，所以电视和广播信号能使用的频率只有几百种。但从原则上说，外星信号的频率可能非常非常窄，所以 SETI 天线的“刻度盘”可能需要几十亿个刻度。强大的计算机系统是 SETI 的核心要素，它能同时分析上亿种频率的信号。但从另一个方面来说，直到现在，科学家仍未找到可能来自其他文明的任何无线电信号。

50 多年前，意大利天才科学家恩里科·费米（Enrico Fermi，他可能是最后一位兼修理论和实验的伟大物理学家）与同事共进午餐时讨论了一番地外生命的问题。他们达成了一个共识：作为生命的居所，地球并无特殊之处。几位科学家由此得出结论：银河系中的生命应该相当常见。“既然如此，”费米问道，“那么这些生命在哪儿呢？”几十年来，这个疑问一直没有得到很好的解答。

费米的意思是说，既然我们的星系中应该存在大量先进的技术文明，那么时至今日，我们至少应该通过无线电或激光信号和某个文明取得过联系，甚至有过面对面的接触。就算大部分文明都很短命（正如我们自己的文明可能面临的命运），大量文明的存在也意味着至少有一部分文明能够存活足够长的时间——足以开展搜索其他文明的工作。某些相对长寿的文明可能对搜寻“外星人”不感兴趣，但总会有文明感兴趣的。所以，既然我们现在还没有看到科学上站得住脚的外星人造访记录，也没有收到来自天外文明的任何确凿的信号，那么这个事实或许可以证明，我们大大高估了银河系孕育文明的概率。

费米的观点自有其道理。时间每走过一天，“我们必将孤独”的论点就多得到一份支持。但仔细审视真实的数据，你会发现这方面的证据还不够有力。假设银河系内随时都有几千个文明，那么相邻文明的平均距离应该是几千光年，差不多相当于相邻恒星距离的1000倍。如果这些文明中有一个或者几个能够存在几百万年，那么时至今日，他们应该已经向我们发出了信号，或者我们应该已经监听到了他们无意中泄露的信号。但是，如果任何文明都无法维持这么长时间，那么要想找到银河系里的邻居，我们必须付出更多努力，因为除了我们之外，主动在银河系中寻找兄弟姊妹的文明可能一个都没有，他们泄露的广播信号可能太微弱，无法被我们的天线捕获。

这样一来，我们又回到了熟悉的境地之中，仿佛永远都在等待某件可能根本不会发生的事情。人类历史上最重要的消息也许明天就会传来，也许明年会传来，也许永远不会传来。所以我们不妨敞开怀抱，走向下一个黎明，拥抱周围充满能量和秘密的闪耀宇宙。

尾声　在宇宙中寻找我们自己

带着自己的五感，人类开始探索周围的宇宙，并将这场冒险命名为科学。

——埃德温·P. 哈勃，1948

人类感觉的敏锐程度和适应范围都出色得令人震惊。我们的耳朵既能捕捉航天飞机发射时的轰鸣，又能分辨房间角落一只蚊子的嗡嗡声。触觉让你能够感知保龄球砸中脚趾的冲击，又能察觉一只重量仅有 1 毫克的虫子正在爬过你的手臂。有人喜欢大嚼哈瓦那辣椒，而有人敏感的舌头能识别出浓度仅有百万分之几的食物香精。我们的眼睛既能适应阳光下明亮的沙地，又能毫不费力地透过黑暗看到几百英尺外一根刚刚点燃的火柴。人类的眼睛不光能看到房间对面的东西，还能遥望宇宙深处。如果没有视觉，天文学将永远不可能诞生，我们也永远不可能拥有测量宇宙的能力。

所有感觉综合在一起，赋予了我们分析周围环境的能力。比如，我们可以分析现在是白天还是夜晚，或者眼前这头动物是不是打算吃掉你。但很少有人知道，感觉为我们提供的只是了解物理世界的一扇小窗，直到最近几百年，人类才开始意识到这个问题。

有人吹嘘自己拥有第六感，也就是说，他擅长感知或者“看见”别人察觉不到的事情。占卜者、读心者和神秘主义者最爱吹嘘这种神秘的力量。他们通过这种方式潜移默化地影响他人。从本质上说，通灵学这门可疑的生意之所以有利可图，是因为人们相信，至少有一部分人真的拥有这方面的能力。

与此相对，现代科学运用的“感觉”多达几十种。但科学家不会将它们描述为某种神秘的力量，只是这些专门的硬件能将超出人类感知范围的“感觉”转化成能被我们固有的五感能够感知的表格、数据、图标或图像。

说到这里，我得向哈勃道个歉。我们在本章开头引用了他的名言，虽然这句话凄美而富有诗意，但更符合事实的描述应该是：

> 带着自己的五感，以及望远镜、显微镜、质谱仪、地震仪、磁力计、粒子探测器、加速器和记录整个电磁波谱辐射的设备，我们开始探索周围的宇宙，并将这场冒险命名为科学。

想想看，要是人类天生拥有频率可调的高精确度眼球，那么我们眼中的世界将变得多么丰富，我们发现宇宙基本特性的脚步又将加快多少。向上拨动无线电波谱的“旋钮”，你会发现除了某些特定的方向以外，白日的天空跟夜晚一样漆黑，银河系中心成了天空中最亮的一个点，就连人马座的几颗主序星也遮不住它耀眼的光芒。但调到微波波段，你会看到整个天空都闪烁着极早期宇宙留下的共振，自大爆炸后 38 万年开始，这道光墙就迎面向我们行来，直至今日。调到 X 射线波段，你会立即看到黑洞的位置，物质打着旋儿坠向深渊。调到伽马射线波段，你将看到遍布宇宙、位置随机的壮丽爆炸，频率约为每天一次。这样的爆炸会加热周围的物质，制造出 X 射线、红外线和可见光。

如果我们天生自带磁力计，那么人类永远不会发明罗盘，因为谁也用不着它。只需要将你体内的磁力计调到平行于地球磁场线的方向，你就会看到磁北极像童话里的奥兹国一样浮现在地平线上。如果人类的视网膜自带频谱分析仪，那我们就不必费劲研究大气成分。只需要看一眼，我们就知道空气中的氧够不够人类呼吸。除此以外，早在几千年前我们就会知道，银河系内恒星和星云包含的化学元素和地球上的一模一样。

如果我们生来拥有敏感的大眼睛和内置的多普勒运动探测器，那么早在穴居人的时代，我们就该发现整个宇宙在膨胀，所有遥远的星系都在逐渐离我们远去。

如果我们双眼的分辨率堪比高性能显微镜，那谁也不会觉得瘟疫和其他疾病是上天的惩罚。你将亲眼看到致病的细菌和病毒钻进你的食物，或者溜进皮肤上的开放伤口。只需要做几个简单的实验，你就能轻松分辨哪些微生物是好的，哪些是坏的。我们很可能在几百年前就找到了术后感染的罪魁祸首，早早地解决了这个难题。

如果人体能探测高能粒子，那么我们应该远远地就能感觉到放射性物质的存在。盖革计数器将沦为废品。你甚至能看到氡气透过地下室的地板渗进你家，而不必花钱雇人来检查。

从出生开始，每个人都在不断磨砺自己的五感，有了这个过程，成年人才能形成“正常”的世界观，并以此为基础来判断我们遇到的事件或现象是否“合理”。但问题在于，过去一个世纪几乎没有以人类直接感觉为基础的重要科学发现。重要的发现都来自超越感官的数学方法和硬件。这个简单的事实很好地解释了对普通人来说，相对论、粒子物理学和十一维弦论为什么都显得荒诞不经、毫无道理。这份清单上还有黑洞、虫洞和大爆炸。事实上，就连科学家都觉得这些概念有些荒谬，但是后来，对宇宙的长期观察从技术上证明了它们的合理性。于是我们最终建立了更新、更高等级的“超常识”，这赋予了科学家新的创造性思维方式，所以他们才能更好地理解那些陌生的新世界，例如原子的微观王国和令人费解的高维空间。关于量子力学的创建，20世纪的德国物理学家普朗克也有同感：“现代物理学最大的意义在于，它揭示了超越我们日常感知的另一部分的现实；这部分现实也存在问题和冲突，对我们来说，它们的价值甚至超过了这个世界上最富饶的经验宝藏。”

每一种新的观测手段都将为我们打开一扇观察宇宙的新窗，新的探测器又将为越来越长的“非生理感觉清单”增添新的一笔。一次次的进步不断地将我们送上理解宇宙的新高度，仿佛我们正在演化成为某种超感知的存在。有了这些人造“感官”，在解密宇宙的过程中，我们对自身的认知又将取得怎样的突破？我们之所以执着于这个问题，不仅仅是出于简单的好奇心，更是为了探索我们这个物种在整个宇宙中的位置。其实这个问题并不新颖，这是个十分古老的问题，纵观历史，来自不同文化的思想者多多少少都琢磨过这方面的事情。下面这段诗句很好地总结了我们目前的发现：

> 我们将不停止探索
> 而我们一切探索的终点
> 将是到达我们出发的地方
> 并且是生平第一遭知道这地方……

——T.S. 艾略特，1942[1]

(1) 艾略特的这段诗出自《小吉丁》（*Little Gidding*）第五节，此处采用汤永宽译本。——译者注

致谢

感谢普林斯顿大学的罗伯特·卢普顿（Robert Lupton）反复阅读本书手稿，帮助我们用文字准确地表达想要表达的东西。他在天体物理学和英语上的造诣为这本书提供了极大的帮助，如果没有他，我们完全无法想象这本书能达到如今的水平。我们同样感谢芝加哥费米研究所的西恩·卡罗尔（Sean Carroll）、夏威夷大学的托拜厄斯·欧文（Tobias Owen）、美国自然历史博物馆的史蒂文·索特尔（Steven Soter）、加州大学圣迭戈分校的拉里·斯夸尔（Larry Squire）、普林斯顿大学的迈克尔·斯特劳斯（Michael Strauss）和美国公共广播公司“新星”系列的制作人汤姆·利文森（Tom Levenson），感谢你们为本书提供关键的修改建议。

感谢格纳经纪公司的贝琪·勒纳（Betsy Lerner），自始至终，你一直都对这个项目充满信心。在你眼里，我们这本手稿不仅仅是一本普通的小书，它还承载着我们对宇宙最深的热忱，值得分享给尽可能多的读者。

本书卷二的大部分内容及卷一、卷三中的部分内容曾由尼尔·德格拉斯·泰森（Neil deGrasse Tyson，后文简称 NDT）以短文的形式首次发表于《自然历史》（*Natural History*）杂志。为此，他深深感谢该杂志主编彼得·布劳恩（Peter Brown）和资深编辑阿维斯·朗（Avis Lang），他们是泰森写作道路上的牧者。

作者非常感谢斯隆基金会（Sloan Foundation）在本书筹备

和撰写过程中提供的帮助。我们对该组织为此类科普项目提供的支持深表敬意。

尼尔·德格拉斯·泰森，纽约市

唐纳德·戈德史密斯，伯克利，加州

2004 年 6 月

术语表

热力学温标：又称绝对温标或开尔文温标，简称开氏温标，得名于物理学家开尔文，单位为开尔文（K），水的冰点和沸点分别是 273.16K 和 373.16K。0K 代表绝对零度，即理论上能达到的最低温度。

加速度：物体运动速率或方向（或二者）的变化。

堆积：物质汇集在某物体表面上。

吸积盘：围绕大质量天体（尤其是黑洞）做轨道运动，并沿螺旋轨迹缓慢向内坠落的物质。

活动星系核（AGN）：这个天文学术语描述的是比普通星系中央区域亮几千倍、几万倍甚至几十万倍的特殊星系核。AGN 和类星体系出同源，但根据我们的观察，AGN 和地球之间的距离通常比类星体更近，所以它们在自身生命周期中所处的阶段应该晚于后者。

氨基酸：一类相对较小的分子，由 13～27 个碳原子、氮原子、氢原子、氧原子和硫原子组成，这些分子可以首尾相连形成长链蛋白质分子。

仙女座星系：离银河系最近的大型旋涡星系，距离我们大约 240 万光年。

反物质：物质的互补形态，构成反物质的反粒子质量与普通粒子完全相同，但电性正好相反。

反粒子：普通物质粒子的互补形态。

视亮度：观察者看到的天体亮度。天体的视亮度由它自身的亮度和它与观察者之间的距离共同决定。

古菌：代表生命的三个域之一，人们认为古菌是地球上最古老的生命形式。所有古菌都是单细胞嗜热生物（它们能在超过 50 摄氏度甚至 70 摄氏度的环境中繁荣生长）。

小行星：绕太阳公转的一类天体，主要由岩石（或者岩石和金属的混合物）构成。大部分小行星位于火星和木星之间的小行星带，直径从 100 米到 1000 千米不等。性质类似小行星但尺寸更小的天体被称为"流星体"。

天文学家：研究宇宙的人。这个词在过去较为常用，那时候我们还没有总结归纳出各种天体的特征光谱。

天体物理学家：利用我们已知的所有物理学定律研究宇宙的人。"天文学家"的现代称呼。

原子：呈电中性的元素最小单元。原子由原子核和核外电子组成，其中原子核包含一个以上的质子和零个以上的中子，核外电子的数量等于原子核携带的正电荷数，这个数字决定了原子的化学性质。

细菌：地球生命的三个域之一，它的正式名称是"原核生物"。所有细菌都是单细胞生物，它们没有包含遗传物质的边界清晰的细胞核。

棒旋星系：中央区域的恒星和气体比较密集，形成了拉长棒状结构的特殊旋涡星系。

大爆炸：对宇宙起源的科学描述。按照大爆炸假说，大约 140 亿年前，一场惊天动地的爆炸创造了所有的空间和物质。今天的宇宙仍在继续朝着所有方向膨胀，这是大爆炸留下的余韵。

黑洞：引力极强的天体，在黑洞中心附近一定的范围内，任何物体，包括光线，都无法逃脱它的引力，这个范围被称为黑洞半径。

黑洞半径：质量为太阳的 M 倍的黑洞，其史瓦西半径约为 3M 千米，这个范围又被称为黑洞的“事件视界”。

蓝移：趋向于高频短波的偏移，通常源自多普勒效应。

棕矮星：成分类似恒星，但质量不足以在核心区域引发核聚变（从而形成恒星）的天体。

碳水化合物：仅由碳、氢和氧这三种元素组成的一类分子。碳水化合物分子内部氢原子的数量通常是氧原子的两倍。

碳：碳元素的每个原子核拥有 6 个质子，它的几种同位素分别包含了 6 个、7 个或 8 个中子。

二氧化碳：每个 CO_2 分子由 1 个碳原子和 2 个氧原子组成。

卡西尼－惠更斯号：1997 年，这艘飞船从地球发射升空，2004 年 7 月，它到达了土星。此后，卡西尼号轨道器探测了土星及其卫星，释放出去的惠更斯号探测器则降落在土星最大卫星——土卫六——的表面上。

摄氏温标：瑞典天文学家安德斯·摄尔修斯于 1742 年引入了这套以他的名字命名的温标。摄氏温标下，水的冰点和沸点分别是 0 摄氏度和 100 摄氏度。

催化剂：加快或减缓特定原子或分子之间反应速率的物质，但它自身并不参与化学反应。

细胞：所有地球生命形式共有的结构和功能单元。

染色体：一个 DNA 分子加上与该分子相连的蛋白质。遗传信息储存在染色体内部名为“基因”的亚单元之中，细胞复制过程中，染色体能将这些信息传递下去。

文明：按照 SETI 的定义，一个群体至少应该拥有不弱于我们的恒星际通信能力，才能被称为“文明”。

宇宙背景探测者（COBE）卫星：1989 年发射的一颗卫星，它观测了宇宙背景辐射，并且首次发现了天空中不同方向上宇宙背景辐射的细微差异。

彗星：太阳系原始物质形成的碎片，通常是一个由冰、岩石、尘埃和冻结的二氧化碳（干冰）组成的“脏雪球”。

星座：我们在地球上观察到的距离较近的一组恒星，通常以动物、行星、科学设备或神话人物为名，直接以形状特征为名的星座非常罕见，天空中共有 88 个星座。

宇宙背景辐射（CBR）：诞生于大爆炸之后不久的无处不在的光子海洋，直到今天，它仍充满整个宇宙，目前 CBR 的特征温度是 2.73K。

宇宙常数：爱因斯坦在描述宇宙整体行为的方程中引入的一个常数，它代表的是每立方厘米看似空旷的空间中包含的暗能量。

宇宙学家：专门研究宇宙起源及大尺度结构的天体物理学家。

宇宙学：将宇宙作为整体来研究其结构及演化过程的学科。

暗能量：现有的任何手段都探测不到的隐形能量，它的值由宇宙常数决定。暗能量是宇宙膨胀的原因。

暗物质：不与电磁辐射相互作用的物质形态，我们只能通过暗物质作用于可见物质的引力反推出它的存在。

去耦：宇宙历史上光子的能量首次降到阈值以下，从此以后再也无法与原子产生互动的时期。在这个阶段，原子第一次得以成形，不再被光子击碎。

脱氧核糖核酸（DNA）：一种复杂的长链分子，由两股螺旋组成，长链上数以千计的小分子彼此交缠，紧紧相依。DNA 分子分裂复制时会沿着长度方向解开螺旋，每一对交缠的小分子都会分开。分裂之后的两个半个 DNA 分子都会组织周围环境中的小分子，形成一个和原始分子一模一样的新分子。

多普勒效应：如果光源正沿着观察者视线的方向靠近或远离，观察者看到的光子频率、波长和能量都会发生变化，这就是多普勒效应。任何一种波都可能出现多普勒效应，具体取决于波源和观察者之间沿视线方向的相对运动。

多普勒频移：多普勒效应造成的频率、波长和能量的变化。

双螺旋：DNA 分子的基本结构形状。

德雷克方程：美国天文学家弗兰克·德雷克首次提出的这个方程综合描述了我们估计的目前或任意给定时刻银河系中拥有恒星际通信能力的文明数量。

干冰：冻结的二氧化碳。

尘埃云：温度低得足以允许原子结合形成分子的恒星际空间中的气体云，很多分子会自发组合起来，形成包含上百万个原子的尘埃微粒。

动力学：研究物体互动产生的力和运动的学科。研究太阳系和宇宙的动力学通常被称为“天体力学”。

监听：试图捕捉地外文明无意中泄露的无线电信号，借此证明其存在的技术。

偏心率：衡量椭圆扁度的参数，偏心率等于椭圆两个焦点之间的距离与其长轴之比。

蚀：某个天体被另一个天体部分或完全遮挡的现象，在观察者看来，被“蚀”的天体仿佛躲到了另一个天体后面。

电荷：基本粒子的固有特性，电荷可能是正的，可能是负的，也可能是零。在电磁力的作用下，携带不同电荷的粒子会互相吸引，携带相同电荷的则会互相排斥。

电磁力：四种基本力之一，作用于带电粒子，与粒子之间的距离成反比。研究表明，电磁力和弱核力实际上是同一种电弱力的不同表现形式。

电磁辐射：光源释放的携带能量的光子洪流。

电子：携带一个负电荷的基本粒子，原子内部的电子绕原子核旋转。

电弱力：电磁力和弱核力的统一形式。在相对较低的能量下，这两种力的表现形式很不一样，但在高能状态下（例如，宇宙诞生之初的阶段），这两种力又会合二为一。

元素：物质的基本成分，以原子核包含的质子数为基本分类特征。宇宙中所有普通物质由 92 种元素组成，从最小的氢原子（原子核内只有 1 个质子）到最大的自然元素铀（原子核内有 92 个质子）。比铀更重的元素只能在实验室里合成。

基本粒子：自然界的基本微粒，通常无法再分割成更小的粒子。质子和中子通常被视为基本粒子，虽然这两种微粒分别由 3 个名叫“夸克”的粒子组成。

椭圆：一条封闭曲线，椭圆曲线上任意一点到其内部两个固定点（焦点）的距离之和永远相等。

椭圆星系：恒星呈椭圆状分布的星系，几乎不包含星际气体或尘埃，它的二维投影看起来很像一个椭圆。

能量：做功的能力；物理学意义上的“功”定义为作用于特定距离的一定量的力。

质量能：等同于特定质量的能量，其值等于质量乘以光速的平方。

酶：一种分子，可能是蛋白质或 RNA，它可以帮助分子发生特定形式的互动，加快分子特定反应的速度，因此酶是一种催化剂。

逃逸速度：足以让抛射物或飞船克服引力，不再落回原地的最小速度。

真核生物：地球生命的三个域之一。真核生物可能是单细胞生物，也可能是多细胞生物，它们共同的特征在于，我们在它们体内能够找到边界清晰的细胞核。

木卫二：木星的四颗大型卫星之一，最显著的特征是覆盖全球的冰层。

事件视界：黑洞半径的带有诗意的另一个名字，定义为黑洞中心附近任何事物都无法逃逸的范围。越过事件视界的任何事物都不可能逃脱黑洞的引力。因此，我们或许可以认为，事件视界就是黑洞的“边缘”。

演化：生物学意义上的演化指的是自然选择的过程，在特定的环境条件下，同一类生物（物种）的后代会随着时间的推移产生变化，最终它们的结构和外形都会变得大相径庭；从广义上说，事物缓慢变化成另一种形式或状态的过程都叫“演化”。

系外行星：绕太阳以外的其他恒星旋转的行星。

极端微生物：能在高温（通常是70～100摄氏度）环境中繁荣滋长的生物。

裂变：较大的原子核分裂成两个以上较小原子核的过程。大于铁的原子核裂变时会释放能量。目前人类的所有核电厂都靠裂变（又叫“核裂变”）提供能量。

力：广义的力指的是能够制造物理变化的举动；作用于物体的力倾向于改变物体在作用方向上的速度。

化石：古生物留下的残骸或痕迹。

频率：对光子来说，频率指的是光波每秒振荡的次数。

聚变：较小的原子核聚合形成较大原子核的过程。小于铁的原子核聚变时会释放能量。聚变为全世界的核武器和宇宙中的所有恒星提供了主要的能量来源。聚变又叫“核聚变”或“热核聚变”。

星系：从几百万颗到几千亿颗不等的一大群恒星相互吸引形成的结构，星系中通常还有大量的气体和尘埃。

星系团：多个星系组成的大团，通常包含气体、尘埃和大量暗物质，这些在共同的引力作用下聚集在一起，形成星系团。

伽利略号：1990年，NASA向木星发射的飞船。伽利略号于1995年12月抵达木星，并向木星大气层发射了一枚探测器；接下来的几年里，这艘飞船一直绕着这颗巨行星公转，为木星及其卫星拍摄照片。

伽马射线：能量和频率最高、波长最短的电磁辐射。

基因：染色体上由基因编码定义的特殊片段，基因决定了特定氨基酸链的结构。

基因编码：DNA 或 RNA 分子内部的“字母”组合，每个基因编码都代表一种特定的氨基酸，它由三个连续的小分子组成，这些小分子也是构成 DNA 分子交缠双螺旋的基本单元。

基因组：某个生命体所有基因的集合。

广义相对论：爱因斯坦于 1915 年提出的理论，广义相对论是狭义相对论的自然扩展，它适用于有加速度的参照系。这种现代的引力理论成功地解释了牛顿引力理论无法解释的大量实验结果。广义相对论的基本前提是“等效性原理”，比如说，飞船里的人无法分辨自己乘坐的飞船是在空间中加速前进还是在引力场（其引力能够产生同样的加速度）中保持静止。这个简单但基本的原则彻底颠覆了我们对引力的理解。根据爱因斯坦的理论，引力根本不是传统意义上的“力”，而是有质量的物体附近的空间弯曲。物体的运动完全取决于它的速度与空间弯曲的程度。虽然这种反直觉的说法听起来十分怪异，但广义相对论能够解释人类有史以来研究过的引力系统已知的所有行为，而且它预言了大量更加反直觉的现象，后来的实验相继验证了这些预言。比如说，爱因斯坦预测强引力场会弯曲空间，使光线发生明显的弯曲；后来我们发现，经过太阳边缘的星光（日全食为我们提供了最理想的观测机会）的确会发生弯曲，而且偏移量完全符合爱因斯坦的预测。广义相对论最成功的应用或许在于，它成功描述了我们这个膨胀的宇宙的现实：在数千亿个星系共同的引力作用下，宇宙中的所有空间实际上都是弯曲的。广义相对论还做出了一个十分重要但尚未得到验证的预测，那就是“引力子”的存在——这种携带引力的微粒能在引力场中产生突变，就像超新星爆炸时一样。

巨行星：尺寸和成分类似木星、土星、天王星或海王星的行星。巨行星由固态的岩石内核和冰组成，外面包裹着厚重的气体层，这些气体的成分主要是氢和氦。巨行星的质量范围从地球的十多倍到几百倍不等。

引力：四种基本力之一，永远相互吸引。任意两个物体之间的引力与其质量之积成正比，与二者之间距离的平方成反比。

引力透镜：天体释放的强大引力能够弯曲附近的光线，聚焦形成一个更明亮的虚像。如果没有引力透镜，观察者不可能看到这么亮的图像。

引力辐射（引力波）：引力辐射和电磁辐射不一样，但它们同样以光速传播，大质量物体高速擦肩而过时会产生大量引力波。

温室效应：行星大气层截留红外辐射的效应，它会使行星表面和正上方的温度升高。

宜居带：恒星周围能允许一种或多种溶剂以液态形式存在的范围，实际上是一个内外边界分明的环状球壳。

晕：星系最外层的区域。星系晕占据的体积远大于可见的星系本体，星系中的大部分暗物质都存在于这个区域。

氦：宇宙中第二轻的元素，丰度也位居第二。氦原子核拥有 2 个质子，以及 1～2 中子。恒星的能量就来自氢原子核（质子）聚变形成氦原子核的过程。

赫兹：频率单位，定义为 1 秒内振动的次数。

哈勃常数：出现在哈勃定律中的常数，描述星系的距离及其退行速度的关系。

哈勃定律：该定律描述我们今天观察到的宇宙膨胀，根据哈勃定律，遥远恒星的退行速度等于它和银河系之间的距离乘以一个常数。

哈勃太空望远镜：1991 年发射的太空望远镜，它成功拍摄了大量天体的可见光高清照片，因为这台望远镜身在太空中，所以它能摆脱地球大气层不可避免的干扰和吸收效应，自由地观察宇宙。

氢：宇宙中最轻、丰度最高的元素，每个氢原子的原子核只有 1 个质子，但中子数可能是 0，也可能是 1 或者 2。

红外线：波长大于可见光、频率小于可见光的光子组成的电磁辐射。

初始奇点：宇宙膨胀（“大爆炸”）开始的那一刻。

内层行星：太阳系内的水星、金星、地球和火星，内层行星体积小、密度大，而且主要由岩石组成。

恒星际云团：恒星际空间中密度远大于平均值的区域，直径通常绵延几十光年，物质密度从每立方厘米十个原子到几百万个分子不等。

恒星际尘埃：每个尘埃微粒由上百万个原子组成，这些微粒很可能是从红巨星极其稀薄的大气层喷射到恒星际空间中的。

恒星际气体：星系中不属于任何恒星的气体。

离子：失去了一个或多个电子的原子。

离子化：剥夺原子的一个或多个电子，使之变成离子的过程。

不规则星系：形状不规则的星系，也就是说，它既不像旋涡（碟状）又不像椭圆。

同位素：特定元素的原子核，所有同位素包含的质子数完全一样，但中子数不尽相同。

詹姆斯·韦伯太空望远镜（JWST）：计划于21世纪初投入使用的太空望远镜，它将成为哈勃太空望远镜的继任者。JWST的镜头更大，携带的设备也更先进。

动能：物体由于运动而具有的能量，定义为物体质量的0.5倍乘以速度的平方。因此，如果两个物体运动速度相同，那么质量大的物体（譬如一辆卡车）拥有的动能必然大于质量小的物体（譬如一辆自行车）。

柯伊伯带：距离太阳从40天文单位（冥王星与太阳的平均距离）到几百天文单位之间的环状区域，里面充满了太阳原行星盘残留下来的碎片。冥王星是柯伊伯带最大的天体之一。

大麦哲伦云：银河系两个不规则卫星星系中较大的那个。

纬度：地球上的纬度是一套标示南北方向的坐标系，赤道的纬度为0°，南北极则分别是南纬90° 和北纬90° 。

光年：光或者其他形式的电磁辐射1年行经的距离，约等于10万亿千米。

本星系团：银河系附近的几十个星系。本星系团包括大小麦哲伦云和仙女座星系。

对数尺度：记录一整张纸都写不下的大数字的一种方式。用数学术语来说，对数尺度呈指数增长（1，10，100，1000，10 000）而非算术增长（1，2，3，4，5）。

经度：地球上的经度是一套标示东西方向的坐标系，人为定义的“本初子午线”是一条经由英国格林尼治天文台，贯穿南北极的大圆。从本初子午线出发，东经 180° 至西经 180° 囊括覆盖了整个地球表面。

亮度：天体每秒释放的所有形式的电磁辐射的总能量。

质量：度量物体物质内容的物理量。请勿将质量与重量混淆，后者衡量的是物体受到的引力。

大灭绝：地球生命史上的重大事件，有时候由剧烈的撞击引发，导致地球上相当一部分生物物种在极短的地质时间内彻底灭绝。

新陈代谢：生命体所有化学过程的统称，定义为生物利用能量的速度。新陈代谢率高的动物必须更频繁地摄取能量（食物）才能维持生命。

流星：流星体穿过地球大气层时摩擦生热留下的明亮轨迹。

流星雨：地球在短时间内遭遇轨道上的大量流星体造成的现象，表现为天空中特定角度突然出现大量流星。

陨石：经过与地球大气层的摩擦仍残存下来的流星体。

流星体：太阳公转轨道上由岩石和 / 或金属组成的天体，体积小于小行星。一部分流星体是太阳系形成过程留下的残骸，还有一部分是太阳系内的天体互相碰撞产生的碎片。

银河系：包含了太阳和另外大约 3000 亿颗恒星的星系。除了恒星以外，银河系里还有恒星际气体、尘埃和大量暗物质。

模型：思维概念，通常由纸笔或高速计算机辅助创建，代表现实的简化，让科学家得以将某种条件下最重要的过程单独提取出来加以分析理解。

修正版牛顿力学（MOND）：以色列物理学家莫德采·米尔格若姆提出的一种变体引力理论。

分子：两个以上原子组成的稳定结合。

突变：生物 DNA 产生的能被后代继承的变化。

星云：弥散的气体和尘埃，通常会被内部新形成的高亮度恒星点亮。

中微子：一种质量远小于电子的电中性基本粒子，由弱核力主宰的基本粒子反应是创造或吸收中微子的主要过程。

中子：一种电中性的基本粒子，组成原子核的两种基本成分之一。

中子星：超新星爆炸核心留下的微型残骸（直径小于 32 千米）。中子星几乎完全由中子组成，所以它的密度极大，16 立方厘米的空间中包含的物质足以填满 2000 艘远洋轮船。

氮：每个原子核拥有 7 个质子的元素，氮同位素的原子核可能包含 6 个、7 个、8 个、9 个或 10 个中子。大部分氮原子核拥有 7 个中子。

核聚变：两个原子核在强核力的作用下融为一体。原子核必须靠近到小于质子尺寸的距离才有可能发生聚变。

核苷酸：DNA 和 RNA 内部交缠的分子。DNA 的四种核苷酸分别是腺嘌呤、胞嘧啶、鸟嘌呤和胸腺嘧啶。RNA 内部没有胸腺嘧啶，由尿嘧啶取而代之。

奥尔特云：绕太阳公转的几十亿甚至几万亿颗彗星，最早诞生于原太阳刚刚开始凝聚成形的时期。奥尔特云内部几乎所有彗星的公转轨道半径都比地球轨道半径大几千倍甚至几万倍。

有机物：由碳原子充当重要结构元素的化合物，碳基分子，与生命有关。

氧化：与氧原子结合。暴露在地球大气中的金属生锈就是最典型的氧化过程。

氧：每个原子核包含 8 个质子的元素，氧同位素的原子核分别拥有 7 个、8 个、9 个、10 个、11 个或 12 个中子。大部分氧原子核拥有 8 个中子，质子数和中子数正好相等。

臭氧：由 3 个氧原子组成的分子，存在于地球大气层高处，能够帮助地球隔绝紫外线。

泛种论：认为生命可能从某地传往别处的假说，比如说，泛种论认为生命可以在太阳系内的行星间传播。

光子：一种没有质量的电中性基本粒子，能够携带能量。光子束组成的电磁辐射在空间中以 299 792 千米 / 秒的速度传播。

光合作用：利用可见光或紫外线，以二氧化碳和水为原料制造碳水化合物分子的过程。地球上的大部分生物利用水（H_2O）进行光合作用，但也有一部分生物能用硫化氢（H_2S）取代水，完成光合作用。

行星：绕恒星公转，尺寸不小于冥王星的非恒星天体。冥王星曾是太阳系内最小的行星，但现在我们认为，柯伊伯带的这颗天体实在太小，不能被归类为行星。

小行星体：尺寸远小于行星的天体，可以通过无数次互相撞击形成行星。

板块构造：地球（及其他相似行星）地壳板块的缓慢运动。

原始大气：一颗行星最初的大气层。

原核生物：生命的三个域之一，见“细菌”。

蛋白质：由一条或多条氨基酸链组成的长链分子。

质子：一种带正电的基本粒子，存在于所有原子的原子核内。原子的化学性质由核内质子数决定。

质子循环：三种核聚变反应组成的循环链，大部分恒星通过这个循环过程将质子转化为氦原子核，同时将质能转化为动能。

原行星：处于形成最后阶段的行星。

原行星盘：正在成形的恒星周围的气体和尘埃组成的碟状结构，原行星盘可能孕育出独立的行星。

原恒星：正在形成的恒星。一大团气体尘埃云在自身引力作用下收缩凝聚，形成恒星的雏形。

脉冲星：向外有规律地释放无线电光子脉冲（通常还有能量更高的光子）的天体。快速旋转的中子星周围存在高强度磁场，带电粒子被磁场加速，从而形成脉冲。

量子力学：描述微观尺度下粒子行为的学科，原子结构、原子之间的互动、原子与光子的互动，以及原子核的行为都属于量子力学的研究范围。

类星体（类星射电源）：外观类似恒星，但光谱呈明显红移（因为它们和银河系之间的距离十分遥远）的天体。

无线电：波长最长、频率最低的光子。

放射性衰变：特定类型的原子核自发转化为其他原子核的过程。

红巨星：度过了主序阶段，核心开始收缩，同时外层膨胀的恒星。恒星核收缩会加快核聚变的速度，提高恒星的亮度，恒星外层将得到更多的能量，从而开始膨胀。

红移：物体光谱趋向于低频长波的偏移，通常由多普勒效应导致。

分辨率：相机、望远镜和显微镜等光学设备捕捉细节的能力。更大的镜头或者镜片通常能带来更高的分辨率，但大气带来的干扰可能让你事倍功半。

核糖核酸（RNA）：一种复杂的大分子，其基本成分和DNA相同。RNA承担着活细胞的许多重邀功能，包括将DNA携带的遗传信息传递到蛋白质合成的地点。

卫星：围绕质量和尺寸都远大于自身的天体公转的相对较小的天体。更准确地说，两个天体围绕它们共同的质心公转，其轨道半径与天体自身质量成反比。

自身引力：物体内部某部分承受的来自其他所有部分的引力。

小麦哲伦云：银河系两个不规则卫星星系中的一个。

太阳系：太阳及围绕它公转的天体，包括行星及其卫星、小行星、流星体、彗星和行星际尘埃。

太阳风：太阳向外释放的粒子，主要是光子和电子。太阳最外层一刻不停地释放太阳风，但太阳耀斑爆发期间的太阳风最为剧烈。

溶剂：能溶解其他物质的液体。溶剂能容许原子和分子漂浮其中，发生互动。

时空统一论：空间和时间的数学统一体，这套理论认为时间和空间完全等效。狭义相对论告诉我们，时空统一论是对自然最准确的描述。所有事件都能用时间和空间坐标来描述，二者之间的差异完全不影响最终表达的结果。

狭义相对论：1905 年由爱因斯坦首次提出，这套理论为我们提供了理解空间、时间和运动的全新角度。狭义相对论基于两条"相对性原则"：（1）光速在任何参照系下始终保持恒定；（2）所有静止或匀速运动的参照系都遵循同样的物理定律。后来，这套理论又扩展到了拥有加速度的参照系下，我们称之为"广义相对论"。爱因斯坦提出的这两条相对性原则完全符合实验结果，以此为基础，他预测了一系列很不寻常的概念，其中包括：

· 不存在绝对同步的事件。某个观察者眼中同时发生的两件事在另一个观察者看来可能存在时间差。
· 你运动的速度越快，你相对于观察者的时间就流逝得越慢。
· 你运动的速度越快，你的质量就会变得更大，飞船发动机加速也越来越困难。
· 你运动的速度越快，你的飞船就会变得越短——所有物体都会沿着运动的方向缩短。
· 光速下的时间会完全停止，你的长度会变成零，质量则变成无穷大。由于存在这样的局限，爱因斯坦得出结论：你永远不可能达到光速。

爱因斯坦的这些预测都得到了实验的精准验证。最完美的例子就是粒子的"半衰期"。经过一段特定长度的时间以后，半数粒子将衰变成另一种粒子。不过，如果将这些粒子放进加速器里，让它们以接近光速的速度运动，它们的半衰期应该会变长，具体数字取决于狭义相对论的计算结果。而且粒子速度越快，加速就越困难，因为它们的有效质量会不断变大。

物种：特定种类的生物，同物种的所有成员拥有相似的解剖学特征，能够交配繁殖。

谱系（光谱）：以频率或波长为尺度描述光子的分布，通常以图像的形式表现特定频率或波长的光子数量。

球体：表面上的每一点与中心距离完全相等的唯一一种立体形态。

旋臂：旋涡星系盘内的螺旋状结构，由最年轻、最炽热、最明亮的恒星勾画出的旋臂的轮廓，点缀其间的是孕育这些恒星的巨型气体尘埃云。

旋涡星系：以恒星、气体和尘埃组成的扁平碟状结构为特征的星系，星系盘内有旋臂。

恒星：大量气体在自身引力作用下聚集形成的天体，恒星中心区域的核聚变反应将质能转化为动能，释放出的热量加热整颗恒星，使恒星表面发光。

星团：同时诞生于同一地点的一组恒星，在相互引力的作用下，星团能维持几十亿年。

强核力：四种基本力之一，永远相互吸引。强核力将核子（质子和中子）结合在一起形成原子核，但它的作用尺度大约只有 10^{-13} 厘米。

升华：物质从固态直接转变为气态（跳过液态阶段）的过程。

次毫米波：频率和波长介于无线电波和红外线之间的电磁辐射。

超大质量黑洞：质量超过太阳 100 倍的黑洞。

超新星：核聚变阶段结束后发生爆炸的恒星。爆发的超新星会在短短几周内释放出耀眼的光芒，向外输出的能量堪比整个星系。恒星际空间中比氢和氦更重的元素都来自超新星爆发。

望远镜：天文学家为光谱的每一个部分都设计了专门的望远镜和探测器。某些频率的光根本无法到达地球表面，要想观察宇宙中众多天体释放的伽马射线、X 射线、紫外线和红外线，这些望远镜必须安置在地球上空的轨道上才能避开大气层的干扰。这些望远镜的设计各不相同，但它们都遵循三个共同的基本原则：（1）它们捕捉光子；（2）它们聚焦光子；（3）它们能用某种探测器记录光子。

温度：度量一组粒子随机运动平均动能的物理量。绝对（开氏）温标下，气体的温度与气体微粒的平均动能成正比。

热能：物体（无论是固体、液体还是气体）由于原子或分子的振动而拥有的固有能量。

热核过程：高温下与原子核行为有关的所有过程。

热核聚变：核聚变的别称，有时候简称为“聚变”。

嗜热生物：能在接近水的沸点的高温下繁荣滋长的生物。

潮汐：附近的天体作用于可变形物体的引力造成的起伏。天体与可变形物体各个部分的距离并不相同，所以这些部分受到的引力也不完全一样。

不明飞行物（UFO）：出现在地球天空中的难以找到合理解释的飞行物。UFO 的流行证明了科学界的无知或者目击者的无知。

紫外辐射：频率和波长介于可见光和 X 射线之间的光子。

宇宙：通常用于描述存在的一切事物。不过根据现代的理论，我们称之为“宇宙”的这一切可能不过是一个更大的“超宇宙”或者“多宇宙”的一部分。

病毒：核酸和蛋白质分子组成的混合体，只能通过另一种生物的“宿主”细胞完成繁殖。

可见光：频率和波长能被人类双眼感知到的光子，介于红外辐射和紫外辐射之间。

旅行者号：NASA 的两艘飞船，分别叫作旅行者 1 号和旅行者 2 号。两艘旅行者号飞船于 1978 年从地球发射升空，几年后它们先后经过了木星和土星；接下来，旅行者 2 号于 1986 年与天王星交会，1989 年抵达海王星。

波长：连续两个波峰或波谷之间的距离。对光子来说，波长相当于一个光子一次振荡行经的距离。

弱核力：四种基本力之一，只能作用于距离小于 10^{-13} 厘米的基本粒子。特定基本粒子的衰变就是弱核力造成的。近期研究表明，弱核力和电磁力实际上是同一种电弱力的不同表现形式。

白矮星：将氦聚合为碳原子核的恒星核心。白矮星由碳原子核和电子组成，直径极小（尺寸约等于地球），密度极高（大约相当于水的 100 万倍）。

威尔金森微波各向异性探测器（WMAP）：这颗发射于 2001 年的卫星旨在研究宇宙背景辐射，它的测量精确度比 COBE 卫星高得多。

X 射线：频率大于紫外线但小于伽马射线的光子。

●这张斑驳的图片是NASA威尔金森微波各向异性探测器（WMAP）绘制的宇宙背景辐射地图。天空中温度略高于平均值的区域用红色标记，略低于平均值的则是蓝色。背景辐射温度的细微差异来自极早期宇宙物质密度的不均匀性。超星系团就起源于这幅图中物质密度略高于平均值的地方。

●哈勃太空望远镜于2004年拍摄的超深空场照片，记录下了我们有史以来观察到的最昏暗的天体。照片中的几乎每个天体（无论它看起来有多小）都是一个星系，它们与银河系之间的距离从30亿光年到100亿光年不等。由于这些星系发出的光需要在太空中旅行几十亿年才会进入望远镜的镜头，所以我们在照片中看到的并不是它们如今的模样，而是来自星系演化早期阶段的残影。

●这个巨型星系团被天文学家命名为A2218，它与银河系之间的距离大约是30亿光年。这个星系团背后还藏着更遥远的星系，暗物质和A2218内部质量最大的那些星系产生的引力扭曲了远方星系发出的光芒，所以我们才会在哈勃太空望远镜拍摄的这张照片中看到细长的弧形光带。

●另一个巨型星系团A1689，大约位于20亿光年外。这个星系团同样会弯曲背后遥远星系的光芒，制造出短而明亮的光弧。天文学家通过哈勃太空望远镜拍摄的照片测量了这些光弧的细节数据，结果发现，星系团的大部分质量来自看不见的暗物质，而非星系本身。

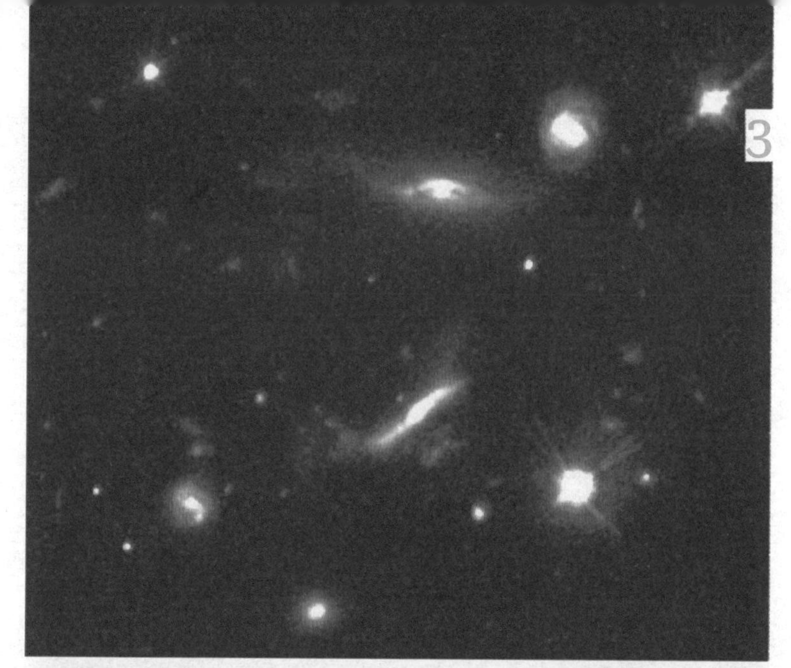

●编号为PKS 1127-145的类星体距离银河系大约100亿光年。在上面这张哈勃太空望远镜拍摄的可见光照片中，右下角那颗明亮的天体就是PKS 1127-145。类星体的本体实际上只占据了这个光斑最中央的一小块区域，它的海量能量来自坠入巨型黑洞的超热物质。下面这张照片是钱德拉天文台对准天空中同一片区域拍摄的X射线照片，我们可以看到，PKS 1127-145向外释放的X射线束长达100万光年以上。

●在这张后发座星系团的照片中，几乎每个昏暗的天体都是一个由1000亿颗以上的恒星组成的星系。这个星系团距离银河系大约3.25亿光年，直径约几百万光年，包含了上千个独立星系。在引力的作用下，这些星系互相围绕对方旋转，仿佛在跳一曲优雅的芭蕾。

●室女座星系团距离银河系仅6000万光年，我们可以在它的中央区域看到几十个不同类型的星系，包括照片左上角和右上角的巨型椭圆星系。在莫纳克亚山天文台的加拿大-法国-夏威夷望远镜（简称加法夏望远镜，CFHT）拍摄的这张照片中，我们还看到了多个旋涡星系。由于室女座星系团与银河系的距离非常近，所以它的巨大引力极大地影响了银河系在太空中的运动。事实上，银河系和室女座星系团都属于一个更大的星系结构，我们称之为“室女座超星系团”。

6

●在智利甚大望远镜阵列拍摄的这张照片中，我们可以看到一个类似银河系的巨型旋涡星系。这个星系名叫NGC 1232，距离我们约1亿光年，通过这张俯视图，我们可以看到星系中心附近相对较老的恒星发出的黄色光芒，外围旋臂温度极高的年轻恒星发出的光则是蓝色的。天体物理学家还在这些旋臂中探测到了大量恒星际尘埃。NGC 1232左侧还有一个相对较小的伴侣星系，这是一个棒旋星系，因为它的中央区域有一个棒状结构。

●这个名叫NGC 3370的旋涡星系距离我们大约1亿光年，它的尺寸、形状和质量都和银河系十分相似。哈勃太空望远镜拍摄的这张照片让我们看到了构成NGC 3370旋臂轮廓的高亮度灼热年轻恒星。这个星系的直径约为10万光年。

●1994年3月，天文学家在NGC 4526星系（这是室女座星系团数千个星系中的一个，距离银河系约6000万光年）中发现了超新星1994D。在哈勃太空望远镜拍摄的这张照片中，左下角的明亮天体就是超新星1994D，它的上方是该星系中央平面上能够吸收光线的尘埃。超新星1994D向周围的环境释放大量能够孕育生命的化学物质，除此以外，它还是一颗典型的Ia型超新星，我们正是通过这类超新星发现了宇宙正在加速膨胀。

●眺望2500万光年外的NGC 4631星系时，我们的视线正好落在星系盘的侧面，所以我们无法看到这个星系的旋臂结构。星系盘内的尘埃挡住了恒星释放的大部分光芒。NGC 4631上方有个小一点的椭圆星系，它围绕这个巨型旋涡星系旋转。

10

●这个小型不规则星系名叫NGC 1569，它和银河系之间的距离只有700万光年。大约2500万年前，这个星系中的恒星开始爆发式地出现，直到今天，NGC 1569的光芒主要仍来自这些新形成的恒星。在哈勃太空望远镜拍摄的这张照片中，我们可以在中间偏左的位置看到两个巨大的星团。

●旋涡星系M33和银河系的距离跟仙女座星系差不多（240万光年），它的尺寸相对较小，在哈勃太空望远镜拍摄的这张照片中，我们可以看到M33内部最大的恒星形成区。该区域质量最大的恒星已经通过超新星爆炸向周围释放了大量重元素。与此同时，其他大质量恒星还在不断释放高强度的紫外辐射，这些辐射会剥夺周围原子的电子。

●银河系有两个不规则卫星星系，我们称之为大麦哲伦云和小麦哲伦云，图为大麦哲伦云。大麦哲伦云内部的恒星形成了巨型棒状结构，旁边是其他零散的恒星与恒星形成区。明亮的蜘蛛星云（因形状而得名）是该星系内部最大的恒星形成区。

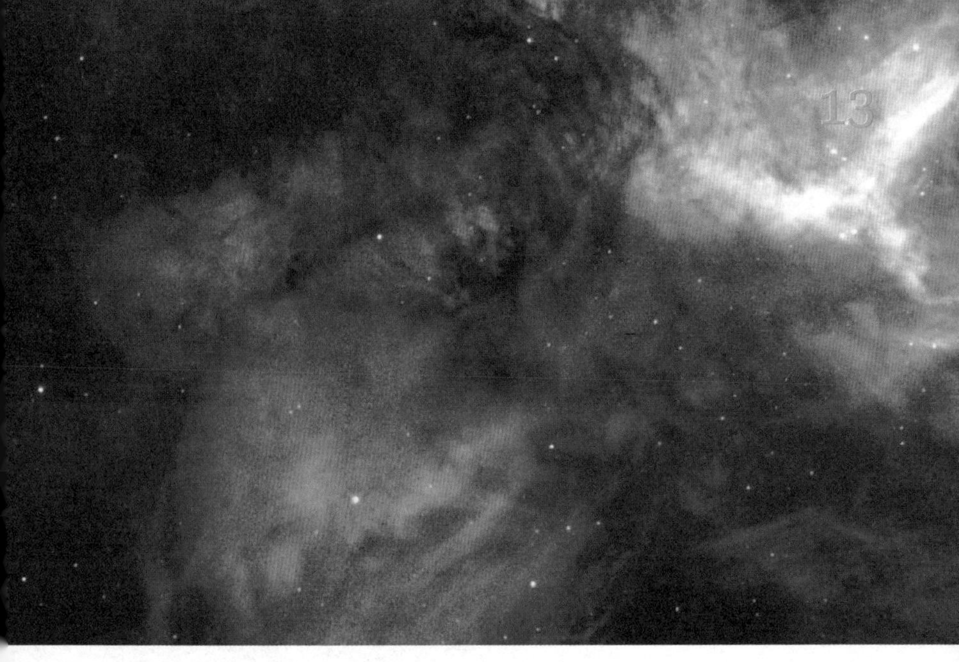

●这个名叫“蝴蝶星云”（因为它的形状很像一只蝴蝶）的恒星形成区位于银河系最大的卫星星系（大麦哲伦云）内部。年轻的恒星从内部点亮了这片星云，同时激发氢原子，释放出特征明显的红色阴影，所以哈勃太空望远镜才能拍下这张照片。

●天文学家详细调查了整个天空中的红外辐射，结果发现，我们生活在一个旋涡星系扁平的星系盘内，这张照片从左到右显示的就是银河系的中央区域。尘埃粒子吸收了这个区域的部分光线，远方的其他旋涡星系内也有这样的尘埃。在银河系的螺旋平面下方，我们可以看到两个不规则卫星星系，即大麦哲伦云和小麦哲伦云。

●银河系中心距离太阳系约3万光年，但我们望向银河中心的目光会被厚重的尘埃云遮挡。比起可见光来，红外线穿透恒星际尘埃的能力更强，所以通过2微米全天巡天（2MASS）计划拍摄的这张红外照片，我们发现银河系中央区域（照片中特别明亮的区域）附近的辐射很强，这里可能有一个稳定吞噬物质的超大黑洞。

●蟹状星云距离太阳系约7000光年，它是一颗恒星爆炸的产物，1054年7月4日，这颗超新星的光芒传到了地球。在莫纳克亚山天文台加拿大－法国－夏威夷望远镜拍摄的这张照片中，偏红的细线主要是氢气，它们从爆炸中央区域向外扩散；白光来自高密度磁场中运动的亚光速电子。蟹状星云这样的超新星爆炸残骸为恒星际气体尘埃补充了演化所需的材料，所以这些气体云才能孕育出“重”元素（例如，碳、氮、氧和铁）含量高于老恒星的新恒星。

●通过哈勃太空望远镜拍摄的这张高分辨率光学照片，我们看到了大约5000光年外的三叶星云翻涌的气体。这些柱状结构内部的气体密度必然大于周围的空间，附近灼热的年轻恒星释放的辐射塑造了气团的形状。

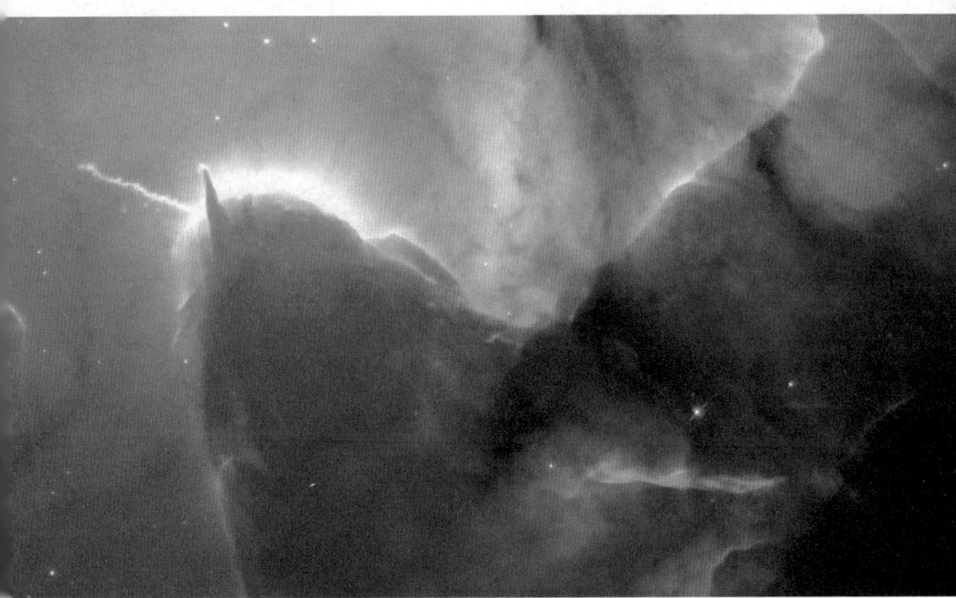

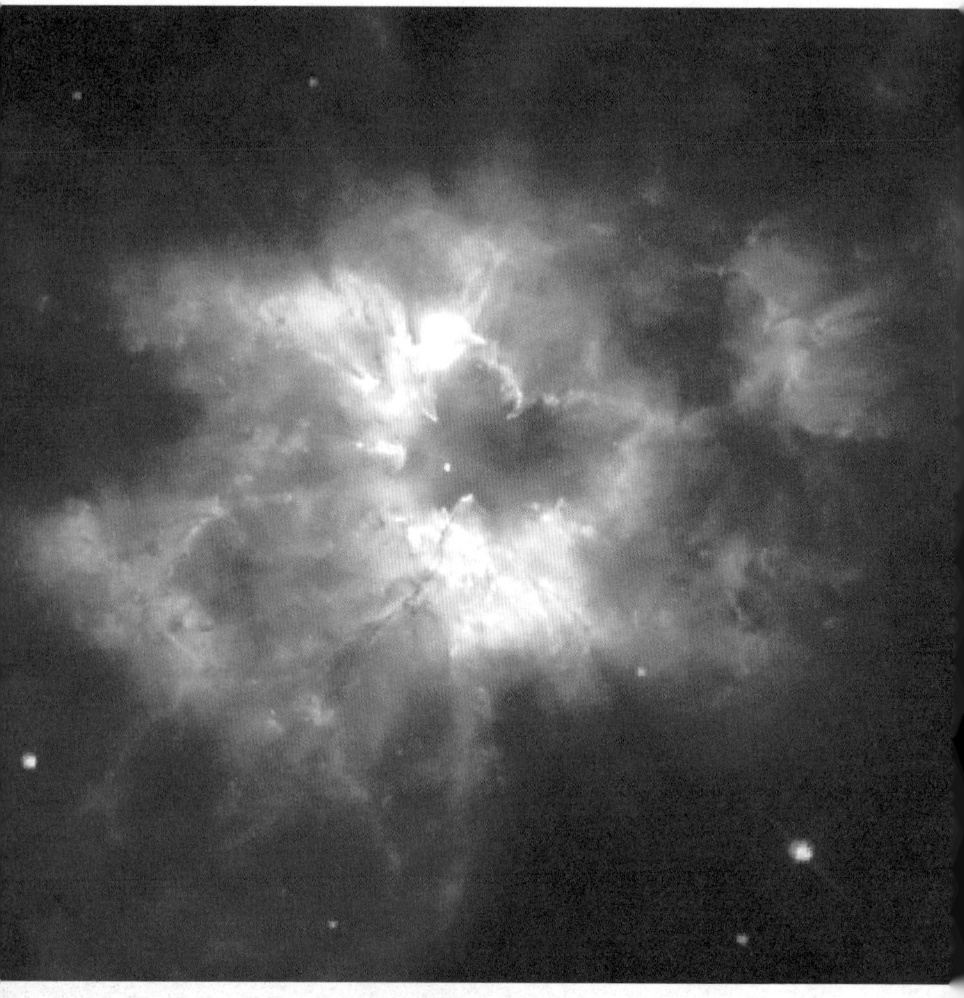

●这片星云名叫NGC 2440，它包裹着一颗耗尽燃料但依然灼热的恒星残骸。在哈勃太空望远镜拍摄的这张照片中，星云中央区域明亮的光点就是那颗“白矮星”。不久后，距离太阳系约3500光年的这团气体将逐渐蒸发到太空中，只留下慢慢冷却、越来越黯淡的白矮星。

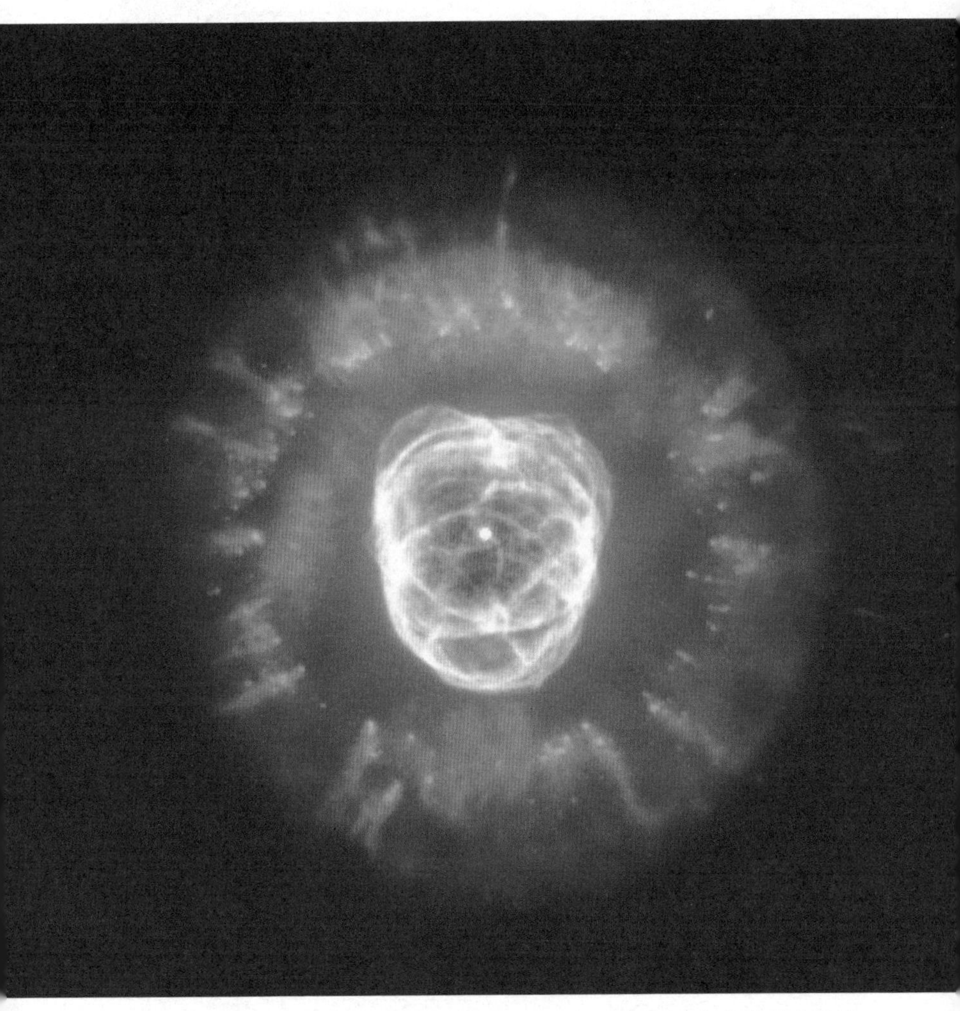

●1787年，著名天文学家赫歇尔发现了这个壮丽的天体，并将它命名为“爱斯基摩星云”，因为它的形状很像一张围着毛皮帽子的人脸。爱斯基摩星云距离太阳系约3000光年，它由一颗衰老恒星释放的气体组成，来自同一颗恒星的紫外线将它点亮。由于这颗恒星的表面温度极高，所以它释放的紫外线比可见光还多。以赫歇尔为首的天文学家将这样的天体命名为“行星状星云”，因为透过小型望远镜观察，它们只是一个个平凡的圆盘，看起来很像行星。不过，通过哈勃太空望远镜拍摄的这张照片，我们可以清晰地看到中央恒星周围气体膨胀的大量细节，你不可能把它和行星弄混。

●在银河系的恒星形成区域内部，一片温度相对较低、密度相对较大的气体尘埃云吸收光线，创造出了形如其名的“马头星云”，所以我们才能看到莫纳克亚山天文台加拿大－法国－夏威夷望远镜拍摄的这张照片。这片距离太阳系约1500光年的尘埃云属于一团更大的恒星际低温暗云，马头下方的暗区就是这个云团的冰山一角。

●通过哈勃太空望远镜拍摄的这张照片，我们可以看到太阳系第二大行星土星上漂亮的行星环。木星、天王星和海王星也拥有行星环，只是远不如土星这么夺目，但这些行星环同样由围绕行星公转的微粒组成。

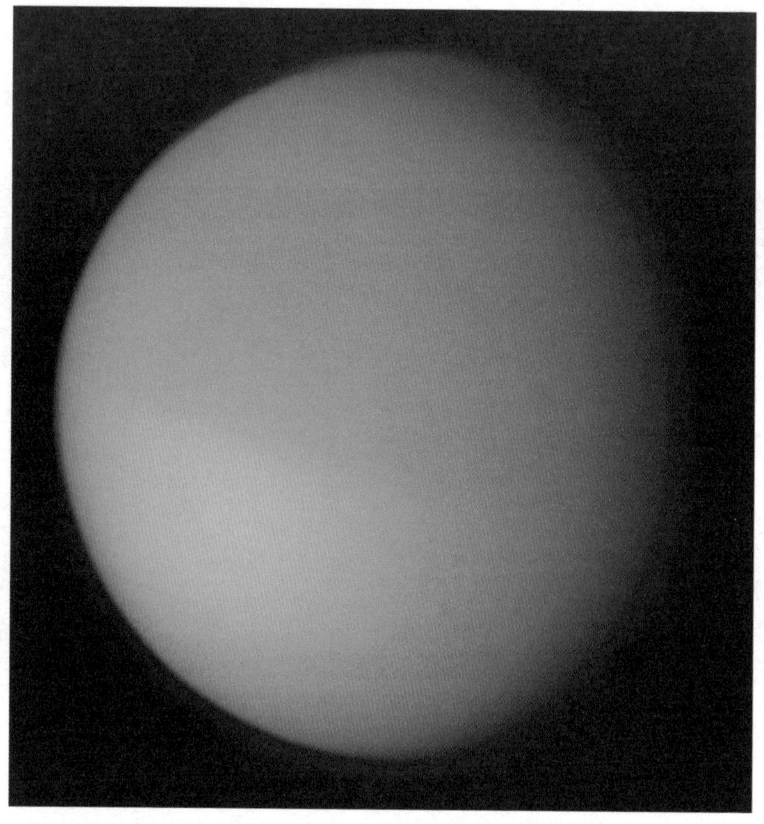

●土星最大的卫星——土卫六（泰坦）。土卫六有着厚厚的大气层，主要由氮分子组成，除此以外还有大量雾蒙蒙的微粒，这些微粒永远地隔绝了可见光，所以我们很难观察到土卫六的表面。这张照片由旅行者2号飞船于1981年拍摄。

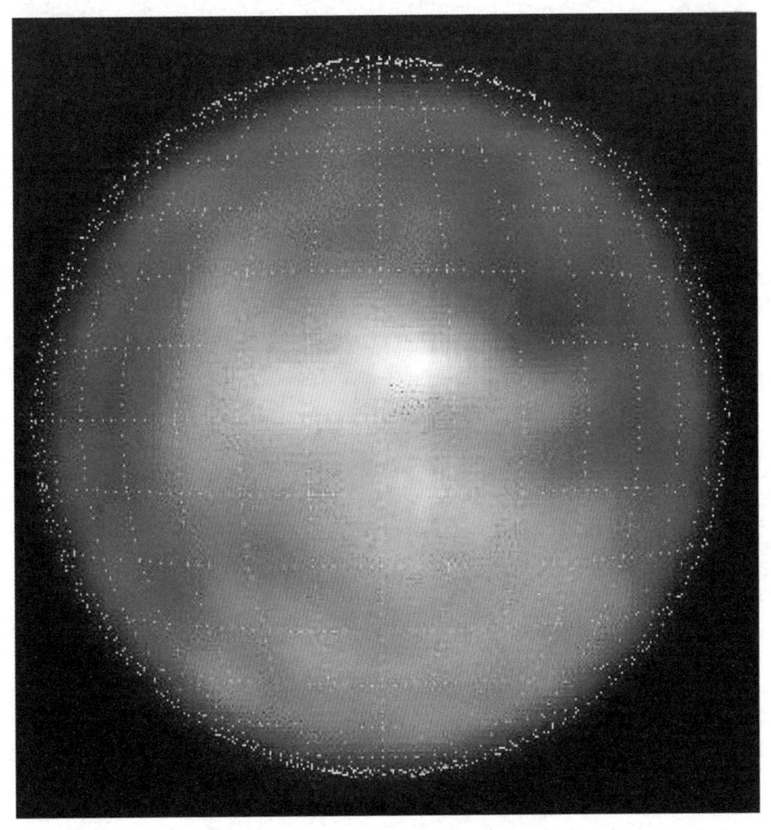

●红外辐射照片中的土卫六（图中虚线是人为附加的经纬度网络。——校者注）。在这里，我们看到了这颗卫星的地形轮廓，其上可能有液态的湖泊和遍布岩石的崎岖地面，甚至还有凝结的烃类化合物形成的冰川。这张照片由莫纳克亚山天文台的加拿大－法国－夏威夷望远镜拍摄。

●卡西尼号飞船原定于2004年与土星完成交会，2000年12月，这艘飞船途径木星的时候为这颗太阳系最大的行星拍下了照片。木星由固态内核和厚达上万英里的大气层组成，这些气体的主要成分是氢、碳、氮和氧。随着木星的快速自转，不同的元素形成了五彩斑斓的图样。这张照片中最小的局部图样宽度也有64千米左右。

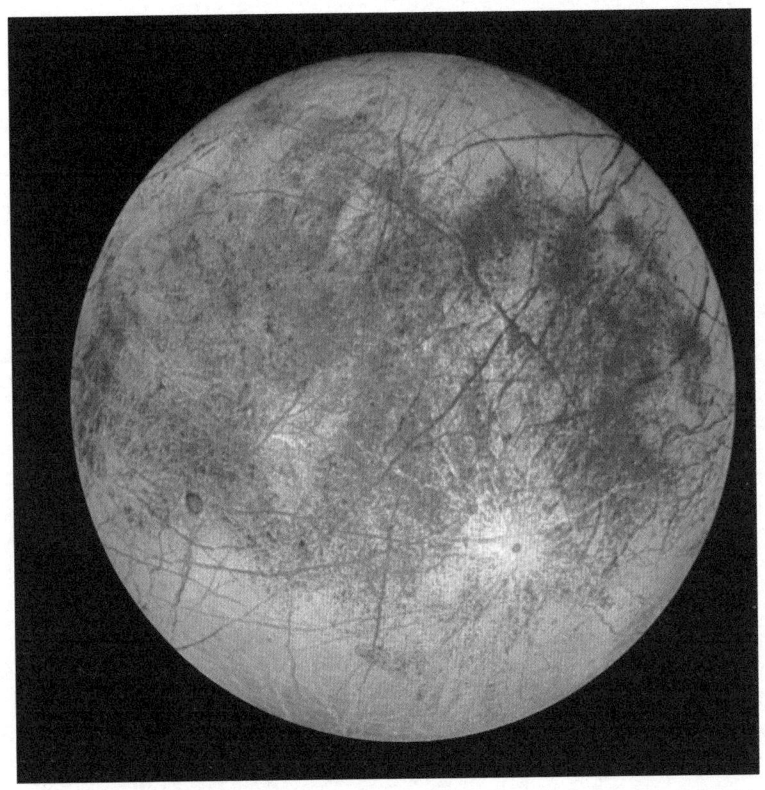

●木卫二（欧罗巴）是木星的四颗大卫星之一，它的直径和我们的月亮差不多，但这颗卫星表面长而直的线条可能是遍布全球的冰盖裂纹。这张木卫二全景图由伽利略号飞船拍摄。

24

●拍摄完上一张图片之后，伽利略号飞船飞到了距离这颗卫星地表仅563千米的高度，近距离拍摄了这张照片。通过这张细节照片，我们可以看到冰山和笔直的河流，中间点缀着深色的暗点，那可能是撞击形成的环形山。人们高度怀疑木卫二地表覆盖着厚达0.8千米的冰层，冰层下方是遍布全球的海洋，这样的环境可能孕育出原始的生命形式。

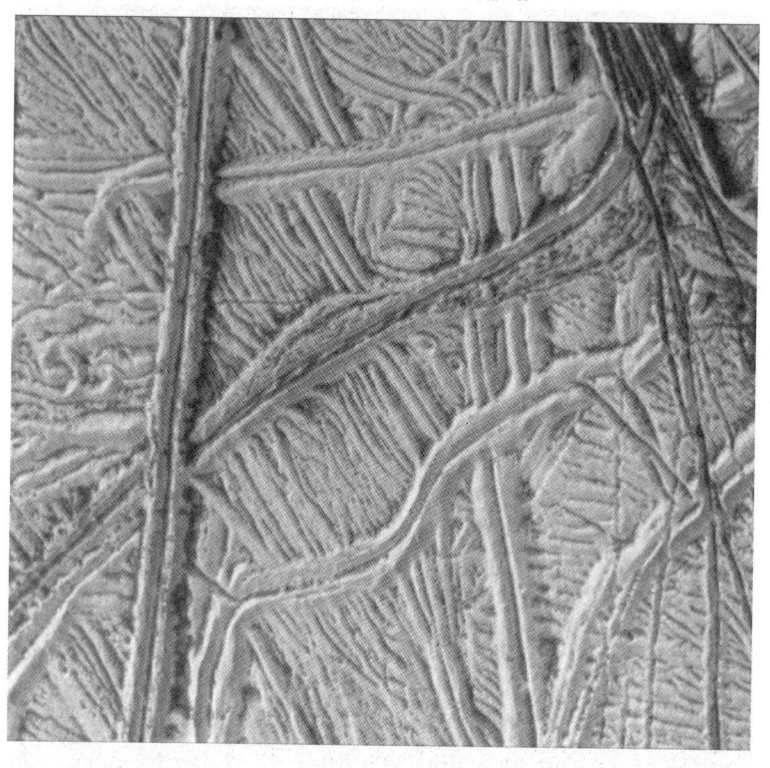

● 20世纪90年代初，围绕金星公转的麦哲伦号飞船利用无线电波（它能穿透金星不透明的大气层）帮助天文学家绘制了这幅金星表面的雷达照片，我们从中看到了不计其数的大型环形山和金星最大高地上宽阔的亮色区域。

●1971年，阿波罗15号任务的宇航员首次乘坐月面车探索月球高地（这也是人类第一次在其他星球上乘坐车辆），寻找月球起源的证据。

●2003年，火星靠近地球期间，哈勃太空望远镜拍摄了这张照片，火星南极冰冠（主要是冻结的二氧化碳）出现在照片最下方。右下角的大圆圈被称为“希腊撞击盆地”，颜色较浅的火星高地上还有许多较小的环形山，颜色较深的区域是火星上的低地。

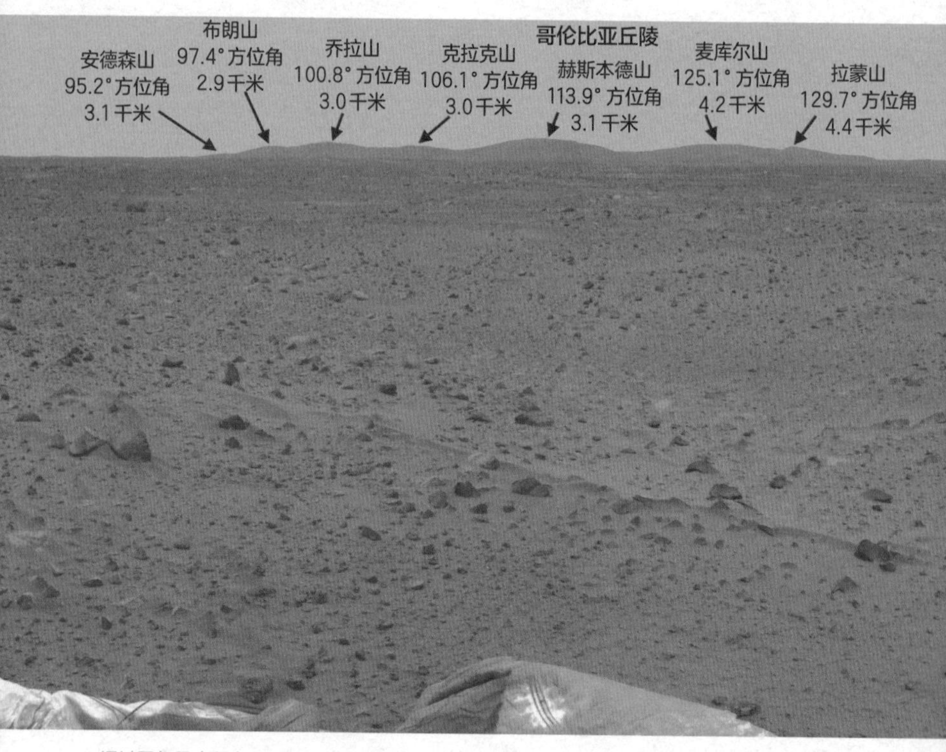

●通过勇气号火星车于2004年1月拍摄的这张火星表面照片，我们可以看到几英里外地平线上的山峦。现在，NASA以2003年2月1日哥伦比亚号航天飞机事故中牺牲的几位宇航员的名字命名了其中7座山峰。和1976年海盗号飞船着陆的两个地方一样，2004年，勇气号和机遇号火星车着陆的位置也是一片岩石崎岖的平原，看不到任何生命迹象。

●勇气号火星车拍摄的周围特写照片表明，这里可能是古代的岩床，此外，年代较晚的岩石包含的化合物在地球上通常形成于水下。火星红色的主色调来自地表岩石和土壤中的氧化铁（铁锈）。

图片版权

AURA: Association for University Research in Astronomy
CFHT: Canada, France, Hawaii Telescope
ESA: European Space Agency
ESO: European Southern Observatory
NASA: National Aeronautics and Space Administration
JPL: Jet Propulsion Laboratory
NSF: National Science Foundation USNO: United States Naval Observatory

1. WMAP Science Team, NASA
2. S. Beckwith and the Hubble Ultra Deep Field Working Group, ESA, NASA
3. Andrew Fruchter et al., NASA
4. N. Benitez, T. Broadhurst, H. Ford, M. Clampin, G. Hartig, and G. Illingworth, ESA, NASA
5. A. Siemiginowska, J. Bechtold, et al., NASA
6. 2MASS, JPL, NASA
7. Jean-Charles Cuillandre, CFHT
8. European Southern Observatory
9. Hubble Heritage Team, A. Riess, NASA
10. High-Z Supernova Search Team, NASA
11. ESA/NASA/Hubble
12. P . Anders et al., ESA, NASA
13. Hubble Heritage Team, NASA
14. ESA/NASA/Hubble
15. M. Heydari-Malayeri (Paris Observatory) et al., ESA, NASA
16., 17. Atlas Image obtained as part of the Two Micron All Sky Survey, a joint project of the UMass and the IPAC/Caltech, funded by the NASA and the NSF .
18. Jean-Charles Cuillandre, CFHT
19. J. Hester (Arizona State Univ.) et al., NASA
20. H. Bond and R. Ciardullo, NASA
21. Andrew Fruchter (Space Telescope Science Institute) et al., NASA
22. Jean-Charles Cuillandre, CFHT
23. R. G. French, J. Cuzzi, L. Dones, and J. Lissauer, Hubble Heritage Team, NASA
24. (a) Voyager 2, NASA; (b) Athena Coustenis et al., CFHT
25. Cassini Imaging Team, NASA
26. (a) and (b) Galileo Project, NASA
27. Magellan Project, Jet Propulsion Laboratory, NASA
28. Buzz Aldrin, NASA
29. J. Bell, M. Wolff, et al., NASA
30. Spirit rover, NASA/Jet Propulsion Laboratory/Cornell
31. Spirit rover, NASA/Jet Propulsion Laboratory/Cornell